© 2015 por Sérgio Chimatti
© Lorado/Getty Images

Coordenadora editorial: Tânia Lins
Coordenador de comunicação: Marcio Lipari
Capa e projeto gráfico: Jaqueline Kir
Diagramação: Rafael Rojas
Preparação: Janaína Calaça
Revisão: Equipe Vida & Consciência

1ª edição — 2ª impressão
5.000 exemplares — setembro 2015
Tiragem total: 8.000 exemplares

**CIP-Brasil — Catalogação na Fonte
(Sindicato Nacional dos Editores de Livros, RJ)**

A586p

    Anele (Espírito)
    Os protegidos / [pelo espírito] Anele ; psicografado por
Sérgio Chimatti. - 1. ed. - São Paulo : Vida e Consciência,
2015. 464 p.

    ISBN 978-85-7722-434-0

    1. Espiritismo. 2 Romance brasileiro. I. Título.

15-21941   CDD: 133.9
                               CDU: 133.9

Todos os direitos reservados. Nenhuma parte desta edição pode ser utilizada ou reproduzida, por qualquer forma ou meio, seja ele mecânico ou eletrônico, fotocópia, gravação etc., tampouco apropriada ou estocada em sistema de banco de dados, sem a expressa autorização da editora (Lei nº 5.988, de 14/12/1973).

Este livro adota as regras do novo acordo ortográfico (2009).

Vida & Consciência Editora, Gráfica e Distribuidora Ltda.
Rua Agostinho Gomes, 2.312 — São Paulo — SP — Brasil
CEP 04206-001
editora@vidaeconsciencia.com.br
grafica@vidaeconsciencia.com.br
www.vidaeconsciencia.com.br

Os protegidos

SÉRGIO CHIMATTI

Romance inspirado pelo espírito Anele

A Mensagem dos Anjos

"[...] Aos que pensassem que é impossível a Espíritos verdadeiramente elevados se restringirem a uma tarefa tão laboriosa e de todos os instantes, diremos que influenciamos suas almas embora estando a milhões de quilômetros de distância: para nós, o espaço não existe, e mesmo vivendo em outro mundo nossos Espíritos conservam sua ligação conosco. Gozamos de faculdades que não podem compreender, mas estão certos de que Deus não lhes impôs uma tarefa acima de suas forças e nem os abandonou sozinhos sobre a Terra, sem amigos e sem amparo.

Cada anjo da guarda tem o seu protegido e vela por ele como um pai vela pelo filho. Sente-se feliz quando o vê no bom caminho; chora quando os seus conselhos são desprezados.

Não temam fatigar-nos com as suas perguntas; permaneçam, pelo contrário, sempre em contato conosco: serão mais fortes e mais felizes. São essas comunicações de cada homem com o seu Espírito familiar que fazem médiuns a todos os homens, médiuns hoje ignorados, mas que mais tarde se manifestarão, derramando-se como um oceano sem bordas para fazer refluir a incredulidade e a ignorância. Homens instruídos, instruam; homens de talento, eduquem seus irmãos. Não sabem que obra assim realizam: é a do Cristo, a que Deus lhes impõe. Por que Deus lhes concedeu a inteligência e a ciência, senão para as repartirem com seus irmãos, para os adiantar na senda da ventura e da eterna bem-aventurança?"

São Luís, Santo Agostinho
(*O Livro dos Espíritos* – Livro II – Capítulo IX –
Questão 495 – Allan Kardec).

Capítulo 1

1968

As jovens amigas Amanda, Sara e Gratiel preparavam-se para sair em uma tarde de domingo.

Defronte à penteadeira, Amanda retocava a maquiagem, acompanhada de Roberta, sua irmãzinha de quatro anos:

— Roberta, por favor, pegue aquele vidro de perfume.

— Pegarei só se você passar batom em mim. Quero sair com vocês! — exigiu a pequena.

— De jeito algum, menina! Se nosso pai vê-la maquiada, nos colocará para limpar privadas no quartel. Prometo que, no próximo ano, quando completar cinco anos, a levarei conosco. Se nosso pai deixar, obviamente.

— Será que Armando estará no parque, Amanda? — perguntou Sara.

— Para mim não fará diferença! Ele é um filhinho de papai e pensa que tem um rei na barriga — respondeu Amanda com desdém.

Gratiel sorriu:

— Isso é dor de cotovelo ou paixão recolhida!

Suspirando, Sara finalizou antes de saírem:

— Ah... Ele pode até ser filhinho de papai e mau caráter, mas, dentro daquele Karmann-Ghia zerinho, parece o Roberto Carlos...

Em um bar, Noel e Armando conversavam em frente ao balcão, quando um rapaz se aproximou. Armando apresentou-o ao amigo:

— Noel, este é o Júlio, novo membro da turma. É torneiro mecânico na fábrica do meu avô. Tio Jader é o encarregado dele.

Noel bateu no ombro de Júlio, saudando-o:

— E aí, bicho? Virá com a gente caçar uma brasa no parque da Vila Almira?

— Nunca fui a nesse parque. É bom? — perguntou Júlio.

Entusiasmado, Armando respondeu:

— Noel é a pessoa certa para lhe contar o que aconteceu comigo nesse parque semana passada. Vamos, conte para ele!

Orgulhoso, o interpelado narrou:

— O Armando mexeu com a moça do caixa, só que nosso amigo não sabia que ela era a filha do diretor do parque... Meu, foi quase uma festa de arromba — Noel riu.

— Brigaram? — perguntou Júlio.

— Que nada! — exclamou Noel. — Quando o pai da moça chegou rugindo, Armando logo tratou de puxar a carteira recheada. Quase comprou o parque inteiro, tantas foram as fichas que ele pediu para distribuir entre as crianças. Foi assim que conseguiu amansar a "fera".

E os jovens seguiram para o parque.

No parque de diversões Vila Almira, Amanda, Gratiel e Sara estavam próximas ao carrossel. Armando, Júlio e Noel praticavam tiro ao alvo.

De longe, Júlio observava Amanda com admiração. Encantado com a beleza da moça negra, o rapaz pensava em um modo de abordá-la.

Aproveitando que Armando e Noel discutiam com o fiscal da banca de tiros, Júlio chamou um menino que pedia esmolas e cochichou algo ao ouvido do garoto:

— Está vendo aquela moça negra ao lado daquelas duas branquelas? Pergunte o nome dela e volte para me dizer. Só não conte a ela quem perguntou. Depois que você voltar e me disser o nome da moça, lhe darei o resto do dinheiro.

Júlio tirou uma nota do bolso e deu ao menino, que seguiu para cumprir a tarefa.

Amanda assustou-se quando o garotinho surgiu de repente, perguntando seu nome:

— Para que quer saber meu nome, moleque intrometido?

Sem saber o que fazer para livrar-se da situação, o menino respondeu:

— É que tem um moço que gamou na senhora e me pediu para perguntar seu nome. Ele está com vergonha.

Sob os olhares atentos de Gratiel e Sara, Amanda agachou-se e falou ao ouvido do menino:

— Tudo bem. Digo-lhe meu nome se apontar a pessoa quem perguntou. Prometo que não direi que me contou.

Olhando à sua volta, o menino não visualizou Júlio e, na tentativa de safar-se da situação, apontou aleatoriamente para outro rapaz:

— É aquele de laço vermelho no pescoço, o vendedor de algodão doce.

Amanda reparou no homem e expressou repulsa. Sara e Gratiel entreolharam-se, gargalhando e motejando:

— Eu acho que sei quem é ele! Não lembro o nome, mas sei que o pai dele se chama "Cruz Credo" e a mãe "Deus me livre" — disse Sara, seguida de Gratiel:

— Que nada! Ele é "charmosinho"! Parece o Erasmo Carlos com dor de barriga! Socooorro!

— Parem com isso! — Amanda exclamou irritada, agachando-se novamente à altura do menino:

— Moleque, diga a ele que meu nome é Adamastora Rodomilda. Entendeu? Repita, só para ver se entendeu.

— Sim, moça! Adamastora Rodomilda! Obrigado — e o menino saiu correndo, perdendo-se na multidão à procura de Júlio.

Quando encontrou o rapaz, o menino, reservadamente, revelou o nome da moça, pegou a nota e saiu contente.

Nervoso, Noel jogou a espingarda de pressão sobre o balcão e disse aos amigos:

— Estou enjoado disso aqui! Voltarei para casa, porque o inferno me espera. Em pleno domingo, terei de estudar para recuperar a nota de geografia para a prova de amanhã.

Armando, por sua vez, também se despediu:

— Confesso que também estou farto deste pulgueiro. Tem poucos "brotos" para conquistar, porque a maioria já caiu na minha lábia... Você vai embora também, Júlio?

— Não, amigos! Ficarei só mais um pouco, mas depois irei embora. Preciso cuidar de minha mãe.

— Sua mãe está doente, Júlio? — perguntou Noel.

— Acho que eu que estou ficando doente...

Disfarçadamente, Armando fez menção para Noel parar de fazer perguntas. Despediram-se, e Armando finalizou:

— A gente se vê no bar no próximo sábado. Levarei você para conhecer o baile do Brasas. Só cuidado com as pulgas daqui, senão vai aparecer todo inchado para trabalhar.

Sozinho, Júlio voltou sua atenção à procura da moça que o encantara. Certificando-se de que ela ainda estava no parque, o rapaz seguiu para a cabine de som do local para oferecer uma música para a jovem. Além da canção que pedira para tocar, entregou anotações em um pedaço de papel ao locutor, que, logo em seguida, anunciou enfático a dedicatória reverberada nos alto-falantes:

— Esta música romântica vai para a moça mais linda do parque Vila Almira: a senhorita Adamastora Rodomilda! Adamastora Rodomilda, ouça o pequeno verso que seu admirador lhe escreveu: "Vi em seus olhos um brilho cintilante, em sua boca um beijo fervilhante, e seu semblante ficará em minha mente a todo instante".

Quando a música *Última Canção*, de Paulo Sérgio, começou a tocar, as moças aguardavam uma apresentação em frente ao picadeiro da Macaca Monga. Ao escutarem o anúncio, Gratiel e Sara entreolharam-se paralisadas e prorromperam em gargalhadas, enquanto Amanda expressava seu descontentamento.

Engasgada com as pipocas, Sara disse com dificuldade:

— O "algodoeiro" é poeta! Isso dará em casamento...

Enquanto batia nas costas de Sara para aliviar a tosse da jovem, Gratiel emendou descontrolada de tanto rir:

— O primeiro fruto desse "amor" se chamará "Cruz Credo Júnior" e o segundo... "Deus Me Livre Neto".

Mortificada, Amanda disse:

— Como minhas amigas são criativas... Quero ver qual é a desse sujeito! Parem de rir!

Amanda partiu resoluta na direção da carrocinha de algodão doce, seguida das amigas, que, abraçadas, motejavam alegremente. Júlio, por sua vez, se aproximou do trio, tentando escutar algum comentário para entender o que se passava.

A música chegava ao fim, quando Amanda se prostrou de mãos na cintura diante do suposto admirador:

— Por favor, um algodão doce para a senhorita Adamastora Rodomilda!

— Será branco ou rosa?

— Ué? Para quem mereceu uma dedicatória musical tão "linda" como a de agora, qual a cor de algodão o senhor acha que a senhorita Adamastora Rodomilda merece?

O homem respondeu mal-humorado:

— Não sei... Por mim, essa moça poderia comprar o carrinho todo, assim eu poderia ir embora mais cedo. Mas, como isso não aconteceu, diga logo, por favor, o que quer porque tem gente na fila.

Dando-se conta do engano e sob as risadas das amigas, Amanda revoltou-se:

— Ah! Vou-me embora! Se eu encontrar aquele pivete mentiroso, o mato a beliscões!

Com a saída das jovens, Júlio aproximou-se da carrocinha e perguntou ao homem:

— O que deu naquela moça? Por que saiu tão contrariada?

— Sei lá... Não sei que bicho a mordeu. Chegou pedindo algodão doce para uma tal de Adamastora...

não lembro o outro nome. Depois não quis mais o doce e saiu bufando com as amigas, que riam da cara dela.

Chegando a sua casa, Júlio não viu a mãe na sala e levou as mãos à cabeça:

— Essa não!... De novo não...

Observando ao redor o copo caído ao lado garrafa de uísque vazia, um cinzeiro cheio de bitucas e a vitrola repetindo a mesma estrofe de uma música psicodélica, Júlio levantou o braço da agulha e seguiu para o quarto de sua mãe, Helena. Lá, a encontrou deitada na cama de braços e pernas abertas, com o rosto virado na direção de um jato de vômito sobre o lençol.

Desgostoso, Júlio aproximou-se da mãe e sacudiu-a energicamente:

— Mãe, por que faz isso? Por quanto tempo precisarei pajeá-la?

Ainda embriagada, Helena confundiu o filho e protestou:

— Pare, Vitor! "Puxe seu fumo" aí, porque não quero mais fazer amor! Me deixe em paz!

— Mãe, não aguento mais vê-la desse jeito! Cada vez que volto aqui, a encontro bêbada e desvairada! Se continuar assim, a internarei num hospício!

Esforçando-se para enxergar Júlio, Helena respondeu cambaleante:

— Ah! Júlio... Como você é "quadrado", filho...

— Sou sim, mãe. Mas sabemos quem é o "quadrado" que terá de limpar toda essa sujeira fedendo a azedo que você deixou, não é?

— Filho, deixe de ser chato... Putz... Você nem parece filho do seu pai!

— É verdade, mãe. Meu pai é que sabia levar a vida e por isso já está na cova. Aliás, desse jeito, a senhora logo fará companhia a ele.

Helena virou-se para voltar a dormir, mas Júlio não deixou, tomando-a pelo braço:

— Chega de conversa! Já para o chuveiro, porque esse cheiro também está me dando vontade de vomitar.

Com dificuldade, Júlio conseguiu colocar Helena debaixo do chuveiro para dar-lhe um banho. Em seguida, arrumaria a bagunça.

Capítulo 2

No sábado seguinte, os amigos reuniram-se no Brasas, um salão de baile da periferia. Tratava-se de um lugar simples, onde os jovens embalavam seus sonhos ao ritmo das músicas da Jovem Guarda.

Júlio conversava descontraidamente com Armando, quando não acreditou no que via: a jovem negra a qual dedicara a música no domingo também estava no Brasas.

— Armando, você conhece aquela moça?

— Sim, aquela negrinha linda é a Amanda. Mas vá com calma, bicho! Já fiz de tudo para convencê-la a sair comigo e nunca consegui!

— Bicho, me apresente ao broto, por favor.

— É pra já! Venha.

Aproximando-se das garotas, Armando apresentou Júlio:

— Meninas, com licença, quero apresentá-las ao meu amigo Júlio. Esta é Sara, esta é Gratiel e esta é... — Armando fingiu esquecer o nome de Amanda, provocando irritação na moça. Estendendo a mão para Júlio, a jovem disse:

— Amanda! Armando finge esquecer meu nome porque é despeitado. Meu nome é Amanda.

Enquanto Júlio sorria, Amanda, absorta em pensamentos, fixou a atenção nos olhos do rapaz, questionando-se intimamente sobre onde teria visto aquele rapaz de cabelos longos à altura do ombro, de olhos azuis, que transmitia-lhe uma estranha sensação de paz.

— Meu amigo é meio tímido. Vim tirar uma de vocês para dançar com ele. Pode ser você, Amanda? — Armando perguntou.

A jovem assumiu uma postura defensiva para não demonstrar que havia gostado do convite:

— Posso saber o que leva nosso amigo a pensar que estou querendo dançar?

Percebendo que Júlio tremeu, Amanda não esperou a resposta e convidou:

— O novo amigo me concede o prazer dessa dança?

Naquele momento, iniciou-se uma sequência de músicas lentas no salão. Júlio foi para a pista com Amanda:

— Ainda bem que começaram essas músicas lentas. Se fossem outras, não poderia acompanhá-la. Não sei dançar e sinto vergonha.

— E se agora não tocasse essa lenta, o que você faria? Recusaria o convite para dançar comigo?

— Nem sei o que faria... Talvez abrisse um buraco no chão e enterrasse a cabeça...

Rindo ao observar que o rosto de Júlio corara de vergonha, Amanda sorriu:

— Você parece diferente de Armando...

— Como assim? O que quer dizer com isso?

— Sinto pureza em seu coração...

— Armando é boa praça. É meio metido, mas é legal.

— Sei... Para quem gosta de caras como ele, é um prato cheio.

— Você parece uma moça brava, Amanda.

— Não sou brava, só não gosto de canalhices. Armando não faz meu tipo justamente por causa disso. Ele não é sério e não me meto com pessoas que não me levem a sério.

— Queria lhe perguntar uma coisa, mas estou preocupado de você achar ruim...

— Pois pergunte. Se achar ruim, logo saberá.

— O que acha da música *Última Canção* do Paulo Sérgio?

— Adoro! Por que eu acharia ruim a pergunta?

— Porque ofereci essa música no domingo para uma certa Adamastora Rodomilda e ela saiu toda brava.

Ambos se retiraram do baile para rir, trocando impressões sobre o fato:

— Júlio, ri muito daquele poema que você fez. Não fique chateado, está bem?

— Não fico, porque nunca fui poeta. Mas fique tranquila, pois aquela foi a primeira e última vez que tentei.

Encantada pela sinceridade espontânea de Júlio, Amanda não se conteve:

— Não sei se deveria dizer, mas...

— Diga, Amanda... diga.

— É estranho lhe dizer isso, mas, quando bati os olhos em você, senti uma coisa estranha... Uma vontade de estar junto...

— Quanto a mim, quando a vi pela primeira vez no parque, tive a certeza de que é você que quero para a vida inteira... Também não entendo como pude me apaixonar por você.

Escondido de todos, o beijo apaixonado entre os jovens aconteceu. Apenas dois espíritos apreciavam com alegria a cena. Belizário, anjo de Amanda, e Eugênia, anjo de Júlio:

— Mas nós sabemos como e o porquê, não é, Belizário?

— E como sabemos, Eugênia! Recordo-me das vezes em que tive essa mesma intuição para unir-me a algumas pessoas nas diversas encarnações. E quantas vezes, de maneira arrogante, imaginei ser o protagonista nas conquistas, ignorando que se tratava do destino se realizando mediante ao que eu mesmo havia previamente estabelecido.

— Belizário, o coração de nossos tutelados é puro. Eles são capazes de reconhecer a missão sagrada que cumprirão.

Na residência da família Norton Salles, Jader observava o caixão no qual o corpo de sua esposa Joana estava sendo velado e recebia os pesares de parentes e amigos.

Fazendo a retrospectiva dos dez anos de casamento, Jader recordava-se da época em que conquistara Joana, interessado na estabilidade financeira que o pai da moça lhe proporcionaria. Foi com muito sacrifício que ele conseguiu se casar com Joana, pois, desde o início, a família da noiva percebera que o enlace fora motivado por interesse.

Jader recordou-se do esforço que fizera para relacionar-se com uma mulher pela qual não sentia atração. Tinha de fantasiar, pensar em outras mulheres, para conseguir selar sua segurança, que veio com o nascimento dos pequenos Murilo, gerado antes do casamento, e Priscila, que nascera logo em seguida, quando Jader já havia assumido o cargo de gerência na empresa do sogro.

Observando as velas e coroas dispostos ao redor, Jader esforçava-se para disfarçar a satisfação de livrar-se daquele fardo, imaginando a liberdade que teria, a partir daquele momento, para compartilhar dos prazeres com prostitutas, que comumente procurava para satisfazer seus desejos.

De repente, Jader viu as rosas que cobriam o corpo da esposa movimentarem-se e Joana sentar-se no caixão arregalando os olhos, que revelavam olheiras profundas:

— Venha, Jader, venha aqui, por favor...

Inconformado com a ressurreição da esposa, Jader afastou-se apavorado, ouvindo a voz estertorosa do cadáver cada vez mais alta, chamando-o para perto.

Estremunhando-se, Jader foi despertado do sonho com Joana chacoalhando-o:

— O que é isso, Jader? São sete horas! Está cada vez mais difícil de acordá-lo!

— Nossa! Tive um sonho — respondeu ofegante.

— Pelo visto, estava sonhando que estava morto. Amor, estou tentando acordá-lo faz mais de quinze minutos! Com o que sonhava?

— Sonhei que estávamos em um campo fazendo amor sobre a grama.

— Ah! Sim... Claro... Só em sonho mesmo! Porque ultimamente ando sonhando acordada com isso, enquanto você, em vez de procurar ajuda, fica dando uma de "machão" e nega-se a procurar um médico.

— Você não compreende... — Jader debruçou-se na cama, dissimulando descontentamento. — Essa impotência maldita me faz ter vontade de meter uma bala na cabeça!

Preocupada, Joana abraçou o marido:

— Oh! Meu amor, não se preocupe. Isso passará, meu leãozinho... Não fale uma coisa dessas, pois você sabe que nosso amor é maior que o sexo.

— Prometo que hoje, durante a terapia com doutor Alex, darei-lhe um ultimato! Não aguento mais olhar para você sem poder fazer amor.

— Está bem, amorzinho, mas já está atrasado. E a Fundições Norton não pode parar.

À tarde, no consultório do psicanalista, Jader reclamava no divã:

— Doutor, não consigo entender. Por mais que me esforce, não consigo encontrar uma maneira de me livrar de minha mulher.

— É preciso buscar os motivos que o têm levado a pensar nisso.

— Mas doutor, o senhor fala, fala, mas não diz nada! Nunca dá sua opinião! Não sei para que serve essa terapia.

— Jader, você não está num bar, desabafando-se com seus amigos e ouvindo palpites. É preciso descobrir os motivos que o levam a ter determinados comportamentos. É algo que você deve descobrir por si mesmo e é para isso que está aqui.

— Sim, doutor Alex, mas para mim está claro: não consigo sequer olhar para minha mulher. Até que ela não é feia, mas, desde que a conheci, frequento a terapia só para ela pensar que tenho algum bloqueio sexual. Já pensei em pedir desquite, falar a verdade, mas sabe como é... A sociedade é cruel. Reconheço que sou um pai ausente, nem com meus filhos sinto vontade de estar.

— Jader, você fala como se sua esposa fosse culpada de tudo isso.

— Sei lá, doutor! Penso que, apesar da estabilidade financeira, sou infeliz. Lembro-me de minha mãe e meu pai, que, apesar de serem malucos, cultivavam um romance bandido, entre tapas, mas lembro também que eles conseguiam fazer amor pelo menos. Não sinto atração por Joana.

— Uma conversa franca com sua esposa não seria bom para você?

— Acho que não... Não sinto vontade de conversar com ela, porque nossas ideias não batem, nossos gostos não combinam. Não discuto com Joana apenas para manter as aparências; mas, a verdade é que sinto um grande vazio.

Júlio conquistou rapidamente a confiança da família de Amanda, exceto de Gildo, o pai da jovem.

Oficial militar aposentado do exército, Gildo era um homem de comportamento simples, mas integrava um grupo secreto a serviço do governo militar, que utilizava métodos de tortura e coação àqueles contrários à ditadura.

— Chamei o senhor em particular para lhe perguntar sobre suas verdadeiras intenções para com minha filha.

— Minhas intenções para com sua filha são as melhores, senhor Gildo — respondeu educadamente o rapaz.

— Acha que cairei nessa conversa de "boas intenções", rapaz? Se fizer algo de que não gostemos à minha filha, saiba que isso poderá trazer-lhe desagradáveis consequências. Não acha melhor desistir enquanto há tempo?

— Senhor Gildo, não tenho pai. Moro só com minha mãe, como o senhor sabe. Desde cedo, aprendi a ser responsável e respeitador. Considera que isso seja um fator positivo a meu favor?

— Caso não se incomode, poderia me contar o que aconteceu com seu pai e um pouco mais sobre sua mãe.

— Meu pai morreu quando eu era criança. Levava uma vida desregrada entre noitadas regadas a álcool e drogas. Minha mãe, que o acompanhava, tenta se recuperar até hoje.

— Parece ter orgulho em relatar tais fatos, porém tal revelação só serviu para que eu me certificasse de que a relação entre você e minha filha não tem como dar certo. Repetirei a pergunta: não acha melhor desistir enquanto há tempo?

— Não acho. Compreendo sua preocupação, mas considere que algumas pessoas repetem os exemplos dos pais, enquanto outras se esforçam para não repetir seus equívocos — respondeu Júlio com austeridade.

— Você está certo, meu jovem. Abrirei o jogo com você. Sejamos honestos e realistas: você é branco de olho azul e minha filha é negra de cabelo sarar á. Acha que a sociedade entenderá isso?

— Com todo respeito, senhor Gildo, não me interprete mal, mas sua preocupação não se trata de preconceito? O que sinto por sua filha não tem a ver com a cor da pele, nem com status. Desculpe-me por comentar, mas sua esposa também é branca e sua filhinha Roberta puxou a ela.

— Minha vantagem é que o preto aqui sou eu. E, por ser militar, todos me respeitam. Amanda é mulher e não precisa ser nada, além de dona de casa. Mas sei lá moço... Vocês, jovens, têm ideias demais.

— Sei que hoje em dia as pessoas valorizam mais a cor da pele do que o coração e que existem muitos lobos em pele de cordeiro, mas garanto ao senhor que minhas intenções são de constituir uma família com Amanda.

— Tudo bem, mas considere-se avisado: se fizer alguma canalhice à minha filha, não terá do que reclamar.

Capítulo 3

1969

Por causa do namoro de Amanda com Júlio, fazia algum tempo que Gratiel não conversava com a amiga. Um dia, no entanto, a jovem procurou Amanda no pátio do colégio:

— Preciso falar urgentemente com você. Poderia ir à minha casa?

— Tudo bem, desde que prometa prender seu avô na coleira — respondeu Amanda sorrindo.

No dia seguinte, Amanda tocou a campainha e foi recepcionada pelo avô de Gratiel, Afrânio, que, com dificuldade, conseguiu enxergar a recém-chegada:

— Oi. É você, minha filha? Espere um pouco, por gentileza — entrou para chamar a neta.

— Gratiel, aquela sua coleguinha pretinha está na porta!

A jovem saiu rindo para atender Amanda, prevendo a reação da amiga ao despretensioso anúncio.

— Você prometeu que colocaria o velho remelento na coleira, Gratiel!

— Ah! Amanda... Não ligue para o vovô. Você sabe que ele não bate bem das ideias. Vamos para meu quarto.

Passando pela sala, Afrânio interrompeu o curso de Amanda:

— Sabe, quando cheguei de Portugal, nunca tinha visto uma escurinha. A primeira que vi era linda como você e me apaixonei. Casaria com ela, se não tivesse ido embora.

Gratiel ria da expressão de desagrado da amiga, que respondeu:

— Já sei, seu Afrânio... O senhor já me contou essa história mil vezes, ou mais! Ainda bem que a "escurinha" foi embora para o zoológico, não foi? Caso contrário, a Gratiel seria pretinha como carvão.

— Não, minha filha! Ela não foi trabalhar no zoológico. Ela foi trabalhar num circo. Está vendo como você não presta atenção?

Rindo, Gratiel empurrou a amiga para dentro do quarto, antes que a jovem retrucasse.

— Está vendo por que prefiro que vá à minha casa, Gratiel? Qualquer dia cometo um "velhocídio" e mato esse português chato a que você pede "bença"!

Sentadas na cama, Gratiel começou chorar.

— Calma, Gratiel. Estava brincando. Adoro seu Afrânio.

— Não é isso, Amanda... Estou grávida! — Gratiel debulhou-se em lágrimas.

— Minha nossa! Mas você e Noel desmancharam o namoro. Soube que ele está namorando a Sara... E agora?

— Não é do Noel...

Depois de raciocinar por alguns instantes, Amanda perguntou com dúvidas:

— Como assim? Você se deitou com outro?

Abraçada a Amanda, Gratiel contou chorando:

— Fiquei despeitada porque Noel começou namorar a Sara, então saí com Armando apenas uma vez. Eu só queria fazer ciúmes a Noel.

— Você está me deixando aflita! Por favor, controle-se! Pare de chorar e me conte logo o que aconteceu.

— Na única vez em que saí com Armando, bebi muito. Ele, então, me levou para um motel. Havíamos combinado que não faríamos nada, mas ele praticamente me violentou, terminou o "serviço" num instante e me deixou em casa. Nunca mais quero ver a cara daquele infeliz safado!

— Mas você foi muito burra, Gratiel!

— O que farei agora, meu Deus do céu?

— Calma. Calma. Ficar assim não resolverá coisa alguma. Enfrente a situação de cabeça erguida! Já ouvi casos em que a menstruação de algumas meninas atrasou mais de um mês e, mesmo assim, elas não estavam grávidas.

— Minha menstruação nunca atrasou... — disse Gratiel em um pranto incontrolável.

— Acalme-se, menina! Levante-se, vamos lavar esse rosto!

Entrando no banheiro, Gratiel apoiou-se em Amanda e calou-se de repente.

— O que foi agora? Sente-se um pouco — Amanda sugeriu.

A jovem sentou-se no vaso sanitário e começou rir e chorar ao mesmo tempo.

— Não me diga que enlouqueceu agora!

— Desceu! Desceu! — comemorava Gratiel sufocando o grito.

Amanda ergueu as mãos aos céus e saiu do banheiro para que a amiga tomasse as providências de higiene.

Assim que saiu do banheiro, Gratiel abraçou-se à amiga e novamente começou a chorar.

— Que foi? Está infeliz porque o "embrião" desceu pelo ralo? — ironizou Amanda com alegria.

— Não... Estou morrendo de saudades do Noel.

— Ai meu Deus... Por que vocês desmancharam o namoro?

— Porque eu reclamava que queria estar com ele o tempo todo, e Noel só estudava, estudava, estudava e estudava. Não tinha tempo para mim. A gente se via duas vezes por semana... Fiquei chateada e pedi para ele sair da minha vida.

— Não adianta chorar o leite derramado agora. Tenha esperança, pois não sabemos o dia de amanhã.

— Fui burra demais! Bem que Noel avisou que eu me arrependeria, mas fui impulsiva. Duas semanas depois, ele já estava com Sara. Odeio a Sara!

— Como vocês são corajosas! Eu e Júlio estamos juntos há quase um ano e até agora resistimos, mas vocês parecem não ter medo de nada. Caramba, Gratiel!

— Noel foi o primeiro... Eu tinha certeza de que me casaria com ele...

— Não comece a chorar novamente. Erga a cabeça!

— Peço desculpas por ter me afastado de você, mas, depois que começou a namorar o Júlio, você também me abandonou.

Enquanto as amigas conversavam, um diálogo paralelo acontecia entre anjos no plano invisível:

— Qual a importância da amizade entre Gratiel e Amanda no planejamento desta encarnação? — perguntou Aurélio, o anjo estagiário.

Osório, anjo de Gratiel, respondeu:

— O laço entre as amigas está relacionado aos entes futuros que ainda virão.

Belizário, anjo de Amanda, acrescentou:

— Acabamos de testemunhar um fato que serviu para firmar os laços entre as duas: Gratiel impedia sua própria ovulação, pois a retinha psicologicamente. Amanda, sem suspeitar, emanou fluidos restauradores através da vontade de tranquilizar a amiga, promovendo a liberação do ciclo menstrual de Gratiel, libertando-a, por fim, do medo.

— Um fato tão simples pode firmar laços tão importantes? — Aurélio novamente perguntou.

— A colaboração de Amanda resultou na libertação de minha protegida, pois Gratiel conseguiu se livrar da inveja que sentia da relação de Amanda e Júlio, fortalecendo o campo vibratório positivo no qual o casal está inserido.

Afrânio despontou à porta convidando Amanda:

— Minha filha, fiz um café pretinho para servir com bolachinhas para você. Venha para a cozinha com Gratiel.

— Obrigada, seu Afrânio, já vamos. Mas terei de ser rápida porque tenho que fazer faxina e deixar o chão de casa "branquinho".

Antes de sair, Amanda beijou o rosto de Afrânio, deixando-o feliz, e lançou reservadamente um comentário a Gratiel, fazendo a amiga rir:

— Se seu avô falar mais uma cor escura, cortarei a "coisa" branca dele.

Capítulo 4

1970

Por recomendação de Armando, Jader levou os filhos ao parque de diversões da Vila Almira.

Não era do feitio de Jader sair com a família, mas, cobrado pelos filhos pequenos, reconheceu a negligência e decidiu acompanhar a família.

A ideia de estar ao lado de Joana o perturbava. Jader sentia vergonha da esposa por considerá-la simplória para seu nível social.

Jader arrumou um pretexto para ficar separado da esposa durante o passeio. Definiu que ela acompanharia Priscila, que era menor, e ele acompanharia Murilo, justificando que os brinquedos do parque eram diferentes de acordo com a idade e que, dividindo-se, não perderiam tempo na fila. Estar ali era fastidioso para Jader, mas o esforço compensaria a consciência.

Enquanto Murilo se divertia no carrinho bate-bate, Jader admirava uma jovem que conversava descontraidamente com as amigas, fazendo-o lembrar-se de Paula, uma prostituta com quem se envolvera de tal maneira, que, não fossem as atividades da mulher, talvez tivesse abandonado tudo para assumi-la, tamanha tinha sido a paixão que sentira.

A insistência dos olhares de Jader fez a moça notá-lo e ela ficou envaidecida por estar sendo admirada por um homem mais velho.

Apesar da inocência da jovem, que sorriu ao perceber que estava sendo observada, isto foi suficiente para Jader transformar um gesto em um conjunto de fantasias de sedução.

Para um homem de trinta e cinco anos, carente, descontente com um casamento arranjado por ele mesmo, envolver-se com prostitutas era menos arriscado do que ter uma amante. Entretanto, o fato de estar com mulheres apenas para satisfazer seus desejos sexuais o fazia sentir-se vazio.

"Já estou cansado dessa situação", pensou Jader. "Quem sabe uma relação na qual pudesse compartilhar sentimentos sinceros não preenchesse a lacuna aberta em meu coração?"

Conciliar a estabilidade familiar e financeira com um romance fora do lar, certamente lhe traria esta-bilidade emocional. Jader imaginava que se sentiria mais completo.

Cada vez mais inebriado com seus devaneios, como se planejasse o futuro com a moça com quem trocava olhares, Jader fazia uma sombria contabilidade: com o dinheiro que gastava no luxuoso prostíbulo Recanto Taberna, poderia contribuir financeiramente com a moça, que seria sua amante, através de um acordo. Conciliaria prazer e segurança, carregando um fardo consciencial menor, já que as mentiras sentimen-tais ficariam apenas no relacionamento com a esposa.

Enlouquecido pela oportunidade, Jader tentava manter o equilíbrio para colocar, naquele instante, um plano em prática, porém desconhecia que tais pensamentos eram influenciados por entidades negativas, que, atraídas pelo propósito de sorver energias, faziam o homem quase arrastar o filho mecanicamente em direção à moça:

— Calma, pai! Que pressa é essa e para onde está me levando? — Murilo reclamou.

Hipnotizado, Jader respondeu sem pensar:

— Calma, filho. Veremos uma pessoa muito querida e depois o levarei para a roda-gigante.

Surpresa, a moça foi abordada com um simulado sorriso de Jader, que fez menção de abraçá-la:

— Olá, Manuela! Como vai, querida prima?

As moças que a acompanhavam assustaram-se com a intromissão daquele estranho, que interrompia a conversa das jovens. Mostrando-se educada, a interpelada respondeu com um leve sorriso:

— Desculpe-me, senhor, mas acho que me confundiu com alguém. Nunca o vi e meu nome é Sara.

— Nossa! Como você se parece com minha prima! Desculpe-me por importuná-la. Este aqui é meu filho Murilo.

Inocentemente, o menino desmascarou o pai:

— Pai, ela não se parece em nada com a Manuela!

Jader ficou envergonhado, e Amanda cochichou ao ouvido de Sara:

— Quem não cora sendo mentiroso, cora quando é desmascarado...

Jader tentou amenizar:

— Imagine, filho... Você era muito pequeno quando conheceu a Manuela! Não pode lembrar-se dela.

— Pai, lembro que o senhor vivia falando do nariz de tucano e do pé enorme da prima Manuela. Essa moça tem o nariz bonito e o pé pequeno.

As moças prorromperam em risadas, e Sara, por sua vez, deu chance a Jader de retirar-se com dignidade:

— Tudo bem, meu senhor, essas confusões acontecem.

— É verdade, desculpe-me... Meu nome é Jader, a seu dispor — acenou com a mão e retirou-se altivo.

Apesar da frustração, a ideia da conquista persistia em Jader, que disfarçou e levou Murilo à roda gigante, fazendo-lhe companhia no divertimento. Em seguida, procurou Joana e Priscila para retornarem ao lar. Alegou que queria aproveitar o resto da noite para descansar.

Jader estacionou o carro na garagem, entrou em casa e exaltou-se maldizente:

— Não acredito nisso!

— O que foi, Jader? — indagou Joana preocupada.

— Acho que esqueci a carteira de identidade no balcão do tiro ao alvo. Correrei lá para buscá-la. A menos que esteja com você, Joana...

— Comigo não está, mas duvido que a encontre. Vá logo, então. Quer que eu lhe faça companhia com as crianças?

— Imagine, amor. Vou e volto num instante. Como detesto ter de voltar a lugares porque esqueci algo! — simulou irritação.

Jader voltou ao parque na esperança de encontrar Sara. A jovem estava de saída com as amigas e qual foi a felicidade do homem ao observar que justamente ela se separava do grupo.

Sentindo-se favorecido, Jader aproximou-se de Sara anunciando:

— Olá, Sara. Lembra-se de mim?

— Sim, seu Jader. O senhor inventou que havia me confundido com sua prima, mas ninguém acreditou em sua história.

Jader escolheu cuidadosamente as palavras:

— Por favor, se importaria se eu a levasse até seu destino?

— Não, obrigada, senhor Jader — Sara respondeu rispidamente, complementando: — Não saberia o que dizer ao meu namorado, que está me esperando!

Demonstrando dissimulado constrangimento, Jader adotou uma postura de vítima, retirando um cartão de visitas do bolso com dizeres que havia escrito antecipadamente. Estendendo-lhe a mão, ele entregou o cartão à jovem:

— Olhe, Sara, não sei se percebeu, mas, quando fiz aquele papelão mais cedo, foi porque estava na presença de meu filho. Sou péssimo para mentir, por isso nada escondi. Não foi por acaso que voltei à sua procura. Se nosso destino for ficarmos juntos, eu a esperarei. Se não for, jogue fora esse cartão. Passe bem, obrigado.

Jader retirou-se cabisbaixo, representando o papel de derrotado, mas, ao certificar-se de que já estava suficientemente distante de Sara, pulou de alegria e deu socos no ar, comemorando:

— A sorte está lançada!

Certificando-se de que Jader estava longe, Sara leu o cartão: "Fundições Norton – Jader Salles — Gerente Industrial".

A jovem observou o número do telefone e o endereço e leu o que tinha escrito no verso do cartão: "Quando olhei para você, vi meu passado com esperança de futuro, tornando meu presente feliz. Não sei por que fiz isso, nem o que aconteceu comigo quando a vi, mas percebi em você o que quero para minha vida".

O coração de Sara palpitou.

Sara mantinha uma relação morna com Noel. A jovem decidira aceitar o pedido de namoro logo que o rapaz rompera com Gratiel, mas ele não era romântico. Sério demais, Noel preferiu deixá-la sozinha naquele domingo à tarde com as amigas, porque estava preocupado em estudar para o vestibular.

De outro lado, aquele estranho enfrentara uma situação constrangedora e esforçara-se para aproximar-se da jovem. E Sara lembrou-se de ter ouvido falar de casos em que homens mais velhos tornaram-se excelentes amantes e maridos de mulheres mais novas.

Por que não? Não seria desonesta, apenas merecia ser feliz. Romperia com Noel imediatamente para ficar com Jader, se tivesse certeza de que poderia ser feliz com ele.

Certamente, o novo pretendente era desquitado, pois não seria tão destemido a ponto de apresentar o próprio filho a outra mulher e entregar a uma desconhecida seu cartão com dados pessoais.

O coração juvenil de Sara flutuava entre nuvens, inserido em um conto de fadas, protagonizando um papel que, se recusasse, seria de outra.

Sara precisava ligar para Jader e saber até onde poderia chegar.

No dia seguinte, Diva, secretária de Jader, comunicava pelo interfone:

— Com licença, senhor Jader. Uma senhora, que se apresentou como Sara, está ao telefone querendo conversar com o senhor. Posso transferir a ligação?

Naquele momento, Jader estava com seu sogro, Celso Norton, em sua sala. Ainda assim, autorizou a transferência da ligação:

— Que surpresa boa você me ligar, menina! Estava pensando em você.

— Não acredito, mas tudo bem. Você deixou seu cartão, e eu queria confirmar se me atenderia mesmo.

— E por que não atenderia? Não devo nada a ninguém e lhe garanto: meu nome é limpo como meus princípios!

— Quase disse à sua secretária que era sua prima Manuela...

— Esqueça isso... Dê-me um desconto.

— Pensarei em seu caso, mas não decidi ainda. Tudo bem?

— Ok. Aceitarei suas condições, saberei esperar. Mas, enquanto isso, avalie o valor emocional que isso representa para mim. Por favor, me ligue que irei até aí.

— Desculpe se o estou atrapalhando... Talvez eu ligue novamente.

— Tudo bem. Quero que fique tranquila para decidir.

— Acho estranho não querer saber meu telefone. Está tão confiante assim?

— Claro que estou! Tenho certeza de que não deixará de lado minha oferta anotada no cartão que lhe deixei. Confio em você.

Sara despediu-se, e Jader colocou o telefone no gancho com alegria incontida, dizendo para o sogro:

— Tenho certeza de que conseguirei o desconto na joalheria, onde comprarei o anel de brilhantes para comemorar o aniversário de casamento com Joana.

Celso elogiou a atitude do genro:

— Jader, você está abrindo precedentes para Alessandra querer que eu faça o mesmo. Terei então que pedir para você me levar a essa loja para pedir descontos.

Logo que o sogro saiu da sala, Jader largou-se na cadeira giratória para lamentar:

— Essa evasiva me custará caro.

As fantasias românticas fervilhavam na mente de Sara e sua ansiedade possibilitou que a espera de Jader fosse menor do que ele esperava. A jovem decidiu telefonar-lhe novamente no mesmo dia à tarde.

Antes de atender o telefone, Jader planejou o que dizer, porque corria riscos e precisava se acertar com Sara para que Diva não desconfiasse de nada.

— Nossa, Sara! Como demorou para me ligar! Se lhe dissesse como estou, não acreditaria: morrendo de saudade.

— Está no lucro, senhor Jader. Estou retornando no mesmo dia! — disse Sara envaidecida.

— Sara, não posso mais... Detesto me sentir assim. Se não acredita em mim, não tem problema, mas, por favor, não me iluda. Desde que a conheci, você não sai um minuto do meu pensamento. Não sou um colegial. Caso não queira mais falar comigo, entenderei. Por favor, não me faça sofrer.

— Calma. Não queira copiar minhas palavras, mas você tem que concordar: preciso saber o terreno no qual estou pisando, não?

— Pois então me deixe mostrá-lo. Quando e onde nos encontraremos?

Sara forneceu o local e o horário do encontro para Jader, imaginando estar no controle da situação.

Capítulo 5

Sara chegou ao ponto de encontro com duas horas de antecedência.

Jader estacionou o carro, saiu, e, sobejando cavalheirismo, beijou a mão da jovem. Depois, abriu a porta do passageiro convidando-a para entrar e entregou-lhe uma caixa de bombons.

Jader falou de seu filho Murilo com o entusiasmo de um pai amoroso, demonstrando excessiva sensibilidade de quem vive exclusivamente para a família, expondo todo seu verniz.

Em determinado momento, Sara, fascinada, julgou que tinha ouvido o suficiente para crer que havia sido presenteada pelo destino. Seu olhar revelava o evidente desejo de ser beijada. Jader, então, não pestanejou, e o beijo aconteceu.

Pouco depois, Sara murmurou:

— Jader... Nunca ninguém me beijou assim... Mas algumas coisas me incomodam e preciso lhe dizer.

— O que a incomoda, querida? Diga tudo, não se esqueça de nada, porque, a partir de hoje, nossas vidas não serão as mesmas se não tivermos um ao outro.

— Tenho um namorado. Preciso romper com ele se quiser ficar com você.

Aquele era o momento certo para Jader estabelecer regras e limites, colocando em prática o plano estudado com rigor para selar aquela relação com segurança:

— Não acho justo terminar com seu namorado. Deveria continuar com ele.

Sara deu um pulo:

— Como assim? Sugere que continue namorando o Noel e fique com você ao mesmo tempo?

Jader descortinou o repertório:

— Sara, gostaria que prestasse bem atenção ao que lhe revelarei. Deixe-me concluir, por favor. Sou casado há seis anos e tenho dois filhos. Além de não sentir nada por minha mulher, ela é doente.

— Como alguém pode ser casado e ficar com alguém sem sentir "nada"? Doente de quê? Isso é conto da Carochinha! — rebateu Sara transtornada.

— Por favor, me escute. Esperei por você a vida toda até poucos anos. Sabia que você existia, mas, não suportando a carência afetiva me casei, mesmo sabendo que minha mulher tinha uma doença de ordem sexual, que influencia seu estado psicológico, fazendo com que ela não sinta atração por homens — explicou Jader simulando constrangimento e pesar.

— Mas é claro!... Aí, você e sua mulher chamaram a cegonha e, como num passe de mágica, "zás-trás"! Lá estavam os filhos. Jader, quer mesmo que acredite numa idiotice dessas? Tenho cara de tonta?

— Não peço para acreditar! Fizemos os filhos como qualquer casal, mas foi um casamento de mentira, porque os pais dela queriam herdeiros e nunca souberam que...

— Nunca souberam que você é um tremendo sem-vergonha?

— Não, Sara... Nunca souberam que a filha deles é lésbica. Eu não queria dizer, mas essa é a doença de que lhe falei.

— Entendi perfeitamente! Pois lhe direi uma coisa: minha mãe também tem uma doença incurável. Meu pai não tem dinheiro para bancar a cirurgia e, mesmo assim, ele permanece lá, firme e forte ao lado dela. Faça isso também, Jader!

A indignação de Sara já era prevista, por isso Jader finalizou a investida dando partida no carro, fingindo chorar convulsivamente, enquanto Sara, de braços cruzados, permanecia em silêncio até o fim do trajeto de volta ao ponto de onde partiram.

Jader abriu a porta para que Sara descesse do carro, simulando dorida decepção:

— Prazer em conhecê-la, Sara. Pena não a ter encontrado antes para sermos felizes... No entanto, se quiser me ligar para pagar a cirurgia de sua mãe, por favor, não tenha medo, pois não quero nada em troca. Pelo menos conseguirei fazer alguém feliz, já que jamais serei. Peço-lhe que, apenas por caridade, não conte a ninguém a sina que é minha vida. Não por mim, mas em respeito aos meus filhos, pois tentarei ser pelo menos um bom pai. Adeus.

Inconformada, Sara saiu respondendo agressiva ao adeus e perguntou-se:

— Como alguém pode ser tão cara de pau?

— mas a proposta de Jader de pagar a cirurgia da mãe da jovem ecoava em sua mente.

Cantando pelo caminho e conversando consigo mesmo, Jader seguiu tranquilo:

— Pelo menos ganhei um beijo excitante que há tempos não experimentava. Pena mesmo é que isso me custará uma joia que terei de dar a Joana. Mas quem sabe Sara não ligue para custear a cirurgia da mãe? O que será que tem a mulher?

— Boa noite, pai.
— Oi, Sara, boa noite. Onde estava até essa hora? Esqueceu que teremos de acordar cedinho para levar sua mãe à consulta médica?
— Me desculpe, pai... Esqueci-me de avisá-lo que estava estudando para uma prova na casa de uma amiga da escola. Como está mamãe? Dormiu?
— Ela estava rolando na cama e me disse que queria ficar só. Não sei se dormiu.
— Darei uma espiada nela para ver se está tudo bem.

Sara aproximou-se do leito, observando a mãe acordada, que esforçava-se para manter o semblante sereno.
— É, Sara... Não sei não, filha... mas acho que, em breve, partirei desta para uma melhor...
— Mãe, a senhora irá à consulta amanhã e finalmente conseguiremos marcar a cirurgia.
— Sara, preciso lhe pedir uma coisa: se acontecer algo comigo, cuide de seu pai e não o deixe saber que você sofre. Depois da morte de seu irmão, ele concentrou toda a esperança de vida em você.
— Deixe disso, mãe! Nossa! Que vocação para "sofredora silenciosa"! Parece que foi ontem que o Rodrigo ainda estava com a gente, não é, mãe?
— É, Sara. Só Deus sabe por que passamos por essas perdas. Faz seis anos, quatro meses e sete dias

que Rodrigo se foi naquele acidente na Via Anchieta, mas, para mim, o tempo congelou naquele dia.

— É mesmo, mãe. Fico pensando por que alguém tão bom como o Rodrigo morreu de maneira tão estúpida aos dezoito anos de idade. Mistérios que a gente não tem como explicar.

— Acho que é uma forma de Deus nos castigar pelos pecados que cometemos. Às vezes, tento me consolar acreditando em reencarnação. Você acredita nisso, filha?

— Que nada, mãe. Isso é besteira. Como a senhora mesmo diz, ninguém voltou do outro lado para contar. Boa noite, mãe. Procure descansar. Precisa de algo?

— Não, filha, já tomei os remédios, mas eles não fazendo muito efeito como antes.

O espírito de Rodrigo aproximou-se, atraído pelas emissões de pensamento da mãe e irmã e indagou a Eurídes, o anjo protetor de Ana:

— Minha mãe continua nessa tortura sem fim, não é, Eurídes?

— É um árduo exercício, Rodrigo. Note que nada mudou. Dona Ana lamenta-se desde o dia em que você desencarnou. Ela se intitula a responsável pelo seu pai e acredita que pode amenizar o sentimento de perda, não querendo que ele sofra. No entanto, é ela quem se prejudica em silêncio por não aceitar sua morte.

— Por mais que respeite o luto de minha mãe, admito que vê-la sofrer desse jeito me incomoda muito.

— Nós também compreendemos seu incômodo. É realmente difícil ver alguém que amamos sofrendo por nós, sem saber o que se passa. Se ela soubesse como você está bem, trabalhando a favor dos outros, não estaria se consumindo assim.

— E não foi por falta de auxílio, Eurídes! Quantas vezes nossos benfeitores permitiram que eu estivesse com minha mãe enquanto ela dormia. Cheguei a mostrar minha situação, mas, mesmo assim, ela só foi capaz de acreditar que se tratavam apenas de sonhos. Se minha mãe desencarnar nessas condições, ficará em uma situação difícil. Não sei mais o que fazer.

— Por enquanto, não há o que fazer, Rodrigo. Soube que você não precisa reencarnar por ora, mas que pediu uma concessão para beneficiar dona Ana. Talvez seja o momento de ponderar se não está cometendo o mesmo equívoco de sua mãe. Você precisa esforçar-se para compreender que ninguém pode sentir as dores, nem sofrer as dores dos outros.

— Tem razão, Eurídes. Estou realmente sofrendo por antecipação, imaginando minha mãe vagando por aí à minha procura, sem conseguir saber nada sobre mim, depois de infligir tanto sofrimento ao próprio corpo físico.

— Compreendo sua preocupação. Se ela soubesse que o tumor no útero surgiu a partir da somatização da perda não superada, seria maior a chance de vencer a doença. Mas tenha esperança, irmão. Os benfeitores encontrarão uma forma de amenizar a dor de sua mãe.

— Obrigado, Eurídes — e Rodrigo retornou às tarefas do plano espiritual.

Pela manhã, a consulta de Ana transcorrera perturbadora para a família. Novamente, a cirurgia para extrair o tumor fora descartada, pois os exames não apontaram condições favoráveis à realização de uma intervenção.

Sara novamente se digladiara com o médico, acusando-o de esperar que o tumor se alastrasse para não haver mais solução. O médico, por sua vez, alegava que a evolução do tumor não havia atingido proporções que justificassem ainda a extração do órgão, insistindo no tratamento alopático, que, por ora, seria suficiente.

Emocionalmente desgastada, Sara lembrou-se do encontro que tivera com Jader.

Mesmo que remotamente, haveria possibilidade de a oferta de Jader ter sido verdadeira? Teria ele se oferecido a pagar a cirurgia de sua mãe apenas para conseguir o que queria?

Sara se sentiu compelida a descobrir e, assim que chegou a sua casa, saiu novamente em direção ao telefone público:

— Por favor, o senhor Jader está?

— Quem gostaria de falar com ele? — perguntou a secretária.

— É Manuela. Sou prima dele.

Ao receber o recado de dona Diva, Jader logo autorizou a transferência da ligação, reconhecendo imediatamente a voz de Sara e aproveitando para colocar em prática sua peculiar encenação:

— Manuela, por favor, eu já sei que Joana arrumou outra mulher, mas não posso fazer mais nada. Pare de me atormentar com isso! Não aguento mais suas cobranças de que seja eu o salvador desta família, como se não bastasse a solidão pela qual estou passando!

— Jader, sou eu, Sara... — anunciou ingenuamente.

— Sara? Por que inventou que era Manuela?

— Desculpe-me. Não queria comprometê-lo, pois sua secretária poderia desconfiar de algo.

— Está bem, Sara. O que você quer?

— Gostaria de falar com você pessoalmente. É possível?

— Sim, desde que não me julgue, pois já tenho problemas demais, como você mesma pôde ouvir enquanto eu falava sobre Joana.

— Então o nome de sua esposa é Joana?

— Esposa? Não! Sara, não preciso ser mais pisoteado por isso. Confesso que me senti enganado por você e não quero me sentir desprezado.

— Sinto muito, Jader. Desculpe-me. Não tive a intenção de desprezá-lo. Por favor, abaixe a guarda.

Feliz, Jader marcou um encontro com a jovem no mesmo lugar do dia anterior.

Capítulo 6

Durante o encontro, Jader tentou de todas as formas mostrar a Sara que agia movido por princípios elevados, mas ainda assim não conseguiu convencê-la.

Ao final da conversa, depois de prometer que contrataria um médico para tratar da doença da mãe de Sara, Jader tentou beijar a jovem, mas foi repreendido.

— Você disse que não queria nada em troca. Quero ver se você tem palavra!

Interessado em mostrar o que não era para a jovem a fim de conseguir o que queria, Jader mobilizou esforços para facilitar o atendimento a Ana. Acionou diversos contatos até chegar a doutor Aloísio Alcântara, médico caridoso, que se propôs a ajudá-lo, pois dispunha de facilidades junto aos mecanismos do serviço público de saúde devido à sua boa influência. Confiou em Jader, que demonstrava comoção por aquela família de poucos recursos financeiros.

Jader e Sara passaram a comunicar-se constantemente por telefone, encontrando-se algumas vezes com o intuito de planejarem o andamento das consultas até o dia da cirurgia de Ana.

— Por favor, jamais conte a alguém o que estou fazendo. Ajudar sua mãe é gratificante, portanto, não estrague tudo. Só é caridade, se ninguém fica sabendo.

— Fique tranquilo, Jader. Para mim também é interessante que ninguém saiba dessa história, porque conhecemos o que a maledicência das pessoas pode fazer. É natural que gente fofoqueira diga que estou me vendendo para conseguir operar minha mãe — concordou Sara.

— Além disso, seu namorado Noel não entenderia minhas reais intenções.

— Sei que não deveria perguntar, mas minha curiosidade é maior que a discrição: quanto você gastou até agora?

Fingindo-se de acanhado, Jader simulou que deixava escapar a informação:

— Perto do que está por vir, o que são duzentos mil cruzeiros?

— Minha Nossa! Tudo isso? Mas o que quer dizer com "perto do que está por vir"?

— Se pudesse ver no espelho o brilho dos seus olhos quando pensa na cura de sua mãe, Sara... Ah! Isso não tem preço!

A jovem não conseguia esconder que a chama da fascinação crescia em seu íntimo, enquanto Jader deixava, propositadamente, anotações adulteradas de preços do pré-operatório, que na verdade nada lhe custara, à vista no painel do carro.

Quatro meses depois, a cirurgia de retirada do útero de dona Ana finalmente ocorreu com sucesso para a felicidade da família de Sara.

A jovem sentiu-se arrebatada pelo feito que atribuiu àquele homem. Jader havia lhe proporcionado algo impagável, e a jovem começou a sentir-se injusta pelas interpretações que fizera no início.

Sara insistia ao telefone:

— Por favor, Jader, eu não corri atrás de nada, e você nem quer brindar esta conquista comigo?

— A conquista foi de doutor Aloísio Alcântara, que fez um bom trabalho com sua mãe. Foi ela quem correu os riscos. Acho mesmo que você deveria comemorar com seu namorado Noel — Jader se fazia de abnegado.

As coisas corriam conforme Jader planejara. Por fim, ele combinou um encontro com Sara e montou uma nova armadilha. Marcara de encontrar-se com a moça em um local próximo a um drive-in.

Dentro do carro, Sara narrou cada detalhe do que ocorrera antes, durante e depois da cirurgia da mãe, tomada pela emoção que a fez chorar no final:

— Olha, Jader, preciso lhe dizer uma coisa. Renasci por causa do que você fez por minha mãe.

Compreendendo que o momento era favorável, Jader baixou a cabeça fingindo que tentava conter a emoção:

— Em função de seu comentário, talvez agora acredite que renasci através do que fiz por você... Por amor.

Sara ergueu o rosto do suposto abnegado, beijando-o demoradamente.

Jader deu a partida no carro, entrando no drive-in a poucos metros.

— Onde estamos?

— Estamos onde posso receber seu beijo, porque te amo.

Embalada pela intensa fascinação que sentia, Sara entregou-se àquele momento de paixão, tentando redimir-se da injustiça que fizera do suposto salvador de sua mãe.

Atingindo plenamente seu objetivo, Jader tinha em mente que, dali para frente, seria apenas necessário conduzir as coisas com calma, julgando já possuir Sara em suas mãos para dar continuidade ao caso amoroso.

Passado o inebriante momento, Sara caiu em si e atentou para a realidade dos fatos:

— O que foi que eu fiz? Fiquei tão alheia... Tornei-me uma mulher infiel!

Afagando carinhosamente o rosto de Sara, Jader pronunciou o texto previamente decorado:

— Não diga isso, meu amor. Você não foi infiel, apenas aceitou a situação, compreendendo que o amor tem duas faces. Lembre-se de que, embora algumas vezes não aceitemos, o destino existe e ele uniu nossas almas através das circunstâncias.

— O que faço agora? Isto não está certo... Sou uma mulher adúltera!

— Sara, não serei enérgico com você, mas pense: nós nos amamos e não agimos com más intenções. Estamos nos adequando aos fatos. Eu não posso me desfazer de minha mulher doente, e você poderá dar continuidade ao relacionamento com seu namorado, que também depende de seu amor. Nenhum de nós é culpado; apenas nos amamos!

— Você está propondo que eu mantenha uma vida dupla?! Isto não entra em minha cabeça de jeito algum!

— Calma, meu amor. Você é jovem e despreparada e não compreende a falência de nossa sociedade convencionalista. Dê tempo ao tempo! Não se cobre tanto, afinal, só nós sabemos o que sentimos.

Jader, por fim, conseguiu persuadir Sara a dar continuidade ao caso, tentando ao máximo usar de seu magnetismo sedutor, que em nada agradava a jovem, iniciando uma difícil fase de suas vidas.

Noel não compreendia a mudança de atitude da namorada:

— Sara, em vez de ficar feliz com a recuperação de sua mãe, com o fato de eu ter conseguido passar no vestibular para engenharia e de ter arrumado meu primeiro emprego, você me evita? O que está acontecendo? Não me beija mais, afastou-se das amigas, fica o dia inteiro ouvindo rádio e assistindo televisão...

— Tem razão, Noel. Estou distante de mim e não sei lhe explicar o que está acontecendo, mas prometo que vou melhorar.

— É bom mesmo! Pois, assim que eu começar a faculdade, ficaremos noivos e, quando me formar, casaremos e teremos quatro filhos.

A consciência de Sara a torturava, quando ouvia as colocações ou presenciava as atitudes nobres de Noel, o que fazia a jovem sentir-se cada vez mais perturbada com aquela situação.

Jader sentia que seu objeto de prazer pendia para o desejo de querer construir um futuro com Noel, promovendo uma revolta em seu íntimo, nutrido por egoísmo e ciúmes, condescendendo efetivamente às entidades invisíveis que se compraziam com tais sentimentos.

Jader tornara-se um amante possessivo e começava a não se preocupar com os riscos de seu relacionamento paralelo, sem perceber que sua máscara caía pouco a pouco.

Ele, então, passou a ameaçar Sara, acreditando que assim poderia controlar a situação delicada que se instalara entre os dois, percebendo que já não conseguia sustentar a relação conquistada com argumentos falsos.

Certa vez, Gratiel saía da casa de uma amiga quando viu Sara, ao longe, descer do carro de Jader e

49

estranhou ao vê-la atravessar a rua chorando. Por isso, a jovem foi ao encontro da ex-amiga:

— Sara, quem era aquele homem? O que ele fez a você?

Sara intensificou o pranto.

Observando a ex-amiga emocionalmente descontrolada, Gratiel disse comovida:

— Eu não estou com raiva de você por estar namorando o Noel, porque sei que não roubou meu namorado, mas não entendi o porquê de você ter se afastado de todo mundo. Mas agora estou começando a entender que se meteu numa encrenca com outro cara. É isso, Sara?

Para evitar suspeitas, Sara simulou:

— Não é nada disso, Gratiel. Só peguei carona com um amigo do Noel.

— E esse amigo a fez chorar? Tudo bem, Sara. Se não quiser falar, tudo bem, mas seu abatimento não a deixa mentir. Não a estou julgando, porque acho que fiz besteiras que qualquer ser vivente não faria. Só quero lhe dar um conselho, que um dia serviu para mim: não guarde tudo para você. Procure se abrir com alguém em que confie.

Sara não quis dar continuidade à conversa e se despediu.

A situação arrastou-se por mais três meses, quando, cansada de se sentir usada por Jader, Sara resolveu seguir o conselho de Gratiel e procurou a mãe para conversar, explicando-lhe que havia se envolvido com um homem casado, mas sem revelar detalhes de como tudo ocorreu.

Ana fora criada nos rigores das famílias tradiciona-listas e, despreparada para enfrentar aquela situação, descambou a falar:

— Não acredito que criei uma mulher promíscua, Sara! Como pôde fazer isso com o Noel, que é um rapaz tão honesto?

— Mãe, a senhora não criou uma mulher promíscua, pois, se eu fosse, não procuraria a senhora para desa-bafar. Não fiz isso com o Noel. Fiz o mal a mim mesma e agora minha consciência está me matando. Preciso fazer alguma coisa.

— Ora, Sara! É óbvio que não há outra coisa a fazer, senão acabar com isso imediatamente e torcer para ter a sorte de não ficar malfalada. O que, aliás, acho difícil acontecer.

— É isso mesmo o que farei, mãe! Só quero saber se posso contar com a senhora para o que der e vier.

— Mas é claro que pode, porque sei que você não faria isso se não fosse ludibriada. Conte-me quem é esse sujeito sujo e canalha! É conhecido nosso?

— Não, mãe, nem a senhora nem o pai o conhecem. Ele não é um cafajeste; eu que fui burra. Em outra hora, lhe contarei sobre o "rolo" em que me meti, mas tenha certeza de que não foi só culpa dele, pois eu me deixei envolver pela situação.

— O que é certo é certo! Se adultério não é sem--vergonhice, o que é então? Ser amante é coisa de mulher mundana! Pois agora quero saber quem é esse homem. Conte-me!

— Contarei depois, porque estou atrasada.

— Atrasada para quê? Não diga que vai se encon-trar com o fulano! Qual é o nome dele?

— Mãe, já disse que a coisa não é do jeito que a senhora está pensando! Perguntarei novamente: posso contar com a senhora?

— Pode! Mas só se enxotar esse safado! Não me peça para ser cúmplice desse fato escandaloso em que você se meteu.

— Obrigada, mãe. Então conto com você. Até mais. Darei um basta nisso!

Sob os protestos de Ana, mas apoiada na segurança que a mãe lhe infundiu, Sara saiu ao encontro de Jader disposta a acabar com aquela relação a qualquer custo.

Capítulo 7

1971

Como de costume, Jader aguardava Sara com o carro estacionado em uma rua tranquila, próximo a uma avenida bem movimentada.

Por conta das revelações que fizera à sua mãe, Sara atrasou-se em uma hora e, assim que chegou, Jader apontou o relógio de pulso dizendo:

— Não me importo que tenha de satisfazer o Noel, mas, da próxima vez, diga a ele para marcar hora.

Sara não entrou no carro, pensando nos riscos que enfrentava, e ainda teve que ouvir tamanhos disparates proferidos por Jader.

Enquanto as lágrimas brotavam dos olhos de Sara, em um misto de arrependimento e revolta, Jader ordenou que a jovem entrasse no carro. A moça, no entanto, recusou-se:

— Com que direito você acha que pode me tratar desse jeito?

— Acha justo me deixar plantado aqui por mais de uma hora?

Sara descontrolou-se, aumentando a voz com tom de desabafo:

— Você é tolerante com as falhas dos outros! Eu tenho que ser perfeita sempre!

Jader saiu do carro e, com violência, tomou Sara pelo braço, forçando-a a entrar no automóvel, mas, com um movimento brusco, a jovem conseguiu desvencilhar-se e gritou:

— Tire suas mãos sujas de mim, seu canalha!

— Sara, se não entrar no carro agora, não esconderei de ninguém o que você faz comigo!

— É mesmo? Com que direito me julga? Você me envolveu com sua lábia! Mas saiba que não preciso esconder mais nada, porque contei sobre nós à minha mãe.

Transtornado com a informação, Jader posicionou as mãos sobre a cabeça, visualizando as consequências:

— Deus do céu! O que será de mim se Joana descobrir? É isso que dá me envolver com uma menina, com uma criança que tem a língua solta!

— Então é isso! Está preocupado com a possibilidade de sua máscara cair e não poder mais desfrutar da fortuna da família dos outros! E eu que me dane, não é, seu canalha? Em que esgoto você me coloca em seus planos, Jader?

— Como assim? E por acaso você acha que não tenho consciência? Pensa que fico satisfeito em ver você "chifrar" o Noel? Sendo mulher, você deveria ter se preocupado em não pisar nos meus sentimentos e nos sentimentos dele...

Transtornada com a infame insinuação, Sara empunhou suas mãos querendo agredir Jader e gritou:

— Agora você me compara a uma prostituta? Justifica a atitude de todos, menos a minha! Então bandidos como você fazem o que fazem e são inocentes?

— Pare de gritar, Sara! Eu digo que também não estou sendo honesto com Joana e que meu maior erro foi me deixar levar pela paixão que tenho por você!

— Erro? Então eu sou um erro e somente eu estou errada? Você não pensou em nada quando resolveu armar uma cilada para mim! Você não admite nem por um segundo que, se houve erro, nós dois erramos! E agora se lamenta por eu existir!

A situação de Sara se agravou, propiciando uma sintonia da jovem com entidades negativas, que passaram a dominar seu campo mental, incutindo culpa, revolta e sofrimento à moça.

Envolvida pelas sombras, Sara saiu impetuosamente em disparada, querendo fugir de tudo. Jader ainda tentou segurá-la, mas não conseguiu. A jovem correu em direção à avenida e, aflita e em desespero, chorando muito, atravessou sem olhar para os lados.

Na pista de mão oposta, um dos carros que transitava em alta velocidade atropelou a jovem, arrastando-a por alguns metros.

Impressionado com a violência do acidente, Jader permaneceu estático observando de longe o corpo de Sara contorcido sobre o asfalto, envolto em uma poça de sangue, que vertia de sua cabeça.

Desesperado, o motorista desceu do carro e, inconformado, dizia aos motoristas que paravam que aquela mulher surgira do nada causando o desastre.

Atônito, Jader permaneceu imóvel na calçada, próximo à esquina, observando a movimentação. Não se atrevia a chegar perto do local do acidente, pois, se o fizesse, correria o risco de as revelações a respeito de seu envolvimento com Sara virem à tona.

Enquanto o corpo de Sara agonizava ao solo, o espírito da jovem, apavorado com a cena, desdobrou-se sem saber o que estava acontecendo.

Ao avistar Jader ao longe, correu em sua direção implorando:

— Jader, o que está acontecendo? Por que estou ali estropiada? Por que você está parado aí, só olhando?

Incapaz de ver o espírito da jovem, Jader lamentou para si mesmo:

— Meu Deus, Sara... O que você fez, menina?

O espírito da moça tentou tocar no ombro de Jader. Sem conseguir e impaciente porque ele não a percebia, insistiu:

— Jader, por que finge não me ver nem me escutar? Olhe para mim, pelo amor de Deus!

As mesmas entidades atraídas pelo desequilíbrio riam atrás de Jader, inspirando-o a sair dali, a ir embora. E foi o que ele fez para não se comprometer com o ocorrido.

Indignada, Sara quis correr atrás de Jader, mas foi impedida por uma senhora que, serenamente, segurou seu braço e recomendou:

— Calma, Sara. Não deixe o desespero tomar conta de você. Não se distancie do seu corpo físico. Permaneça ao lado dele para ser socorrida.

— Mas quem é a senhora? Jader está indo embora, não posso deixar! Preciso romper com ele, não quero deixar nada em aberto. Jader, Jader! Volte aqui! Não pode me deixar assim, não é justo!

— Filha, não piore sua situação. Venha comigo, por favor.

— Ir para onde, minha senhora? Está de branco... A senhora é enfermeira? Minha mãe me espera. Preciso ir para casa, porque meu pai está para chegar e não quero dar motivos para que desconfie de algo.

— Sim, Sara, mas procure saber o que aconteceu. Por favor, é preciso que colabore para restabelecer as coisas. Confie.

— Como sabe meu nome? Eu vou, mas me diga o que está acontecendo.

Sem que Sara percebesse, a senhora conseguiu aproximar a jovem do seu corpo físico, promovendo a reintegração do espírito com o corpo em desalinho. Ainda inconsciente, Sara foi encaminhada pela ambulância até o pronto-socorro, onde foi atendida em um estado deplorável.

Chegando a sua casa, Jader foi recepcionado pelos filhos:

— Oba! Papai chegou mais cedo, mamãe! — exclamou Murilo.

— O que trouxe para nós, papai? — perguntou Priscila.

— Hoje, eu não trouxe nada, querida. Não deu tempo de comprar chocolate.

Joana preparava o jantar e chegou à sala:

— Ué! O que houve com você? Por que está tão abatido?

— Nada. Estou com um pouco de dor de cabeça, só isso.

— Isso é sinal de que o papai tem cabeça, não é, crianças? — Joana retornou à cozinha e continuou o que fazia.

Naquela noite, Jader não conseguira dormir, atormentado pela cena do atropelamento de Sara, que se repetia em sua mente.

A ansiedade o atormentava. Inconformado com o que tinha acontecido, diversos pensamentos vinham à sua cabeça.

57

Sara teria sobrevivido? Se a Sara contou à mãe, logo viriam à sua procura. O que faria? E como ficaria Noel, ao saber que Sara morrera por causa de um momento passional?

As entidades obscuras novamente foram atraídas, influenciando o ambiente e fazendo Joana despertar:

— Jader, mesmo não me procurando mais como mulher, você seria capaz de me abandonar?

— Não, claro que não. Mas por que a pergunta?

— Sei lá... É que mesmo você não conseguindo me amar, eu sinto vontade...

— Não se preocupe. Ainda superarei o problema da impotência. Queria apenas me livrar dessa dor de cabeça.

Os obsessores de Jader estimulavam o chacra genésico de Joana, fazendo-a insistir, irritada:

— Vai ver é falta... Quem sabe se fizer amor, melhora?

Desagradado com a aversão à esposa, Jader simulou revolta:

— Não aguento mais essa dor infernal! Se doutor Alex não resolver, procurarei outro médico!

— Faça isso, pois senão eu começarei a acreditar que você está "com onda" e que essa dor de cabeça é dor de consciência por ter colocado algum "enfeite" em minha cabeça!

Ajeitando com violência o lençol, Joana virou-se, sufocando o desejo e causando surpresa em Jader, que não esperava tal atitude da esposa submissa.

Capítulo 8

Apesar dos esforços para salvar a vida de Sara, os médicos não conseguiram reverter a situação. Sara faleceu cinco horas depois de sua chegada ao pronto-socorro.

A situação do corpo da jovem era penosa e a do espírito não era diferente.

Dalva, anjo protetor de Sara, auxiliava o desligamento do espírito da moça mantendo-a em transe soporífero.

Ciente dos fatos, Rodrigo presenciou o início dos trabalhos de Dalva, auxiliando-a:

— Dalva, como ela está?

— Não está muito bem, Rodrigo. Temo que o estado de perturbação mental persista, após se conscientizar de que não está mais entre os encarnados.

— Certamente minha presença, neste momento, não será útil. Auxiliarei junto aos protetores de meus pais, que serão avisados. Assim que julgar que serei útil aqui, por favor, comunique-se comigo.

O anjo Dalva agradeceu, despediu-se de Rodrigo, e magnetizou Sara, despertando-a.

— Onde estou? Jader, Jader...

— Calma, Sara. Precisarei de sua colaboração para fazer uma viagem.

— Nem avisei meus pais. Não irei à parte alguma! Espere aí... A senhora estava comigo há pouco, enquanto Jader virava as costas para mim, mas... O que estão fazendo comigo naquela mesa?

Naquele momento, era feita a necropsia do corpo de Sara, para a emissão do atestado de óbito. Enquanto isso, simultaneamente, trabalhadores do plano espiritual auxiliavam no desligamento dos laços que prendiam a jovem à matéria. Mas, como Sara desconhecia os fatos, Dalva prosseguiu:

— Querida, meu nome é Dalva. Sou uma amiga sua de muito tempo e vim para ajudá-la no momento de sua passagem para o outro lado da vida.

— Que história é essa? Morri, por acaso? Claro que não! Olhe para aqueles médicos me operando. Eles salvarão minha vida!

— Neste momento, você está compreendendo melhor as coisas. Não está sentindo dores e já está recuperando a consciência de si. Se pedir que me siga, você virá, Sara?

— Já disse que não morri! Se estivesse morta, não estaria aqui conversando com a senhora. Além disso, quem disse que não sinto dores? Aquele canalha egoísta do Jader despedaçou meu coração! Mas ele se verá comigo, porque estou decidida a contar tudo para a família daquele aproveitador!

— Minha filha, controle-se. Esse tipo de pensamento só agravará sua situação. De agora em diante, você precisa se preservar para poder receber tratamento. Venha comigo. A vida continua.

— Não irei à parte alguma! Ninguém vai me tirar daqui sem que eu possa me levantar!

Ao dizer isso, Sara notou que estava de pé. Raciocinando como aquilo era possível, conscientizou-se da situação.

Na casa da família de Sara, uma vizinha tocou a campainha, e Jonas atendeu a porta:
— Boa tarde, Jonas. Desculpe-me por incomodá-lo. Estou com um rapaz ao telefone, que me trouxe uma terrível notícia. Por favor, venha até minha casa, porque o deixei aguardando.

Um atendente do hospital disse a Jonas apenas que Sara havia sofrido um acidente e solicitou que alguém da família fosse até lá.
— Minha filha está bem? Qual é o estado dela? — Jonas questionou.

Prudentemente, o atendente não revelou a Jonas que Sara morrera. No entanto, assim que os pais da jovem chegaram ao hospital, receberam a amarga notícia.

Sara ainda resistia às sugestões de Dalva, permanecendo no velório e acompanhando o sofrimento dos pais:
— E agora, o que será de minha mãe e meu pai? Como se não bastasse meu irmão Rodrigo ter partido tão jovem, meus pais amargam minha perda também...
— Confie na misericórdia de Deus, minha filha. Cada um de nós está destinado a compreender que apenas o corpo morre. Com o tempo, verá que tudo tem um motivo de ser, pois a justiça que rege o universo não erra — consolava Dalva.

Na Fundições Norton, Diva, a secretária de Jader, transmitia deliberações da diretoria para o chefe. De repente, Celso Norton adentrou a sala, cumprimentando-os e informando:

— Diva, Armando não virá trabalhar. Caso alguém o procure, anote o assunto e passe para ele amanhã. Se for urgente, passe para mim.

— Sim, senhor. Está tudo bem com senhor Armando?

— Sim, Diva, com Armando está tudo bem. Mas, segundo minha esposa, Armando foi ao velório de uma amiga e ficará para o enterro. A jovem morreu atropelada. Uma menina nova, judiação... Acho que o nome dela é Sara.

Jader continuou manipulando papéis em sua mesa e, tentando controlar a custo o choque causado pela informação que ouvira, comentou:

— Também! Essa moçada atravessa a rua de um jeito... Coitados dos pais dessa moça...

— Deus me livre! Com carros cada vez mais velozes, todos estamos sujeitos a isso hoje em dia — finalizou o sogro de Jader, saindo da sala.

Antes de sair da sala, Diva comentou com Jader:

— Sara é o nome daquela moça que ligou duas ou três vezes para o senhor, não é, senhor Jader?

— É sim, dona Diva, mas não tem nada a ver com essa jovem. A Sara com quem falei era da loja do anel de brilhantes. Aquele que comprei para presentear Joana pelo nosso aniversário de casamento.

— Ah! Sim, agora me lembrei. Acho Sara um nome bonito. Se tivesse uma filha, colocaria esse nome nela, um nome forte.

— Realmente, dona Diva. É mesmo um nome bonito. A senhora tem bom gosto. Sara lembra ciganos... Por favor, feche a porta quando sair.

Sozinho na sala, Jader prostrou-se introspectivo na cadeira, ruminando pensamentos:

— Deus do céu, quase pus tudo a perder... Arrisquei-me demais por uma aventura, que podia ter me custado o casamento e o emprego. Ainda bem que saí ileso. Se a mãe de Sara soubesse de algo sobre mim, certamente a polícia já teria batido em minha porta.

Por alguns momentos, a consciência de Jader pesou, mas ele justificou-se:

— Não deu tempo de segurá-la... Além disso, agi como qualquer homem de minha posição agiria: a favor da preservação da família. E de nada adiantaria se tivesse ficado no local do acidente. Daqui para frente, as prostitutas me bastarão. Pelo menos não me exigirão nada além do pagamento.

Após o funeral, Sara observava seus parentes retirando-se do cemitério, apoiando-se no ombro de Dalva para chorar:

— Meus pais vão voltar para casa e eu não estarei lá...

— Calma, minha filha. Estaremos todos juntos novamente. O amor que sentimos é a chave para permanecermos sempre juntos daqueles que amamos. A morte é apenas uma separação provisória.

— Olhe para mim, Dalva. Sinto-me tão feia. Queria voltar no tempo e não ter de deixar meus pais... Tudo por causa daquele safado desgraçado!

Percebendo a sintonia perigosa em que Sara penetrava, emitindo vibrações de vingança, Dalva chamou por Rodrigo em pensamento. E, para surpresa de Sara, ele se apresentou imediatamente,:

— Rodrigo? — Sara teve o ímpeto de abraçá-lo, mas recuou.

— Sim, querida irmã. Sou eu. Dê-me um abraço para matarmos a saudade.

63

Sara manteve-se no mesmo lugar, envolvendo-se em uma atmosfera negativa:

— Deveria? Nossos pais sofrem como condenados há mais de sete anos por sua ausência e você consegue sorrir? São eles que precisam do seu abraço.

— Sempre os abraço, Sara. E eu também a abraçava. Agora que voltou ao plano espiritual, você logo entenderá algumas coisas. Permita que eu lhe mostre. Venha comigo, querida.

Assumindo um semblante sombrio, Sara respondeu magoada:

— Posso não entender o plano espiritual, mas entendo muito bem o plano em que me colocaram! Não acho justas muitas coisas, mas vocês não são os mais indicados para me fazer entender o que é justiça, porque estou somente vivenciando injustiças!

Tomando posse de alguns atributos do espírito, Sara desapareceu das vistas de Rodrigo e Dalva.

Dalva consolou Rodrigo, que estava entristecido:

— Logo ela recobrará a memória espiritual e estará conosco.

— Já vi muitos conhecedores da Lei se perderem nos caminhos da vingança... Temo que minha irmã se coloque nas mãos de entidades que possam atrasar o progresso que ela já conquistou.

— Pois eu não temo! Sabemos quem é Sara, assim como sabemos que não perdemos o que já conquistamos. Ela olhará um pouco para trás, mas, em breve, estará conosco ávida pelo futuro. Sempre foi assim. Confiemos! Tenha fé, Rodrigo!

— Observando os anjos, percebo o quanto ainda estou distante de merecer ser um de vocês.

— Ora, Rodrigo! Falta pouco para você! E, além do mais, pensa que não ficamos tristes quando nossos protegidos se perdem? Respeitemos o momento de Sara. Este é o nosso exercício por enquanto. Volte tranquilo para seus afazeres, pois eu estarei com sua irmã. Sei bem para onde ela foi, e permanecerei invisível até poder intervir no momento propício.

Capítulo 9

Sara chegou ao endereço de Jader e ficou surpresa ao deparar-se com duas entidades em frente ao portão do amante, as mesmas entidades que o incitaram a abandonar o local do acidente.

— Olhe só se não é Sara... — disse um deles, ironizando.

— Como está a ex-concubina predileta de nosso patrão? — indagou o outro.

— Depois de virar "presunto", chegou para o jantar, Sara?

Ambas as entidades abriram caminho para Sara, como se estivessem usando de educação, mas, quando a jovem ultrapassou o portão de entrada, caminhando a passos rápidos, recebeu um choque e caiu de costas na calçada, provocando gargalhadas nos espectadores, que, com expressão criminosa, já previam o fato.

Enquanto Sara tentava recuperar-se, sem conseguir se levantar, as entidades zombaram:

— Pedro, esqueceu-se de avisar a boneca sobre a barreira de choque?

— Não, Nélio. Quis ver como ela fica quando está "chocada".

— Hei, amor, se veio exercer o concubinato com Jader, sinto muito, mas você já não serve mais para isso. Aliás, você teve uma boa morte? — perguntou Pedro, que não parava de rir.

Zonza, Sara se esforçou para levantar-se e dizer:

— Não estou interessada em Jader. Preciso avisar a mulher dele sobre o que o marido faz.

Novamente, a dupla gargalhou:

— Ah bom! Agora estou mais calmo. Olhe, Pedro, já estava preocupado com a possibilidade de a concubina querer azarar nosso "fornecedor".

— Sim, eu também fiquei "muito" preocupado, Nélio. Mas é isso mesmo, concubina! Vá contar tudinho para Joana sobre o que o nosso patrão faz e diga que mandamos um abraço.

Refeita, Sara sacudiu a cabeça e perguntou:

— Se vocês estão aqui fora, é porque também não conseguem entrar. Podem parar de gozar de minha cara e dizer o que é essa coisa invisível na entrada?

— Podemos, "por gentileza", saber por que deveríamos falar sobre isso com tão nobre dama? — perguntou Nélio.

— Por que Jader foi o responsável pela minha desgraça! Olhem para mim, tão jovem! E meus pais sofrem em casa pela minha morte.

Sara não sabia com quem estava lidando, e os dois continuaram a divertir-se à sua custa:

— Cuidado, Pedro! Trata-se de um espírito vingador!

— Pobrezinha, Nélio. Você não a ouviu dizer que a mamãe e o papai dela estão sofrendo? Perderam uma filha concubina na flor da idade. Oh! Coitadinhos. Menina, por acaso poderia nos dizer se seus pais fazem sexo gostoso? Quem sabe poderia nos apresentar a eles e os ajudaríamos a saírem desse sofrimento feroz?

— Por que riem de minha situação? Não fiz nada para vocês!

Nélio e Pedro chegaram muito perto de Sara, olhando-a com sofreguidão, e Nélio respondeu:

— Na verdade, você não sabe, mas fez sim. Fique tranquila que só fez coisa boa. Muito prazer. Penetrações inesquecíveis — disse, de maneira desrespeitosa.

— Parem com isso! Preciso de ajuda. O que querem para me ajudar? — perguntou Sara desavisada.

— Sei não, concubina morta... — tornou Pedro. — Já usamos o que você tinha para dar, enquanto tinha um órgão sexual palpável e miolo mole. Mas agora, o que você tem a oferecer? Uma vagina etérea?

Enquanto os dois riam sem parar, a porta se abriu. Jader saiu de casa, e Sara começou a gritar:

— Jader, seu mau-caráter, safado, você me pagará pelo que fez! Contarei tudo a Joana, sua esposa! Ela precisa saber quem você é!

Enquanto Sara tentava inutilmente obstar o caminho de Jader, ele entrou no carro, e Pedro convidou a jovem, meneando a cabeça:

— Hora do prazer! Concubina morta, se quiser vir conosco, arrumaremos uma utilidade para você. Venha, nós vamos ajudá-la!

Outra entidade, que se apresentou como ancião, surgiu à porta, vindo ter com Sara:

— Você é Sara, não é? Não vá com eles. Fique aqui.

— Como sabe meu nome se não o conheço? Não dá para conversarmos agora. Preciso acompanhá-los, pois eles vão me ajudar.

— Não vá. Fique aqui. Também posso ajudá-la — insistiu o ancião, enquanto Sara ficou reticente sob os olhares de desprezo de Pedro e Nélio, que partiram com Jader.

Sara permaneceu parada por alguns instantes e fez menção de ir na direção do carro em movimento, quando o ancião disse enfático:

— Sara, estou avisando. Não vá! Nélio e Pedro são vampiros.

— O quê? Era só o que me faltava! Estou em um conto do Drácula? Não podia ser da Branca de Neve? Sabe dizer onde posso conseguir estacas, réstias de alho, crucifixos e água benta?

Notando que o ancião virou-se para entrar na casa, Sara se sentiu impotente:

— Todos resolveram virar as costas para mim? O senhor poderia me dizer o que está acontecendo, por favor?

O ancião estendeu a mão, convidando-a para entrar na casa.

— Não posso entrar, senhor. Tentei há pouco e levei um tremendo choque.

— Ajudei a construir essa barreira magnética. Venha, Sara. Meu nome é Dionísio, sou um dos protetores desta família. Entre de mãos dadas comigo, que não levará choque.

Ao entrarem na casa, o anfitrião espiritual ficou em silêncio, deixando Sara observar a movimentação do lar.

Priscila e Murilo brincavam na sala em frente à televisão, rindo com o desenho animado que assistiam.

Dionísio chamou Sara e juntos entraram no quarto, onde Joana, cabisbaixa e pensativa, estava sentada em frente à penteadeira.

— Então essa é a coitada da Joana... — comentou Sara pesarosa.

— Você ainda não consegue escutar sentimentos. Quer tentar comigo, Sara? — convidou Dionísio.

Movida pela curiosidade, Sara concordou.

Dionísio conduziu a jovem para mais perto de Joana, colocou a mão direita sobre sua testa, fazendo Sara captar a angustiante sensação de rejeição e tristeza que a mulher experimentava.

— Chega! — afastou-se Sara. — Não preciso saber de mais nada! É óbvio que ela só poderia se sentir assim, mas preciso saber do senhor: o que posso fazer para revelar a Joana que o canalha com quem ela se deita toda noite acabou com minha vida?

Meneando a cabeça, Dionísio respondeu:

— Vejo que está suscetível a passar para qualquer lado que favoreça seu propósito de vingança, não é, Sara?

— Não é vingança, é justiça!

— Desculpe-me, minha filha, então quando Pedro e Nélio retornarem com Jader, converse com eles, porque não posso ajudá-la a fazer "justiça".

— O senhor disse que são vampiros. Que quis dizer com isso?

— São espíritos vampiros, mas não como aqueles dos filmes que você assistia. Nélio e Pedro são vampiros de verdade, que extraem energias provenientes dos vícios do encarnado, que, no caso de Jader, são sexuais.

— Mas como conseguem? Não se ofenda com a pergunta, mas como o senhor pode proteger um mau-caráter como o Jader?

— Eu me revezo com outros espíritos para proteger esta família. Sou especificamente o protetor de Joana. Jader também tem um protetor, embora esteja surdo a qualquer sugestão dele. E exatamente por isso tem sido acompanhado por aqueles espíritos que você já conhece.

— Sim, os vampiros. Mas o que aconteceria se eu seguisse Jader em companhia de Nélio e Pedro?

— Nélio e Pedro encontrariam uma maneira de manipular suas energias para servi-los, provavelmente a aliciando como serva nos propósitos de extração das energias sexuais dos encarnados.

— E alguém poderia me obrigar a fazer algo que não quisesse?

— Quando se envolveu com Jader, alguém a obrigou a fazer algo que não queria?

A questão repentina chocou Sara, que ficou pensativa ruminando e retribuiu com a seguinte resposta:

— Não fui obrigada, fui enganada. Acreditei que Jader me amava e era um bom homem. Fui envolvida pela paixão e deu no que deu!

— Acreditar que você foi "envolvida" por Jader a conforta? Você acredita que alguém possa ter sugerido ideias para Jader trabalhar as fantasias que a fizeram acreditar nele? Foi por si mesma que sentiu todo o arrebatamento, entregando-se à paixão?

— O senhor está insinuando que Jader e eu fomos induzidos por alguém? Acha que isso justifica as atitudes dele?

— Não disse que justifica. Estou apenas respondendo à sua questão. Se esses dois acompanhantes de Jader, auxiliados por outros que você desconhece, possuem mecanismos para fazer o que fizeram enquanto você estava encarnada, não imagina do que são capazes quando decidem manipular desencarnados que comungam das mesmas energias em sintonia com o mal.

— Mal? O senhor acredita que meus propósitos são maus? Desculpe-me pelo que direi, mas deixar a coitada da Joana ser chifrada é que é mau. E vocês, que se arrogam "protetores", ainda deixaram isso acontecer! — expôs Sara, indignada.

Mantendo a serenidade, Dionísio continuou:

— Compreendo que se sinta assim, mas você acredita que Joana seja uma coitada? Você a conhece?

— Posso não a conhecer na intimidade, mas me conheço e posso garantir: apesar de tudo em que acreditei, meus pais estão lá, sofrendo por algo que poderia ter sido evitado. E essa Joana "Maria Amélia" está parecendo mais a "Maria Chorona". Eis no que acredito!

— Se lhe dissesse que você não se conhece e que o sofrimento de seus pais não é em vão, acreditaria em mim?

— Com todo respeito, não sei aonde o senhor quer chegar...

— Sara, eu não preciso chegar. Estou onde quero. Você está onde quer?

— Estou ficando irritada porque o senhor está se comportando como quem quer ser o dono da razão, tentando me mostrar uma "paz interior" e me enrolar com filosofias baratas, que não servem para nada!

— Está bem, Sara. Dentro de minhas possibilidades, tentarei ser mais claro para que não se irrite. Você desencarnou há pouco tempo. Pessoas que desencarnam em condições semelhantes à sua demoram um pouco para recuperar a memória espiritual. Quer ver? Você se lembra de encarnações passadas e dos compromissos assumidos para sua última encarnação?

— Como poderia me lembrar disso, se nem acredito em reencarnação?

— Pois é, Sara... Você se lembrará de tudo e, quando isso acontecer, entenderá muitas coisas.

— Rodrigo falou vagamente sobre isso quando o reencontrei... Mas, se for verdade, quando isso acontecerá?

— Quando você conseguir se libertar da matéria.

— Eu já me libertei! Meu corpo foi enterrado hoje. Eu vi com meus próprios olhos!

— Libertar-se da matéria não significa apenas abandonar o corpo físico. É preciso renascer para a vida espiritual através da fé, pois Deus é bondade e justiça. Você tem fé?

— Sim, senhor! Sempre tive muita fé.

— Então por que se arroga no direito de cumprir a justiça na Terra, se está no plano espiritual? Você é Deus?

— É porque ainda me sinto viva, poxa!

— Ou será que ainda se sente na matéria e não quer sair daqui? Entende o que digo?

Sara ficou pensativa. A jovem sentou-se desconjuntada na cama de Joana e desabafou:

— Estou confusa... O que faço para me libertar?

— Admitindo, já se libertará, querida... — respondeu carinhosamente Dionísio.

— Pois bem... Qual é o próximo passo, senhor Dionísio?

— Redescobrir-se.

— Poderia ser mais claro, por favor?

— Fique comigo aqui por enquanto. Amanhã, revezarei com outro protetor e a levarei a um lugar. Concorda?

— Já perdi muita coisa e nada tenho a perder. — concordou, visivelmente contrariada.

Capítulo 10

Passar a noite na casa de Jader, naquelas condições, representou uma tormenta para Sara.

— O senhor acha mesmo necessário ficarmos aqui? — perguntou Sara para Dionísio.

— Se quiser se retirar, posso acompanhá-la, mas acho útil que fique.

No momento em que Joana colocava as crianças para dormir, Dionísio chamou Sara para ir ao quarto do casal.

Jader exibia-se diante do espelho, fazendo gestos para exercitar o galanteio.

Deitada na cama, Joana questionou:

— Como foi sua consulta com o doutor Alex?

— Foi bem. Ele me informou que tentará uma nova medicação, que poderá ser a solução para os meus problemas de impotência, com resultados previstos para daqui a seis meses.

— Seis meses? Tudo isso? Por acaso disse a ele que estamos sem fazer amor há mais de três anos?

— É que, segundo doutor Alex, preciso ainda resolver problemas relativos ao passado, à infância...

Só então descobriremos se minha libido poderá ser estimulada sem medicação.

Enquanto Joana se esforçava para conter a indignação, Sara ficava cada vez mais entediada. Um imprevisto, no entanto, a apavorou quando viu Pedro e Nélio se aproximarem do quarto, imperceptíveis para Jader e Joana.

— Dionísio, a barreira de proteção foi rompida?

— Fique perto de mim e permaneça calada. Dê-me sua mão. Ficaremos invisíveis para eles, apenas observando o que acontece. Peço que tenha paciência.

Nélio aproximou-se de Joana cochichando-lhe algo mentalmente:

— Tenho certeza de que ele tem outra.

Desconsolada, Joana perguntou ao marido:

— Jader, essa história já foi longe demais! Você está me enganando com outra mulher?

— Imagine, Joana! De onde tirou isso? Se não dou conta de você, como arrumaria outra mulher?

Dessa vez, era Pedro que magnetizava Joana, também cochichando algo mentalmente para ela:

— Você também deveria fazer terapia. Nada mais justo!

Joana sugeriu para Jader:

— Estive pensando que ando meio pra baixo. Acho que devo fazer terapia também.

Nélio gritou mentalmente para Jader:

— Pronto! Chifre trocado não dói! Aí vem o seu! Ela terá um caso com o analista!

Jader objetou com veemência:

— Era só o que faltava! Dois doentes na mesma casa! Se quer saber, estou começando a achar que essas terapias servem apenas para bagunçar ainda mais a cabeça da gente!

— Estranho falar isso... Se você acha isso mesmo, porque não para de ir ao consultório do doutor Alex? — retrucou Joana.

— É que não vejo alternativa. Mas você é mulher... Se ficar desequilibrada, a família toda vai para a cucuia — Jader tentava safar-se.

— Já estou contrariada demais com tudo isso.

Notando que não conseguia convencer a esposa, Jader usou de chantagem, fazendo-se de vítima:

— Olhe, Joana, não sei mais o que fazer. Se quiser, podemos falar de desquite, aí você poderá ser feliz com alguém mais viril que eu. O que acha?

— Não acho nada! Vou dormir que ganho mais.

Joana virou-se de lado, enquanto Pedro e Nélio riam. De repente, no entanto, os dois cessaram o riso, retirando-se do quarto rapidamente.

— Pode falar agora, Sara — autorizou Dionísio.

— Que absurdo! Não dá para acreditar que esse canalha usou o mesmo argumento de "ser mulher" antes de eu morrer! Transferir responsabilidades é fácil, assumir é difícil.

O ambiente tornara-se diferente. Sara começou a sentir-se mal.

— Senhor Dionísio, me acuda... Estou com uma sensação de desmaio. Parece que minha cabeça vai estourar. Estou sufocando...

— Sabe rezar, Sara?

— Claro que sei.

— Pois então reze. Peça auxílio para melhorar seu estado, porque senão desmaiará mesmo.

Temerosa, Sara rezou um pai-nosso em voz alta, aliviando as más sensações.

— Ufa! Estou melhor. Obrigada pela dica, senhor Dionísio. Minha mãe sempre disse que a oração é um santo remédio.

— É sim, Sara. Além de ser também um forte repelente para espíritos malfeitores. Notou como Pedro e Nélio saíram correndo?

— O senhor estava rezando? Foi isso que os espantou?

— Não. Foi Joana, que, inclusive, continua rezando e pedindo a Deus por sua família. Ela mentalizou a figura de Jesus entrando em sua casa e abençoando os inimigos.

— Como o senhor consegue ouvir o que os outros pensam?

— Você também consegue, Sara! Não ouviu o que Nélio e Pedro falaram, insuflando pensamentos em Jader e Joana?

— Verdade! Por que ouço aqueles vampiros e não ouço Joana?

— Porque você estava na sintonia dos vampiros e não na de Joana. Por isso também começou a passar mal. Suas vibrações eram negativas, diferente das que Joana emitia. Os fluidos, então, atingiram-na promovendo aquelas sensações.

— Se eu tivesse o equilíbrio de Joana, talvez estivesse dando boa-noite para meus pais. Parece uma piada eu estar aqui aprendendo com a mulher do meu amante. Desculpe-me, senhor Dionísio, mas acho que nada tenho a oferecer, nem sei como construir barreiras magnéticas.

— É mesmo, Sara? Como acha que ficou imperceptível a Pedro e Nélio?

— Porque o senhor pegou em minha mão e me tornou invisível.

— Não é verdade. Se você não tivesse a energia que possibilita tornar-se invisível, eu não teria o que manipular. Sua vontade, ao atender minha sugestão, a fez ocultar-se deles. E sabe por que mais conseguiu?

— Não sei...

— Porque você é uma pessoa boa. Percebe que está recuperando suas faculdades espirituais? Em breve, estará totalmente reintegrada à realidade atual e, em contrapartida, restituirá a memória espiritual.

— Imagine... Se eu fosse tão boazinha teria pensado em Joana antes de me envolver com Jader, independente de achar que ele me tinha ajudado com as providências para a cirurgia de minha mãe.

— Pelo menos agora percebe que Joana não é a "coitada" que pensou ser. E culpar-se de nada a ajudará a melhorar sua situação. Você tem um enorme potencial de amor.

— Definitivamente, não tenho vocação para ser como Pedro e Nélio.

— Sei muito bem disso, pois, caso contrário, não conseguiria ficar neste ambiente.

— Senhor Dionísio, faz tão pouco tempo que tudo aconteceu... Estou com tanta saudade de meus pais... — Sara não conteve as lágrimas.

— Mas você tem Rodrigo, seu irmão, que está deste lado da vida, não é?

— O senhor sabe tudo a meu respeito. Como pode?

— É que nós, os protetores, compartilhamos o conhecimento de nossos protegidos. Sua protetora Dalva e eu nos conhecemos há muito tempo.

— Puxa vida! Deixei Dalva falando sozinha com meu irmão.

— É de sua vontade revê-los?

— Não me sinto à vontade. Gostaria de repensar as coisas... Estou envergonhada, chateada e estou revoltada comigo mesma. Posso ficar com o senhor mais um pouco?

— Claro que sim, querida! Então está de pé o combinado de me acompanhar amanhã, quando eu me revezar com Natanael.

Aconchegando-se no ombro de Dionísio, Sara agradeceu. Estava menos esquiva, ignorando que Dionísio falava do revezamento apenas como um pretexto para ela se sentir à vontade, pois Natanael, anjo de Priscila, Souza, anjo de Murilo, Abelardo, anjo de Jader e a protetora de Sara, Dalva, estavam todos ali, invisíveis, vibrando para que a verdade se descortinasse para a jovem.

Capítulo 11

Perto do meio-dia, o anjo protetor Natanael surgiu:

— Oi, Sara. Estou contente em vê-la. Soube o que aconteceu com você e me coloco à disposição para o que precisar.

— Muito obrigada. Tenho sorte de estar com vocês e espero um dia retribuir a força que estão me dando.

Anjo Natanael permaneceu na casa, e Dionísio dirigiu-se com Sara até a Fundições Norton.

— Senhor Dionísio, sabia que eu já estava feliz por conseguir esquecer tão rápido o canalha do Jader? Já vi o suficiente.

— Confie, Sara. Tenho certeza de que, depois deste dia, verá a morte com outros olhos e a justiça de outra forma.

— Está bem, senhor Dionísio. Agora nem preciso dizer que "verei com estes olhos que a Terra há de comer".

De longe, Sara viu Jader em sua sala. Pedro estava sentado em cima da mesa de Jader, apoiando-se no ombro dele, enquanto Nélio dançava à sua frente.

— Entremos, Sara — convidou Dionísio.

— Senhor Dionísio, fiquei com medo desses dois vampiros. Torne-me invisível, por favor.

— Não, Sara. Não utilizaremos deste recurso no momento. Quero apenas que se mantenha em equilíbrio e não dê importância ao que Pedro e Nélio disserem. Não diga nada, apenas ouça e observe.

Amedrontada, Sara entrou colada em Dionísio.

— Nélio, estou vendo uma miragem, ou estou vendo a concubina preferida com o carola angelical? — anunciou Pedro, irreverente.

— Ora, ora, ora... São eles mesmos! Ela perverteu o carola, transaram, ele desceu aos infernos, gostou e vieram fazer uma suruba cósmica — ajuntou Nélio, desrespeitoso.

Dionísio permanecia impassível, enquanto Sara se esforçava para controlar a desaprovação que sentia, enquanto os vampiros riam, escarnecendo Jader.

Nélio abraçou Jader dizendo:

— Ôôô, carola Dionísio, se veio participar de nossa festinha da carne, esse bofe aqui é meu, hein!

— Um dia vocês perceberão que este caminho não os levará a lugar algum — disse serenamente Dionísio, provocando a ira de Pedro:

— Sempre a mesma conversa mole! "Siga a luz", "este é o caminho", "perdoe seu inimigo". Vocês não cansam de expelir fezes pela boca?

Dionísio continuou:

— Pedro, você sabe que esse tipo de atitude não trará Ermínia de volta. Ouça seu íntimo.

Irado, Pedro descambou:

— Não sei do que você está falando! Não preciso bater boca com um puxa-saco que se acha dono da razão. Cansei de suas tentativas de nos levar ao paraíso, além disso, que eu me lembre, aqui não é seu território, portanto, retire-se, a menos que queira ver isso aqui.

Horrorizada, Sara virou o rosto enquanto Pedro e Nélio mostravam seus genitais, rindo em frente a Jader. Dionísio manteve a serenidade:

— Irmão, não pretendo convencê-lo do que já sabe, mas, no dia em que se cansar e sentir necessidade de uma palavra amiga, pode me procurar.

Nélio tomou a palavra fazendo menção de avançar sobre Dionísio e Sara, fazendo gestos obscenos:

— Não somos seus irmãos! E pode esperar sentado no rabo de sua mãe, seu anjo brocha!

Calmamente, Dionísio retirou-se com Sara, recomendando mentalmente que a jovem pensasse firme em ficar invisível naquele momento. A moça conseguiu, podendo, então, continuar ali sem ser notada pelos vampiros.

Jader telefonou para casa:

— Joana, meu amor, estou ligando para mandar-lhe um beijo antes de ir à consulta e para avisá-la que depois irei para a igreja confessar-me. Se ainda tiver missa, comungarei. Deseje-me sorte.

Assim que desligou o telefone, Jader saiu seguido por Nélio e Pedro.

— Venha, Sara. Acompanharemos os fatos para sua instrução — convidou Dionísio.

— Que maravilhoso! Consigo conversar com o senhor mentalmente! Que estranho, senhor Dionísio... Jader me contou sobre essa terapia e muitas vezes desconfiei que ele usava dessa desculpa para encontrar-se comigo. Mas igreja? Jader me contou que detestava ir à igreja.

— Todo mundo tem direito à conversão e a arrependimentos, não é, Sara? Acompanhemos Jader até a igreja.

No caminho, Sara perguntou:

— Quem é Ermínia? Por que Pedro ficou revoltado ao ouvir o senhor pronunciar esse nome?

— Ermínia foi uma relação de estima de Pedro em vidas passadas. Tinha sentimentos nobres por ela, mas, apesar da reciprocidade, Pedro não aceitou que a amada reencarnasse e assumisse uma relação com um inimigo seu.

Chegando ao destino, Sara indignou-se:

— Mas que cheiro horrível é esse? Essa fumaça é sufocante. Quem são aquelas mulheres sentadas no sofá?

— Aqui é a "igreja" onde Jader vem "confessar" coisas inconfessáveis e "comungar", mas não com um padre. Trata-se de um prostíbulo de luxo que ele frequenta. A partir deste momento, fixe suas observações sem julgamentos, continue invisível e não se impressione com o que ver, por mais aterrador que lhe pareça. Lembre-se de que está comigo e que, portanto, está segura.

— Sim... Mas... Senhor Dionísio... Estou tendo uma estranha sensação... É como se eu estivesse me lembrando de estar num lugar como este... Estou vendo cenas como se assistisse a um filme. O que está acontecendo?

— Mantenha a calma. Daqui em diante, isto acontecerá constantemente, porque você está recobrando a memória espiritual, conforme lhe avisei que aconteceria. Não tenha medo.

— Senhor Dionísio, eu fui prostituta! Estou me lembrando como se fosse agora.

— Sim, Sara. Mas não se agaste por isso. Fomos muitas coisas. Foram diversas existências, várias experiências. O que importa é não se julgar. Posicione-se no momento atual. Depois conversaremos mais sobre isso. Este momento exige silêncio e cuidado. Venha.

No momento em que entraram no quarto, Jader já praticava uma relação sexual com a parceira escolhida, tendo a companhia de Pedro e Nélio, que se deliciavam com o ato.

Pedro e Nélio transformaram-se em figuras horripilantes a Sara, que arregalou os olhos, tremendo de medo, fazendo-a perder a invisibilidade.

Notada pelas criaturas transfiguradas, que não cessaram o que faziam para não perderem a comunhão de sensações, Pedro disse com tom de prazer para Nélio:

— Esta é a minha vez, depois a sua... Fique com ela — Pedro referia-se à parceira de Jader.

Dionísio observava a cena impassível. A reação de Sara era de sufocamento ao ver Pedro colado em Jader, enquanto Nélio fazia o mesmo com a moça, resultando em gritos guturais e gemidos de prazer no momento culminante.

— Venha, Sara. Já viu o suficiente — Dionísio tomou a jovem pelo braço, distanciando-se do local, permitindo que a moça se restabelecesse do susto:

— Deus do céu, mas o que era aquilo? Eles se transformaram em insetos gigantes e grotescos... Em vampiros! — exclamou Sara abraçando Dionísio e começando a chorar:

— Descobri que já fui prostituta e que nesta encarnação, quando estava com Jader, também fui objeto de prazer dessas criaturas. Que nojo!

— Sei que é difícil manter a calma em momentos como este, mas deve se esforçar, filha... Você se lembrou de algumas coisas do passado, mas se lembrou também dos compromissos que assumiu?

— Sim, me lembrei. Lembrei-me de que conversava com um homem e prometia que consertaria algo que lhe fiz. Eu prometia fazer outros homens resistirem aos apelos viciosos, logo após ter provocado uma situação que desencadeou sua morte. Senhor Dionísio, eu falhei...

— Querida Sara, prepare-se para as coisas das quais irá se lembrar, mas não tema, porque o medo é um sentimento que nos enfraquece. Foi por isso que você perdeu a invisibilidade naquele momento. Para apropriar-se das faculdades que conquistou como espírito até hoje, precisará manter o pensamento em equilíbrio. Lembre-se da frase "ajuda que o céu a ajudará".

— Sinto que tenho a necessidade de ajudar aquelas criaturas. Será que conseguiria?

— Desde que consiga ajudar primeiramente a si mesma, claro que sim.

— O sentimento de revolta que eu tinha para com Jader converteu-se em pena, inclusive da família dele...

— O sentimento de misericórdia é poderoso, quando aplicamos forças para mudar as coisas através do amor e a favor do próximo. No entanto, no momento, é preciso reconhecer que precisa recuperar-se.

— O que devo fazer, senhor Dionísio?

— Não sei, Sara. O que você quer fazer?

— Estou sem rumo. Não sei o que quero fazer.

— Sua protetora Dalva sabe mais sobre você do que eu. Quer falar com ela?

— Dalva é tudo de que mais preciso agora.

— Ótimo! Então vamos procurá-la.

Capítulo 12

Após a celebração da missa de sétimo dia de Sara, Gratiel e Amanda visitaram Ana, mãe da jovem, que, em companhia do marido, estava inconsolável.

Ana ensejou uma oportunidade de ficar a sós com as moças para desabafar:

— Estou angustiada, porque, no dia do atropelamento, Sara me contou que estava mantendo um caso com um homem casado.

Amanda ficou chocada com a informação, e Gratiel comentou:

— Por isso ela se afastou de nós. Estava tão envergonhada que não teve coragem de se abrir.

— Vocês sabem quem é esse homem? — perguntou Ana.

— Certa vez, vi Sara, ao longe, sair de um carro chorando. Perguntei-lhe o que estava acontecendo, mas ela não quis me revelar coisa alguma — disse Gratiel, seguida de Amanda:

— Coitado do Noel... Ele é tão bobo quanto Júlio e não desconfiou de nada. Ele não merecia isso.

Amanda argumentou:

— Desculpe-me, dona Ana. Estava me referindo ao cafajeste que, certamente, se aproveitou da boa-fé de Sara num momento de fraqueza.

Ana replicou amuada:

— Não se preocupe, Amanda. Sabemos que não se justifica o procedimento de minha filha, pois ela já era bem grandinha para saber o que é certo e errado.

Depois de lamentarem o fato de Sara ter se envolvido com um homem casado, Ana dirigiu-se a Gratiel para revelar-lhe:

— Certa vez, Sara chegou a me dizer que tinha certeza de que Noel ainda gostava de você. Eu mesma sentia que minha filha não o amava, por mais bom moço que ele pudesse ser. Por favor, Gratiel, não se ofenda com minha pergunta, mas por que desmancharam o namoro?

— Porque fui burra, dona Ana. Achei que merecia mais atenção do Noel. Ele era tão responsável com os estudos e fazia tantas horas extras no trabalho, que criei uma crise onde não existia. Brigamos e, ainda por cima, assinei o "atestado de burrice" quando rompi o namoro com ele. Não tinha ressentimento de Sara, pois reconheço que fiz besteira.

Ana tomou a mão de Gratiel:

— Minha intuição me diz que você ainda gosta dele. Ficaria muito feliz se reatassem o namoro, pois desejo que Noel e você sejam felizes.

Desapontada consigo mesma, Gratiel revelou:

— Realmente, amo Noel, mas acho que ele não me quer mais, porque saí com outro cara amigo nosso. Besteira por besteira, e assim "caí na boca do povo".

— Você também traiu o Noel? — perguntou Ana.

— Não traí, mas saí com outro que só queria me levar para cama. Isso aconteceu logo depois que Noel começou a namorar Sara. E, como a senhora sabe, a soma de cafajeste com moça burra resulta em mulher difamada.

Ana consolou:

— Não perca a esperança, menina! Lute por aquilo que vale a pena. Creia que tem condições de mudar o destino. Confesso que minha fé está um tanto abalada depois de perder dois filhos na flor da idade, mas continuo desejando a felicidade dos outros.

Ana caiu em prantos, abraçando Gratiel, que também começou chorar, procurando palavras para aliviar o sofrimento da mãe da amiga:

— Dona Ana, nem sei o que lhe dizer, mas tive uma ideia... O que acha de procurar Chico Xavier? Dizem que ele é um homem muito bom e recebe mensagens de pessoas que já partiram desta vida.

— Já ouvi falar dele... Acho que é de uma cidade de Minas Gerais e é espírita. Se o padre Rodolfo souber que o procurei, é capaz de me excomungar.

— Sim, pode mesmo, mas padre Rodolfo não perdeu dois filhos! Diga-me com quem está a verdade neste mundo de Deus! Já pensou em receber uma mensagem de Sara e Rodrigo, conferindo que são deles mesmos? — observou Amanda.

Os olhos de Ana brilharam:

— Sabe, nunca fui adepta a esse negócio de espiritismo, mas e se tudo isso for verdade mesmo?

— Buscarei informações sobre como fazer para chegar até esse tal Chico Xavier — disse Gratiel.

— Não saberei ir sozinha. Jonas não pode deixar a oficina mecânica.

— Está resolvido: iremos juntas! Deixarei meu avô aos cuidados de alguém. Você irá conosco, Amanda? — perguntou Gratiel.

— Gente, eu passarei essa. Nem mencionarei nada a respeito com meus pais, porque vocês não imaginam a briga que é em casa. Minha mãe é católica fervorosa e meu pai é crente ferrenho. Só pude ficar noiva de Júlio, porque minha mãe é católica como ele, pois, se dependesse de meu pai, não sei o que seria de nós.

Rodrigo estava presente e exclamou para Osório, o anjo de Gratiel:

— Que excelente inspiração você transmitiu a Gratiel, Osório!

— Se tudo ocorrer conforme planejamos, você poderá se comunicar com sua mãe, e Gratiel também poderá ser auxiliada para o futuro.

Em uma casa espírita, Sara, na companhia de Dionísio, perguntou:

— Que ambiente tranquilo é este, Dionísio?

— A trouxe aqui porque um velho conhecido seu pediu para vê-la, antes que você seguisse seu caminho com Dalva.

— Quem?

— Deixarei que veja por si mesma. Por favor, acompanhe-me.

Chegando a uma sala, encontraram um homem corpulento de meia-idade. Dionísio permaneceu em silêncio perante o homem que sorria para Sara, que se manifestou:

— Estranho demais... Conheço o senhor, mas não me lembro de onde...

Aproximando-se um pouco mais de Sara, o homem tocou os ombros a jovem, dizendo com olhos úmidos:

— Olhe bem para mim e situe sua mente. Lembra--se de mim, Judite?

— Mas meu nome é... — Sara puxou pela memória exclamando:

— Felipini! Eu... estou me lembrando! Meu Deus, você é meu querido Felipini!

Abraçando-o efusivamente, Sara disparou:

— Quanto tempo se passou, meu amor! Sim, fui sua Judite e estamos novamente juntos!

— Pois para mim parece que foi há pouco que nos despedimos — tornou o velho conhecido de outras vidas.

Sara chorou de emoção, acariciando o rosto de Felipini:

— Você também não mudou...

— Assumi esta forma para que pudesse se lembrar de mim, Judite. No entanto, minha aparência atual é outra.

— Por favor, não mude. Estou adorando revê-lo.

No momento em que Sara recobrava integralmente a memória espiritual de sua antiga relação, Dionísio aproximou-se dos dois, tocou a testa da jovem, e esclareceu:

— Sim, Sara. Este é Noel do presente.

Sara colocou novamente as mãos na face de Felipini, que tomou as formas da aparência de Noel. Dalva, então, surgiu acompanhada de uma entidade que logo foi apresentada à jovem:

— Boa noite, Sara. Este é Heitor, o protetor de Noel, que colaborou conosco trazendo-o até nós.

Visivelmente decepcionada, Sara concluiu:

— Agora me lembro que meu tempo na carne acabaria mesmo nesta época... Mas tinha que ser dessa maneira tão violenta, como um atropelamento?

— Ora, querida. Que importa se foi em um momento passional, ou o tipo de morte do corpo físico? O importante é que conseguiu cumprir o que foi determinado na última vez em que estivemos juntas.

— Sim, Dalva, você tem razão.

Sara olhou fixamente para os olhos de Noel, abraçando-o novamente:

— Oh! Querido... Quanto tempo esperei para estar novamente com você e tive de partir tão rápido...

— A saudade que sentimos sem saber é o sinal de que a esperança nunca morre, até podermos estar juntos novamente. Continue trabalhando para o bem, com a certeza de que nos abraçaremos muitas e muitas vezes.

Heitor saudou todos os presentes e, despedindo-se, encaminhou Noel para o corpo físico. Enquanto isso, Sara se dirigia sorrindo aos anjos Dionísio e Dalva:

— A vida tem resposta para tudo quando estamos com vocês. O que farei daqui para frente, anjos?

Dalva respondeu:

— Vamos para a colônia-escola para que possa refazer-se. Lá, terá a oportunidade de continuar o que há muito tempo você fazia, contribuindo para seu aperfeiçoamento, até chegar o momento de voltar para cá. Concorda?

Depois de se despedir de Dionísio e agradecer-lhe pelo auxílio, Sara seguiu seu caminho em direção a uma das infinitas colônias do mundo espiritual.

Na manhã seguinte, Noel estava à mesa do café com sua irmã Nívea e seus pais Oto e Clotilde:

— Sonhei com Sara esta noite. Estava acompanhada de um homem vestido de branco e de outra senhora também vestida de branco.

— Como estava Sara em seu sonho, filho? — perguntou Nívea.

— Não me lembro de quase nada, apenas que ela me abraçou — respondeu Noel, seguido de sua mãe, Clotilde:

— Ontem estive com Ana e combinamos de fazer uma novena para Sara. Nossa! O estado de Ana e Jonas me corta o coração. São tantas as tragédias naquela família...

Jonas ajuntou:

— É para se pensar: o que leva o destino fazer alguém perder dois filhos de pouca idade em acidentes horríveis?

— Não sei, pai. Só sei que, às vezes, fico me perguntando... Se Deus existe e é tão justo como dizem, por que essas coisas acontecem? — quis saber Noel, seguido de Clotilde:

— A única resposta que consigo encontrar é que, acreditando em Deus, certamente Ele nos testa todos os dias em nossa fé. Apesar de que este é um teste que só saberemos lidar se acontecer com a gente. Deus me livre!

Capítulo 13

A igreja estava linda.

Em trajes militares de gala, Gildo conduzia Amanda, que expunha seu sorriso de felicidade, compartilhado por todos os convidados de seu casamento.

À frente, cheia de orgulho, seguia a pequena Roberta com seu vestido de dama de honra, esforçando--se para não abrir um sorriso, pois havia uma semana que caíra um dos dentes de leite frontais.

Junto aos padrinhos, Júlio aguardava a noiva no altar, sem conter o acanhamento característico de sua personalidade.

Os anjos protetores do casal abençoavam aquela união ao lado de outras entidades, sendo que quatro delas obtiveram autorização para participar da cerimônia.

As entidades, que voltariam a fazer parte da vida do casal, conversavam entre si e com seus anjos, expondo preocupações e expectativas.

Ao final da cerimônia, Júlio chorou no altar ao dizer o *sim*, sendo consolado por Amanda, que também chorava de felicidade.

Todos os convidados saíram em cortejo, buzinando atrás do carro que conduzia o casal até a festa na casa dos pais de Amanda.

Amanda tirou fotos com as amigas sentadas à cama repleta de presentes e, depois, aproximando-se reservadamente de Gratiel, recomendou:

— Aproveite que Noel está sozinho. Tente conversar com ele.

— Sei não... Ele parece interessado na Carla, aquela menina que trabalhou na cantina da escola. Já o vi dançando com ela.

— Ué! Mas se não tentar, como saberá? Pelo menos chegue perto dele. Se quiser, ele puxará conversa com você.

— Não sei se farei isso... Noel me cumprimentou na igreja como se fosse por obrigação, demonstrando indiferença.

— Veja, Gratiel! Noel está pegando um chope com o Júlio, aproveite. Dê uma desculpa qualquer e vá lá.

Embalada pela amiga, Gratiel aproximou-se de Júlio e Noel:

— Júlio, por favor, pode me servir um chope?

— Claro, Gratiel! — prontificou-se Júlio estendendo-lhe um copo e viu que Amanda fazia um sinal para que ele deixasse o casal a sós.

Júlio fingiu que havia sido chamado por Helena e cochichou ao ouvido de Noel antes de se retirar:

— Bicho, aproveite agora, porque sei que você gosta dela.

Gratiel e Noel estavam desconsertados, e a moça, por fim, tomou a iniciativa de dialogar:

— Como está indo na faculdade?

— Estou gostando. Só está sendo difícil conciliar a faculdade com o trabalho, porque tenho pouco tempo para estudar.

— A festa está boa... Júlio e Amanda merecem ser felizes — disse Gratiel tentando deixar Noel à vontade.

— É. Está sim.

— Não quer mais falar comigo? — indagou a jovem ressentida.

— Não... mas achei estranho seu sumiço depois do enterro de Sara.

— Fiquei transtornada com a morte de Sara e, quando o vi tão triste com tudo aquilo, não sabia o que lhe dizer. Achei que não quisesse mais falar comigo, porque namoramos no passado.

— Realmente foi muito difícil, mas imagine como está sendo para dona Ana e seu Jonas?

— Ainda há pouco comentava com Amanda... Só faltou Sara aqui hoje. Sinto tanta saudade dela. Nem acredito que faz mais de quatro meses que ela se foi.

Os olhares dispersos do casal cruzaram-se ao som de uma música romântica, e Gratiel não se conteve, fechando os olhos para dizer:

— Lembra que eu sempre disse que esta era a nossa música?

— Lembro — respondeu Noel cabisbaixo.

— É falta de educação uma moça convidar um rapaz... Não vai me tirar para dançar? — convidou Gratiel com voz embargada.

Noel tomou a mão de Gratiel, seguindo para a pista de dança montada sob a lona. Os jovens dançavam de rosto colado, e Noel falou ao ouvido da moça:

— Gratiel... Eu gostava muito de dançar esta música com você.

— Agora não gosta mais?

— Gosto, mas acho que nos distanciamos...

— Você pode ter se distanciado de mim, mas eu ainda o amo. Nunca o esqueci... Você já me esqueceu?

— Não mentirei. Não a esqueci e ainda gosto de você.

95

O coração apaixonado de Gratiel disparou, vislumbrando uma esperança, mas Noel continuou a frase:

— Pena que não dá para me lembrar de você, sem me lembrar do Armando.

Repentinamente, Gratiel parou de dançar e perguntou ao parceiro:

— Pois você não estava com Sara?

— Sim, estava... Mas o Armando me contou que você foi para a cama com ele no primeiro dia!

Contrariada, Gratiel afastou-se de Noel:

— E por acaso ele contou que forçou a barra? Ou você só acreditou no que lhe foi conveniente acreditar?

— Não foi isso que Armando contou para Deus e o mundo. Além disso, quando um não quer, dois não brigam!

De olhos marejados, Gratiel retrucou:

— Armando fala pelos cotovelos! E o que sinto por você não conta?

— Contaria, se para mim isso não significasse nada. Mas você acha que eu aguentaria reatar o namoro, para ser motivo de chacota dos outros?

— Noel, você está me ofendendo! Eu nunca o traí. Saí apenas uma vez com outro e foi logo depois que rompemos. Se me amasse, não me trataria com essa indiferença! Se está preocupado com o que os outros pensam, fique com eles então!

Chorando, Gratiel retirou-se a passos largos para o banheiro.

Helena, mãe de Júlio, prestava atenção aos fatos e foi ao encontro de Gratiel:

— Moça, não fique assim. Hoje é o casamento de sua amiga...

Esforçando-se para conter os soluços, Gratiel tentou recompor-se, respondendo:

— A senhora tem razão... Esses moleques não estragarão a festa. Logo hoje, um dia tão feliz para minha amiga.

Júlio aproximou-se de Noel:

— Bicho, eu vi tudo de longe. Parece que o papo não deu muito certo, não é?

— Imagine só! Ela disse que foi "forçada" pelo Armando. Acha que pode?

— Sei lá. Sabemos que o Armando é capaz de tudo para conseguir o que quer e não duvido que ele a tenha forçado. Mas tenho que lhe contar uma coisa: Amanda me falou que Gratiel continua apaixonada por você.

— Pode ser, mas, na primeira vez em que saiu com outro cara, já foi para a cama com ele!

— Nem sei o que lhe dizer bicho. Não sei o que faria em seu lugar.

Capítulo 14

1972

Era fim de tarde de sábado, quando Noel avistou Gratiel no salão de baile Brasas.

Mais tranquilo, Noel sentiu necessidade de desculpar-se com a jovem após o último encontro que tivera com Gratiel na festa de casamento de Júlio e Amanda e decidiu aproximar-se:

— Reconheço que fui grosseiro e quero pedir-lhe desculpas.

— Não tem problema, Noel. Desculpá-lo não é difícil. O que me magoou foi você ter julgado os fatos sem ter presenciado o que realmente aconteceu.

— Não quero entrar em detalhes, porque você não deixa por menos, se começarmos a falar de mágoas. Também fiquei magoado quando rompeu comigo apenas porque eu pensava em nosso futuro. Enquanto me esforçava, você achava que eu me dedicava pouco à nossa relação.

— Compreendo. Gostaria de conversar a sós com você. Sinto-me incomodada e preciso resolver isso na minha cabeça.

— Para mim também não está resolvido. Como seu avô fica preocupado quando você chega tarde, podemos nos encontrar amanhã no parque da Vila Almira para conversarmos com calma. Concorda?

Custosamente, Gratiel conteve a grande alegria que sentira, acendendo na jovem esperanças. E ambos contaram as horas para que chegasse logo o momento de se encontrarem.

Antes de sair de casa no domingo, Gratiel lutou com o guarda-roupa, pensando em todos os detalhes e arrumando-se com o propósito de reconquistar o amado.

Depois de cuidar de si, a jovem colocou uma imagem de gesso de Santo Antônio de Pádua de cabeça para baixo atrás do armário, intimando-o de forma irreverente:

— Santinho, você ficará aí até eu conseguir o Noel de volta! Mas preste atenção! Se eu não conseguir, você permanecerá aí! Veja lá, o problema é seu! Saiba que, se me ajudar, serei a melhor esposa do mundo e nunca mais deixarei meu amor, por nada nem por ninguém.

Mal terminou de fazer as preces decoradas, Gratiel dirigiu-se às pressas até a cozinha, onde havia uma imagem de Nossa Senhora Aparecida sobre o armário de pratos.

Em frente à imagem, ela cerrou os olhos e, juntando as mãos, fez uma promessa com fervor:

— Minha Nossa Senhora Aparecida, pelo amor de Deus, me ajude a ter Noel como marido. Prometo ser uma boa namorada e conquistá-lo para ser uma boa esposa e mãe dos seus filhos. Se a Senhora me conceder essa graça, prometo que irei à Aparecida do Norte, entrarei de joelhos na igreja na companhia de Noel e rezarei um terço em devoção à Senhora.

Comovido com a ingenuidade de sua protegida, Osório, seu anjo, acariciou os cabelos da jovem, enquanto o avô de Gratiel entrava na cozinha indagando:

— Hei, menina, está falando sozinha? O velho gagá aqui sou eu, não você...

Ao observar o capricho do visual da neta, ajuntou:

— Onde pensa que vai emperiquitada desse jeito? Está parecendo uma dama de circo, menina!

— Vovô não fale assim... Estou me arrumando para encontrar Noel, que pode ser o pai dos seus bisnetos!

— Reatou o namoro com o rapaz? Bonzinho e educado o Noel...

— Ainda não, vovô, mas reze para que voltemos.

— Essa meninada não sabe o que quer! Desmancha, volta, desmancha! — Afrânio saiu maldizendo, enquanto Gratiel saía resoluta e confiante.

Na casa de Noel, o jovem perambulava cabisbaixo de um lado para outro, atraindo a atenção da mãe:

— Está com problemas, filho? — Clotilde questionou.

— Não, mãe. Estou apenas preocupado com umas coisas da faculdade — disfarçou.

— Sairá novamente com aquela moça? A que trouxe aqui mês passado e que não veio mais nos visitar?

— Sim, mãe. Irei com a Carla ao cinema — despistou Noel.

— Sabe, filho, não me entenda mal, mas tive uma impressão esquisita sobre essa moça... Não sei se é intuição de mãe, mas ela me pareceu meio possessiva, meio perturbada, ou é apenas impressão minha?

— Não, mãe. Ela não pareceu "meio" perturbada, ela é totalmente perturbada!

— Então por que está com ela ainda?

— Sei lá, mãe. Acho que gosto de perder tempo na vida, só pode ser... — respondeu Noel com entonação triste, despedindo-se da mãe com um beijo no rosto.

Helena ainda comentou:

100

— Noel, cuidado. Estou com um mau pressentimento dessa moça com você.

— Fique tranquila, mãe. Olharei para os dois lados antes de atravessar a rua. Isto é, se eu não jogá-la no meio da rua.

— Não ironize a situação, senão atrairá desgraças! Preste bem atenção ao que fará com essa moça.

E Noel saiu dizendo triste para si mesmo:

— Já fiz...

Noel e Gratiel encontraram-se no horário marcado.

— Está meio triste, Noel. Está arrependido de ter vindo?

— Não é isso, Gratiel... Eu...

Afobada, Gratiel não deixou Noel terminar a frase, acariciando o rosto do rapaz e dizendo:

— Amor, você sabe que nos amamos! Estou disposta a me afastar de tudo e de todos para podermos nos amar em paz a vida inteira.

— Este não é o problema maior...

— Se está preocupado com as más línguas, dane-se o mundo! O que importa é nosso amor! Não falemos sobre assuntos que nos afastam um do outro! Não aguento mais de saudade e preciso de você comigo!

Contagiados pelo momento, juntaram-se em um abraço seguido de um longo beijo apaixonado.

— Amo tanto você, Gratiel...

— Também te amo, meu amor. Logo seremos marido e mulher. Teremos uma família...

— Não seremos e não teremos! — respondeu Noel com rispidez, desfazendo-se do abraço.

Pacientemente, Gratiel tentou lidar com a reação do rapaz:

— Noel, meu amado, compreendo sua mágoa, mas...

— Mas estou namorando a Carla!

— Desconfiei que estava namorando aquela lambisgoia, mas e daí? Rompa com ela, coloque um ponto final na relação, e vamos viver nosso amor.

— Não dá, Gratiel...

— Não dá por quê? Pois você nem estava com ela no baile ontem! Está comigo e disse que me ama!

— Carla viajou com a família neste fim de semana.

— E daí? Qual é o problema? Está com medo de romper com ela? Não pode ser, Noel, ainda mais você sabendo o quanto sofremos separados. Acha que ela se matará por causa da separação?

Não suportando a pressão, Noel respondeu angustiado:

— Nesta viagem, Carla comunicará aos pais que está grávida! Droga!

Por instantes, Gratiel permaneceu estática com o choque da informação, mas tentou contornar a situação atropelando-se nas palavras:

— Pode ser um alarme falso, porque eu também já tive... Pode ser que ela tenha inventado essa história para segurá-lo.

Noel cobriu o rosto com as mãos, sentando-se em um degrau próximo:

— Estou perdido!

— Noel, se for gravidez mesmo, irá assumir a Carla mesmo não gostando dela?

— Acha que tenho opção?

— Desculpe, amor, mas onde está escrito que é sua obrigação casar-se com uma lambisgoia como a Carla, só porque a engravidou? Poderá contribuir na criação da criança.

— E onde está escrito que mulher tem que assumir completamente uma criança, se não a fez sozinha?

Inconformada, Gratiel abraçou-se a Noel dizendo:

— Meu amor, se eu engravidasse de um homem e não o amasse, não me casaria com ele. Se eu tiver de assumir um filho seu com a Carla, pelo amor que tenho a você, amaria seu filho também, mesmo não sendo a mãe biológica da criança.

Transtornado pela situação, Noel, mais uma vez, desfez-se agressivamente do abraço:

— É fácil dizer isso agora! Não está na minha pele! Se você não fosse tão descabeçada, eu não teria me envolvido com Sara, com Carla, nem com ninguém! Você é a culpada disso!

Gratiel entregou-se ao pranto, entrecortando as palavras de súplica:

— Não tenho culpa, Noel! Foi você quem engravidou a Carla... Não sei por que isso aconteceu... Só sei que o amo com todas as minhas forças e faria qualquer coisa para voltar ao momento em que o deixei, quando na verdade não queria deixá-lo...

— Ter-me de volta... Essa é boa! Você nunca deixou de ter a mim, Gratiel! Mas, se a gravidez dessa doida vingar, o fato de saber que a amo de verdade será a cruz que carregará pelo resto de sua vida! Estarei com ela por obrigação sim! A culpa é sua por ter achado que merecia mais atenção e foi transar com o primeiro que apareceu!

Não suportando a contundência das próprias palavras, Noel retirou-se a passos largos, deixando Gratiel aos prantos, recostada no poste. Lamentando a situação que se resignou a aceitar como uma sentença, a jovem foi ficando encharcada pela chuva que começara a cair, misturando-se às lágrimas que vertiam de seu rosto cheio de dor e arrependimento.

Capítulo 15

Depois de fazer uma apurada pesquisa, Gratiel encontrou um grupo que programava, anualmente, idas ao encontro do médium Chico Xavier.

Era noite, quando Ana e Gratiel partiram no ônibus de excursão à cidade de Uberaba, com destino à Casa do Caminho.

Notando a patente tristeza da jovem durante a viagem, Ana perguntou delicadamente:

— O que se passa com você, querida?

— Não ligue para mim, dona Ana, pois meu sofrimento não chega aos pés das coisas que lhe aconteceram.

— Sei que sua mãe mora em Brasília e seu pai no exterior... Deve ter sido difícil ter apenas o convívio de seu avô, mas agora tem a mim também, caso precise de um ombro amigo. Quando vi seu rostinho triste, cheguei a pensar que estava vindo só por minha causa.

— Imagine! Não tem nada a ver com a senhora. Pelo contrário, apressei esta viagem porque preciso urgentemente sair da rotina. Precisava sumir um pouco de São Paulo para pensar no que fazer da vida daqui para frente. Minhas amigas estão se casando, vivendo a vida delas, e confesso que estou me sentindo muito só e não consigo confiar mais em ninguém, depois que algumas coisas aconteceram.

— Tudo bem, querida, se não quiser falar sobre o assunto, eu entenderei. Sei que é melhor não mexer em certas feridas.

— Não se preocupe, dona Ana. O que me aflige são apenas futilidades relativas a ex-namorado — desabafou Gratiel receosa.

— Ah! Sim. Está falando de Noel?

— Sim. Pensei que pudéssemos reatar nosso namoro, mas minhas esperanças foram por água abaixo.

— Pois procure o curso da água então! Não desista de seus sonhos. Se você ama o Noel de verdade, lute por esse amor.

— Agora acho que não tenho mais chance alguma. Ele me contou que engravidou uma moça e, mesmo dizendo que sente amor por mim, terá de assumi-la.

— Puxa vida!... Isso aconteceu justo com o Noel?

— Tenho certeza de que aquela lambisgoia engravidou do Noel só para segurá-lo.

— Se foi por isso mesmo, com certeza não dará certo. Creio que esta seja a pior maneira de alguém segurar um homem, pois, cedo ou tarde, a falta de amor verdadeiro só trará desgosto aos dois. Veja só o que aconteceu com a Sara.

— A senhora acha que, se o Noel me ama de verdade, ficaremos juntos um dia?

— Não sei lhe responder... Tem certeza que tomou todas as providências possíveis?

— Sei lá, dona Ana... Fiquei tão desnorteada com tudo isso. Não posso me desvalorizar, apesar de saber que fiz besteira ao sair com o Armando logo depois que rompi com Noel. Eu estava me sentindo humilhada, rejeitada...

Gratiel recostou-se ao ombro da amiga para chorar, ouvindo palavras de incentivo.

Pouco antes das quatro horas da manhã, Chico Xavier iniciava o atendimento aos visitantes. Gratiel assustou-se:

— Minha Nossa! Dona Ana, olhe só o tamanho dessa fila! Coitado desse homem! Será preciso muito mais do que abnegação para atender a essa gente. Será que conseguiremos ser atendidas ainda hoje?

Um homem grisalho, que estava à frente de Ana, escutou o questionamento de Gratiel e interveio educadamente:

— Também fiquei impressionado quando visitei Chico Xavier pela primeira vez. Mas fiquem tranquilas, porque ele atenderá todo mundo.

— Interessante... Mas, sinceramente, estou sem paciência. A senhora ficaria chateada se eu saísse da fila e fosse dar umas voltas? Não suporto esperar, ainda mais numa fila desse tamanho!

— De forma alguma, Gratiel. Aproveite para espairecer e não se preocupe comigo.

Logo que Gratiel saiu, o senhor novamente se dirigiu a Ana:

— Essa juventude não tem paciência para nada, não é mesmo?

— Pobre Gratiel. Ela está passando por dificuldades emocionais.

— Qual é exatamente o problema da moça?

— Posso dizer ao senhor que está sendo julgada, caluniada e pagando um alto preço pela irreflexão.

Depois de algumas horas, faltava pouco para o atendimento, quando o homem pediu licença a Ana para sair. Ela indagou:

— Mas nossa vez está chegando! Faltam apenas dez pessoas à nossa frente. Justo o senhor, que foi tão simpático conversando comigo... Nem vi o tempo passar... Quer que lhe reserve o lugar?

— Obrigado, irmã, mas não se preocupe. Caso não seja atendido hoje, voltarei amanhã. Eu moro aqui mesmo em Uberaba. Desejo que a senhora seja feliz no atendimento.

— Obrigada, meu senhor. Mas nem sei seu nome. Desculpe-me a distração! Acabei também não me apresentando. Meu nome é Ana, muito prazer.

— Matheus, a seu dispor — correspondeu o homem estendendo a mão para Ana e retirando-se em seguida.

Sem que Ana percebesse, Matheus desmaterializou-se. Dirigindo-se à sala onde Chico Xavier faria as psicografias, ele chamou Eurídes, anjo protetor de Ana:

— Eurídes, esta será a oportunidade de sua protegida receber informações sobre os planos do nosso Conselho Tutelar. Após o exame espiritual, observei que precisará manter a glândula pineal energizada. Cuide disso. Calculou o tempo para saber se o filho dela poderá estar presente, ou precisaremos fazer uma conexão mental a distância?

— O filho dela estará presente e, segundo calculamos, daqui a dez minutos estará aqui.

— Muito bem. Caso julgue necessário, informe-nos para que possamos dilatar o tempo de atendimento de Ana, avisando os assistentes do médium Chico.

— Sim, Matheus. Obrigado.

Rodrigo chegou cinco minutos antes de sua mãe ser atendida e foi orientado por Eurídes:

— Não terá dificuldade para transmitir a mensagem para sua mãe, Rodrigo. Prepare-se.

Faltando apenas uma pessoa para chegar a vez de Ana, Rodrigo exaltou a fidelidade com que as mensagens eram psicografadas pelas mãos do médium:

— Agradeço a dignidade de ser representado por uma alma de sua magnitude, possibilitando esta bênção que tanto desejo à minha mãe.

Com inflexão carinhosa, Chico Xavier dirigiu-se em pensamento a Rodrigo:

— Se perder tempo com elogios, esquecerá a que veio. Venha, irmão, diga suas palavras para sua mãezinha.

Surpreso com a capacidade cognitiva do médium, Rodrigo pôs sua mão sobre a de Chico Xavier com tanta delicadeza, que levou o médium a alertá-lo sorrindo:

— Vamos, Rodrigo, segure firme minha mão como o pensamento.

E Rodrigo pôde então transmitir a mensagem por meio do médium:

Mamãe, estou aqui para lhe dizer que a amo e que sinto saudades. Informo que eu e minha irmã estamos bem, aprendendo e trabalhando em uma colônia do plano espiritual. Ela não pôde vir, justamente porque está em tarefa.

Minha mãe querida, quantas vezes estive a seu lado, ouvindo a senhora dizer que não nunca houve quem tivesse voltado do outro lado da vida para contar-nos o que aconteceu e cá estou eu...

Pois então, mãe, cá estou, representado por este grande mensageiro entre os encarnados, para revelar-lhe uma tarefa a cumprir junto aos queridos de sua convivência na Terra, os pequeninos que lhe darão a oportunidade de irradiar todo o amor que tem em seu coração, auxiliando também os desencarnados que necessitam de socorro.

*Mande um abraço para papai e que Deus lhe dê
forças para continuarem amando, na certeza de que,
através do amor, estaremos juntos um dia.*

Rodrigo.

Concluindo a mensagem, Rodrigo sorriu para
o médium com uma expressão indagadora, sendo
correspondido da mesma forma. Chico Xavier disse
em pensamento:

— Que venha o próximo.

Cedendo o lugar para a continuação dos trabalhos,
Rodrigo permaneceu com uma expressão de dúvida,
motivando Eurídes a perguntar:

— Ocorreu algo diferente, Rodrigo?

— Não sei... Compreendo o fato de o médium
ter omitido o elogio que fiz, mas não entendi por que
ele omitiu a descrição da tarefa que os conselheiros
de nosso plano me autorizaram a revelar à minha mãe.
Sei que ele captou perfeitamente a mensagem, mas
não a transcreveu...

Eurídes achou graça:

— O Chico usou de sua capacidade semimecânica
para controlar o que escreve. Dirigir elogios a ele é perda
de tempo, porque ele não reproduz mesmo. Quanto
ao resto da mensagem que deixou de escrever, com
certeza ele recebeu uma orientação de seu mentor
Emmanuel para suprimir essa parte do texto. Mas confie.
Saberemos o que houve.

Durante a leitura da mensagem psicografada,
Ana emocionou-se quando ouviu o nome de Rodrigo
no final.

Ao final dos trabalhos, Gratiel acompanhou Ana para
que ela pudesse cumprimentar Chico Xavier, que estava
sentado, recebendo o agradecimento da multidão.

Quando Ana se aproximou fisicamente de Chico Xavier, o espírito Matheus chamou Eurídes, orientando:

— A partir de agora, energize a glândula pineal de sua protegida em cinco tons.

Ana abaixou-se para beijar as mãos de Chico Xavier, agradecendo:

— Obrigada, Chico. Hoje você me fez a mãe mais feliz do mundo.

Chico Xavier fez um sinal para Ana achegar-se com o ouvido direito, dizendo-lhe suavemente:

— Ana... Você é mãe de quantos filhos?

Neste momento, outros colaboradores espirituais mobilizaram-se para promover em Ana a perda temporária de consciência. Com isso, Ana pôde visualizar os espíritos que estavam no local, inclusive Rodrigo, que sorriu ao perceber-se observado por ela.

Em seguida, Ana entreviu na atmosfera mental a visão de muitas crianças correndo em direção a uma sala, que fora aberta por uma moça que lhe sorria. Quando as crianças entraram, a moça fechou a porta, e Ana pôde ler uma placa fixada, onde estava escrito "Sala Meimei".

Orientado por Mateus, Eurídes cessou a energização, restabelecendo o retorno de Ana à condição dimensional de origem.

Ana recuperou a consciência, ouvindo Gratiel perguntar preocupada:

— Está se sentindo bem, dona Ana?

— Sim, estou bem. Por que, Gratiel?

— Pensei que a senhora fosse desmaiar.

Chorando, Ana disse ao ouvido de Chico Xavier, que lhe sorria:

— Sim, Chico... Tenho muitos filhos...

Afastadas do médium, Gratiel questionou entusiasmada:

— Que maravilha, dona Ana! É do Rodrigo mesmo aquela mensagem?

— É sim.

— Mas me diga o que aconteceu ali naquela hora, porque senti uma tontura, uma coisa tão esquisita...

— É o magnetismo que o Chico irradia, Gratiel. Chico é um homem abençoado.

— Quanta intimidade, hein, dona Ana? "O Chico", "magnetismo", "irradia"... A senhora está falando igual a esses espíritas! Fez alguma viagem astral?

— Pode ser que eu tenha feito sim, Gratiel...

— Nossa! Começo a acreditar que este negócio seja mesmo verdade! Não vi mais aquele homem grisalho que estava atrás de nós na fila. A senhora o viu?

Ana respondeu reticente:

— É mesmo, não o vi mais... Será que era um espírito, Gratiel?

— Credo, dona Ana! Deus me livre! Estou com medo!

Rodrigo estava próximo das duas mulheres na companhia de Eurídes, anjo de Ana, e de Osório, anjo de Gratiel. O rapaz, então, disse a Osório:

— Sua protegida é engraçada.

— É sim, muito engraçada, mas por enquanto dispõe de pouca fé para perceber em que posição está inserida em nossos planos com sua mãe.

— Gratiel fará parte da vida de minha mãe nestes trabalhos? — perguntou Rodrigo.

— Saberá em breve, Rodrigo — respondeu Eurídes.

— Talvez já esteja mais tranquilo, não?

— Sim. Trabalharei com mais tranquilidade e agradeço o auxílio de vocês — respondeu Rodrigo, com remate de Osório:

— Devidamente encaminhada, Ana deixou de ser um obstáculo para seu atendimento em nosso Conselho Tutelar e logo teremos mais um estagiário, não é, Rodrigo?

Capítulo 16

Na caixa de correspondências, Gratiel apanhou um envelope no qual continha o convite para o casamento de Noel e Carla, com um bilhete manuscrito por ele:

Não fique chateada por não ter sido convidada para ser madrinha, no entanto, considere-se, afinal, você merece.

A jovem empunhou o convite refletindo:

— Se Noel estivesse feliz e satisfeito, não se daria ao trabalho de me enviar isto.

Gratiel entrou apressada em casa e escreveu a seguinte resposta:

Noel, recebi seu convite de casamento, mas não entendo como posso considerar-me "madrinha" de seu casamento, se não fui a patrocinadora dessa ideia de casar-se com quem não ama. Além disso, gostaria de ser sua esposa, não madrinha nem convidada de seu casamento.

A nossa diferença é que admito meus sentimentos e sei que me ama como o amo. Estou sofrendo sim, mas pelo menos não fui eu quem decidiu se casar com alguém por obrigação.

Querido, quero você comigo porque o amo. Pare de querer me machucar mais do que estou machucada.

Olho para nosso retrato todos os dias e o beijo em pensamento. Sonho em vê-lo entrar pela porta, tomando meu corpo e minha vida, para começarmos tudo de novo.

Pare com isso, meu amor. Lembre-se do que propus da última vez em que nos encontramos. Vamos sumir no mundo!

Sei que me mandou o convite do casamento para que eu ficasse despeitada, mas não fiquei, pois sei que, pelo menos, eu não faria esse jogo sujo que Carla está fazendo.

Aliás, por acaso ela ama tanto sua família quanto eu? Participa da vida de Nívea como eu participava? Sinto tanta saudade... O senhor Oto e dona Clotilde são como pais para mim.

Meu avô também o adora, e olhe que é difícil o velhinho gostar de alguém...

"Oh meu amado, por que brigamos? A nossa vida deve ser de alegria."

Te amo, meu amor. Volte pra mim logo. Te amo.

Gratiel, o amor de sua vida.

O entusiasmo de Gratiel a impediu de ter paciência para colocar a carta no correio. A jovem dirigiu-se ao endereço de Noel, pagou um menino que brincava na rua para que entregasse a carta e ficou observando, ao longe, o garotinho jogar o envelope perfumado, selado com batom, pelo portão.

Gratiel voltou para casa pulando de alegria, beijou o avô, colocou novamente a imagem de Santo Antônio de Pádua de cabeça para baixo em uma vasilha cheia de água, mas sequer suspeitou de que Carla pudesse ser a primeira a encontrar o envelope. A marca do batom chamou a atenção da noiva, produzindo-lhe um irresistível desejo de abrir a carta e ler seu conteúdo, ali mesmo, em frente à casa de Noel.

À medida que Carla lia o texto apaixonado de Gratiel, sua alma se revestia com sentimentos de rapina, atraindo entidades que lhe instilavam o veneno do ódio e o desejo de vingança.

Quando chegou à última linha da carta, Carla muniu--se de todos os argumentos que usaria como armas psíquicas, dando suprimento e domínio às entidades que regozijavam da situação.

Carla chutou a porta da sala e entrou gritando:

— Noel, seu desgraçado, venha aqui agora!

Assustados, os familiares de Noel vieram ao encontro de Carla, que estava pálida e ofegante.

Noel foi o último a chegar à sala, enrolado em uma toalha de banho, ainda ensaboado:

— O que está acontecendo, Carla?

Desvairada, a jovem empunhou o envelope, avançando sobre Noel, mas foi contida por Oto:

— Maldito! Tem se encontrado com aquela prostituta da Gratiel e está me traindo!

Sendo observadas com medo por Nívea, dona Clotilde tentava conter os ânimos da jovem desgovernada. Noel, então, respondeu:

— Enlouqueceu, Carla? Não sei do que está falando!

— Enlouqueci! Quem mandou o convite de nosso casamento para Gratiel, trocando juras de amor através de uma carta?

Noel sentiu-se constrangido, e os familiares do rapaz o encararam com desconfiança, pois a longa pausa sem resposta deu a entender que os fatos eram verdadeiros, intensificando, assim, a ira de Carla, que picotou a carta com ferocidade:

— Ela o convidou para "sumir no mundo", não foi? Pois abortarei essa criança que você colocou em mim!

Carla desmaiou nos braços de Oto, e Clotilde perguntou a Noel:

— Filho de Deus, essa moça está grávida? Levem-na imediatamente a um hospital, antes que aconteça uma tragédia!

Noel carregou Carla para o carro de Oto e saíram em arrancada, enquanto Clotilde permanecia na sala. Nívea ajuntou-se à mãe e escondeu os picotes de papel espalhados pelo chão. Depois, a garota seguiu para seu quarto, onde reconstruiu a carta com fita adesiva.

No trânsito da movimentada avenida, Carla despertou:

— Para onde estão me levando?

— Fique quietinha, moça. Ficará tudo bem. Estamos levando você ao hospital — disse Oto.

— Não sejam loucos de me levarem a um hospital! — retrucou Carla.

Notando a convicção na frase da jovem, Oto estacionou o carro e perguntou energicamente:

— Por que, menina? Não está grávida? Se estiver mentindo, diga agora!

— Não é isso, senhor Oto... É que, se me levarem ao hospital, minha família poderá descobrir...

Contrariado, Noel questionou:

— Carla, você não disse que contaria para sua família sobre a gravidez naquela viagem?

— Você é um idiota mesmo! Acha que, se eu tivesse falado sobre a gravidez a meu pai e meu tio, você estaria vivo agora?

Oto tomou a frente na conversa:

— Escute aqui, moça, vá devagar com o andor! Não tenho medo de ameaças. Se seu pai e seu tio são valentões, isso é o que veremos! Quero conversar com eles agora mesmo, afinal o Noel não fez um filho sozinho, certo?

Percebendo que a situação fugia do seu controle e poderia enveredar para algo pior, Carla ponderou:

— Senhor Oto, estou me sentindo melhor agora. Não precisamos ir ao hospital. Por favor, preserve-nos de um escândalo junto aos meus familiares, pois sei que, após o casamento, não teremos problemas. Só não posso admitir a presença da Gratiel, que se deita com meu noivo.

Sem perder a postura austera, Oto asseverou:

— Direi uma coisa a vocês: se Noel tem ou terá uma amante, se você abortar ou não essa criança, é problema de vocês! Já que estão de casamento marcado, façam o que bem entenderem, mas não posso admitir transtornos em minha casa. Inclusive, não quero saber de sua malcriação com minha mulher. De minha parte, não faço questão da presença de gente insolente que queira mandar em nossa casa! Espero ter sido claro, ou iremos conversar com seus pais, Carla?

Noel tomou à frente para responder:

— Está claro, pai. Por favor, voltemos para casa.

Oto encarou Carla, aguardando a resposta da jovem, que se seguiu forçosa:

— Sim, senhor Oto, está claro... Mas quanto a você, Noel, iremos conversar mais tarde!

Para surpresa de Noel e Carla, Oto desceu do carro, abriu as portas e convidou-os a descer:

— Mais tarde não! Conversem agora. Desçam e lembrem-se: não quero encrenca em minha casa. Se quiserem, briguem na casa de vocês, já que se escolheram!

Ao notar que Oto voltara sozinho para casa, Clotilde preocupou-se:

— Você os deixou no hospital?

Após descrever o ocorrido para Clotilde na presença de Nívea, que prestava atenção à conversa, Oto desabafou:

— Tudo isso por causa de uma carta! Queria saber o que Gratiel escreveu...

Instaurado certo silêncio, Nívea retirou-se por alguns instantes e retornou à sala, entregando a carta caprichosamente remendada com fita adesiva ao pai, provocando o riso de Oto:

— Vocês são terríveis...

Após ler atentamente a carta, Oto comentou:

— A única coisa que Gratiel não esperava é que esta carta fosse lida por tantas pessoas, menos pelo endereçado... O que achou disso, Clotilde?

— Acho que Gratiel tem razão quando escreveu que Carla engravidou de propósito. Já tinha alertado Noel, mas ninguém ouve as mães...

Oto coçou a cabeça e disse:

— Olhe, Clotilde, até pode ser, mas, se bem me recordo, nós também nos casamos nessas circunstâncias e assumimos as consequências.

Irritada, Clotilde retrucou:

— Mas comigo foi acidente mesmo! Eu não era desequilibrada como essa moça, que enfrenta todo mundo e mete o nariz até na arrumação que faço dentro de casa!

Achando graça, Oto complementou:

— É verdade. Se você tivesse feito com meus pais metade do que essa moça fez aqui, estaria perdida... Mas lamento por Gratiel, porque, apesar de ser doidinha, gostava dela.

Clotilde embalou a lamentação de Oto:

— Pois é... Gratiel era brincalhona, divertia a gente, brincava com a Nívea... Coitado do Noel, tão esforçado, mas tão bobo... O que será dele agora com esse casamento já marcado?

— Não sei, Clotilde, só sei que não podemos nos meter nisso. Levarei esta carta ao conhecimento dele, mas peço que não contem a ninguém sobre isso. E, se um dia Carla perguntar, digam que varreram os picotes para o lixo.

Nívea achegou-se ao pai pedindo:

— Pai, alguém vai me perguntar sobre qual das duas eu prefiro que fique com o Noel?

— Acho que nem precisa, filha! — respondeu Oto em tom de brincadeira. — Todos sabemos que você prefere a Carla!

— Credo, pai! Claro que não! Prefiro mil vezes a Gratiel, que brincava comigo. Essa Carla só sabe me dar bronca e dizer que devo me comportar como uma menina.

Clotilde não conseguia achar graça, mas, enquanto Oto ria da inocência da filha, a garotinha se dirigiu à mãe para perguntar:

— Mãe, acho que sei uma maneira de o Noel ficar com Gratiel.

— Me diga como, filhinha...

— Dá para pegar a semente do bebê que Noel plantou na barriga da Carla e colocar na barriga da Gratiel! Aí ele será obrigado a se casar com a Gratiel e não com a Carla.

Os pais riram muito da inocente observação da filha, e Oto indagou à esposa:

— Clotilde, com dez anos a Nívea está falando em "plantar sementes"? Não acha que está na hora de ter uma conversa para orientá-la sobre "plantações"?

— Oto, por favor! Não queira colocar a carroça na frente dos bois, porque tudo tem sua hora certa.

Nívea rematou:

— Hora certa para quê, mamãe? Já falei que é que nem o feijão: se cair na terra, a sementinha brota até sem água!

Enquanto Oto não continha o riso, Roseli, anjo de Nívea, comentou sorridente com outros anjos presentes:

— Mal sabem os pais que há tanta sabedoria na aparente inocência de uma criança, que compreende a necessidade de ocorrências supostamente inevitáveis...

Capítulo 17

Passados alguns dias do ocorrido, Carla, inconformada por ter descoberto que Noel tivera contato com a ex-namorada, mantinha intermináveis discussões com o noivo.

Obstinada e insatisfeita, a jovem alimentava o despeito e a insegurança, lembrando-se de cada frase da carta escrita por Gratiel, atormentando-se cada vez mais.

Gratiel, por sua vez, conferia a caixa do correio diversas vezes, quando chegava e saía de casa, na esperança de encontrar uma resposta de Noel.

Carla maldizia os fatos para vizinhos, amigos, parentes, enfim, a todos que lhe dessem ouvidos, intencionando difamar Gratiel, até que uma amiga lhe recomendou uma drástica atitude para não perder o noivo, indicando uma mulher que executava trabalhos de amarração de amor.

Com perspectivas de um futuro seguro, Carla estava na presença de dona Mirian, discorrendo sobre os fatos:

— Então é isso, dona Mirian. Não medirei esforços para tirar essa sirigaita do meu caminho. Pensei em ir a casa dela para dar-lhe uma surra, mas fiquei com medo de meus pais descobrirem sobre minha gravidez. Minha vontade é de pedir à senhora para fazer um trabalho para matar essa mulher, mas vim aqui para saber da senhora o que acha melhor.

Experiente no trato daquele tipo de caso, Mirian deu prosseguimento:

— Fique calma, querida. Cuidaremos de seu caso, mas preciso lhe fazer algumas perguntas antes...

— Tudo bem. Pode perguntar. Como já disse, estou disposta a tudo.

— Este filho que está gerando é desse moço, de seu noivo?

Surpresa com a inesperada questão, a jovem corou de vergonha:

— Sim, mas... Por que a pergunta? A senhora é vidente e está vendo algo?

— Preciso saber a verdade para determinar o que é preciso fazer. Mexeremos com forças invisíveis e, se não for absolutamente sincera, será pior para você.

Constrangida, Carla respondeu:

— Estou com medo... Se eu mentir sobre alguma coisa, poderei prejudicar o bebê?

— Os espíritos não admitem mentiras, e, sendo assim, qualquer mentira sua poderá colocar tudo a perder para você. E, como consequência, poderá prejudicar o espírito de sua criança também.

— Dona Mirian... Sim... Bem... Tive um "casinho" com um cara, mas tenho quase certeza de que estou grávida de meu noivo, porque com o outro só transei duas vezes e me preveni com segurança.

— Muito bem, retire cinco cartas do baralho e vire-as para você.

Procedendo conforme fora solicitado, Carla aguardou curiosa:

— As cartas dizem que você não ama seu noivo de verdade. Por que irá se casar com ele?

— Ora, dona Mirian! Coloque-se em meu lugar: imagine uma família de malucos como a minha e eu simplesmente aparecer grávida, dizendo que não me casarei porque não amo meu noivo...

— O que quer exatamente?

— Quero que a senhora dê um jeito de manter essa sem-vergonha longe do meu noivo, para que eu não o perca. Não é amarração o que a senhora faz?

— Sim. Farei isso. Só perguntei para ter certeza sobre o que quer, porque depois de feito, não teremos como voltar atrás. Está vendo esta carta que acabei de tirar?

— Nossa! Deve ser coisa ruim! Que figura esquisita!

— Estou vendo através da carta que você e essa moça, a ex-namorada de seu noivo, já foram inimigas em encarnações passadas e lutaram pelo mesmo homem. No entanto, foi ela quem ganhou a disputa naquelas ocasiões.

— Eu sabia! Senti isso! Não fui com a cara dela desde que a vi pela primeira vez quando trabalhei na cantina da escola.

— Você disse estar disposta a qualquer coisa, mas preciso lhe adiantar que não será fácil, pois o destino está a favor dessa jovem nesta encarnação.

— Pelo amor de Deus, me diga o que devo fazer.

— Não sei de nada, querida. Precisaremos evocar os espíritos e eles nos dirão o que deve ser feito para corrigir o destino.

— Ai, meu Deus... Tem mesmo que evocar espíritos? Estou morrendo de medo.

— Não tenha medo, Carla. Se quiser, pode parar por aqui. Não lhe cobrarei nada.

— De maneira alguma! Se estou na chuva, é para me molhar! Pois evoque seus espíritos então.

Mirian retirou-se por alguns instantes, retornando com um copo cheio de água contendo um ovo de galinha imerso. A mulher sentou-se diante de Carla e, colocando as mãos sobre o copo, concentrou-se, respirou fundo, fechou os olhos e pediu:

— Diga-me o nome da moça, o nome de seu noivo e o seu, e a data de nascimento de todos.

Angustiada, Carla informou os dados que tinha e tentou justificar-se pelas informações que não tinha:

— Dona Mirian, eu não tenho a data de nascimento e nome completo da safada aqui.

— Não tem importância. Os dados que me passou são suficientes para as entidades do mundo invisível encontrarem o que precisam.

A suposta vidente escreveu os dados em um papel e colocou-o debaixo de um copo, adicionando sal na água. Depois, acendeu duas velas vermelhas e dois incensos, que queimavam ao lado do copo, e posicionou-se na cadeira, simulando entrar em transe e clamando:

— Evocamos as entidades que estão nos ajudando a irem à procura dessas pessoas e voltarem para nos dizer o que fazer para Carla esposar Noel, sem sofrer a interferência malévola de Gratiel. Vão... Vão e voltem com o vento que sopra no mundo dos espíritos.

Mirian ignorava que várias entidades tão desavisadas quanto ela realmente estavam ali, retirando-se de maneira desordenada do local. Porém, a evocação também atraiu a presença dos anjos guardiões Osório, protetor de Gratiel, e Heitor, protetor de Noel, que foram ter com Sálvio, protetor de Carla, e Selena, protetora de Mirian, que já estavam ali presenciando o teatro improvisado pela suposta vidente.

Após os anjos se cumprimentarem, Sálvio revelou sem alterar-se:

— É isso mesmo que estão vendo: ela está "evocando espíritos" para fazer um trabalho de amarração.

Os anjos permaneceram ali aguardando o discorrer dos fatos, mantendo-se invisíveis para as entidades que retornaram ao local.

Fingindo estar exausta do transe mediúnico, Mirian disse à cliente que tremia à sua frente:

— Será mais difícil do que imaginávamos...

— Por que, dona Mirian? Eu não imaginava nada...

Mirian levantou o copo da mesa, escorreu a água em uma pia próxima, apanhou um prato e quebrou um ovo, retirando dali uma aliança que estava cuidadosamente escondida para que a cliente não percebesse:

— Veja, Carla, esta é a aliança que Gratiel havia usado para "amarrar" seu noivo... Os espíritos a trouxeram para nós.

— Minha Nossa! Essa mulher é mesmo perigosa! Então ela já tinha feito um trabalho?

— Sim. No cemitério. Mas seu anjo da guarda resgatou a aliança e mandou que eu lhe mostrasse que está difícil protegê-la dessa moça. Este objeto foi materializado quebrando a magia, mas é apenas um dos objetos do trabalho feito por Gratiel. Seu anjo não tem força suficiente para quebrar o trabalho, que é muito forte.

Neste momento, os anjos presentes dirigiram um olhar consolador a Sálvio, protetor de Carla, e a Selena, protetora de Mirian. Ambos expressavam comoção pela ingenuidade da moça, e logo a jovem indagou:

— Mesmo depois de meu anjo ter trazido isso aí, o trabalho daquela sirigaita ainda não foi totalmente desfeito?

— Infelizmente não, minha querida... Esta foi apenas uma amostra do poder da magia negra. É um aviso para que conheçamos o que estamos enfrentando, pois o trabalho continua em andamento nas esferas espirituais, nas camadas do centro da Terra, aguardando o desfecho no plano material, alterando destinos.

— O que devo fazer agora?

— Compre uma galinha preta. Mas tem que ser totalmente preta, sem nenhuma pena de outra cor. Degole-a numa sexta-feira e escorra bem o sangue do animal num alguidar pintado de branco. Quando der meia-noite, esteja numa encruzilhada, que pode ser qualquer cruzamento sem muito trânsito, e coloque esta aliança dentro do alguidar, tendo o cuidado para não derramar nenhuma gota do sangue da galinha ali dentro.

— E depois?

— Em seguida, acenda treze velas vermelhas e treze pretas, posicionando-as em volta do alguidar, e pendure um terço no lado esquerdo dele, deixando o crucifixo de cabeça para baixo, sem que toque o solo. Depois, coloque sete embrulhos de mugunzá...

— Sei...

— Fique tranquila, pois lhe darei a receita depois. Para finalizar, peça com fervor o que deseja, rezando treze pais-nossos, treze ave-marias e faça treze sinais da cruz. Ao final, coloque as mãos dentro do alguidar, banhando as mãos no sangue e diga: "Obrigada às entidades que estão me ajudando. Eu retornarei para agradecer quando minha graça for alcançada". É isso, Carla. Depois, lhe direi como continuar o trabalho posterior.

Boquiaberta, Carla esforçou-se para dizer:

— Deus do céu, dona Mirian... Não terei coragem para fazer isso tudo. Não sou capaz de matar uma barata atirando-lhe o chinelo, quanto mais degolar uma pobre galinha. E sem contar que, depois de tudo isso...

— Depois, os espíritos nos dirão quando retornar... Se você tiver fé, é claro...

— Tudo isso e ainda tenho de ter fé? Tem outra opção em que eu não precise matar e sangrar um animal? Que horror! Encruzilhada, vela preta, vermelha...

— Foi você quem disse que estava disposta a fazer tudo... As entidades só me disseram o que você deve fazer para desmanchar o trabalho feito por Gratiel e para amarrar seu noivo aos seus pés.

— A senhora poderia fazer tudo isso em meu lugar?

— Sim, mas terei de fazer outro trabalho para isso, pois, para responder por você e obter autorização dos espíritos, não é tão fácil quanto pensa.

— Muito bem! Então está tudo certo! A senhora pode fazer em meu nome, nem precisa dizer o que... Não me importo se tiver que matar a avicultura toda, mas faça, por favor.

— Sim, filha, mas terei que despender um montante para comprar os apetrechos para os dois trabalhos. Você fará o trabalho seguinte sozinha?

— Dona Mirian, se a senhora puder fazer por mim, por favor, faça! Quanto lhe devo?

— Olhe, Carla, não costumo cobrar para fazer o bem para as pessoas, mas, no seu caso, entenda que não tenho como tirar do meu bolso.

— Tudo bem, querida. O preço é...

Quando Mirian disse o preço, Carla deu um pulo:

— Que é isso, dona Mirian? A galinha viva na granja é baratinha, ainda mais que ninguém quer saber de galinha preta, porque todo mundo sabe que serve para fazer macumba! As velas também custam barato. Não tenho esse dinheiro todo...

— Não tem importância, querida. Pague só a consulta. São cinquenta cruzeiros. Reze para Deus e confie que tudo dará certo.

— Mas eu quero "fazer dar certo"! Teria como fazer o primeiro trabalho e deixar o segundo para depois, já que não sabemos o que os espíritos pedirão?

— Está bem. Faça-me três cheques pré-datados iguais. Caso não consiga o que quer, lhe devolverei os próximos que faltarem cair. Mas se acontecer tudo como deseja, você deve retornar aqui para agradecermos às entidades.

— Assim está melhor. Farei das tripas coração. Mentirei sobre o custo dos preparativos do casamento para tirar dinheiro do muquirana do meu sogro e de meu pai, mas Noel não escapará de mim e essa fulana terá o que merece: ficará para titia.

— Não fale com ninguém sobre isso, senão outras entidades poderão escutá-la e contarão tudo para o anjo da guarda de Gratiel. Guarde tudo o que conversamos para você.

Os anjos despediram-se, e Heitor, protetor de Noel, dirigiu-se para Selena, protetora de Mirian, antes de partir:

— Tive uma experiência recente, há cerca de três séculos da Terra, em que tutelei uma alma assim como Mirian. Ocupava-me pouco tempo com essa alma.

Selena respondeu:

— Realmente. Ao contrário do que muitos pensam, este gênero de tutelado é o que menos nos dá trabalho na Terra, mas quando retorna ao nosso plano... No caso de Mirian, venho visitá-la quando sou chamada para testemunhar cenas como a que vimos, para inserir no histórico da contabilidade a ser conferido no futuro.

Mirian permaneceu debruçada sobre a escrivaninha abençoando o dinheiro recebido da consulta, ladeada por entidades que comungavam com as emanações produzidas pela conquista monetária, nutrindo-se do alimento para a manutenção e sobrevivência na matéria, como diversos espíritos fazem quando não conseguem se libertar.

Capítulo 18

1974

Apesar de Noel e Carla terem sido presenteados com uma linda criança saudável, não eram felizes.

A falta de amor tornava o ambiente doméstico pesado, sem alegria. Carla discutia com Noel por qualquer coisa. E ele, mais equilibrado, tentava contornar os constantes desatinos da esposa.

Ambos viam no filho Caio Henrique a compensação para viverem sob o mesmo teto.

Noel trabalhava em uma pequena construtora obtendo sucesso no ramo imobiliário. Dedicara-se com afinco aos estudos e conseguiu graduar-se em engenharia civil.

Caio Henrique, com quase dois anos de vida, certamente teria um futuro promissor se dependesse do esforço do pai. Noel até pensava em planejar a chegada de uma irmãzinha para o garotinho, mas Carla repudiava a ideia:

— Deus me livre! Ter outra criança para me deixar mais louca do que já estou? Sou eu quem tem de ficar aqui feito uma inútil a trocar fraldas, envolvida neste trabalho escravo de prendas domésticas, enquanto você vai trabalhar e estudar.

Sem ceder aos rogos do marido, o temperamento agressivo de Carla ultrapassava os limites:

— Você parece sentir prazer em ser desagradável, Carla! Está sempre de mal com todos, não visita meus pais, mas me obriga a visitar os seus... E quando os meus querem ver Caio Henrique, mesmo assim você os trata com indiferença.

O que o dedicado Noel não sabia é que os motivos reais para Carla se comportar daquela forma tinham a ver com a dificuldade da esposa de enfrentar a própria consciência. Assim, a moça agredia o marido para defender-se de um sentimento de culpa que corroía seu íntimo.

Certo dia, Carla esperou Noel sair para o trabalho e deixou Caio Henrique sob os cuidados de uma vizinha, pretextando ir urgentemente ao dentista, quando, na verdade, fora ao encontro de Armando para uma conversa decisiva:

— Carla, você deve mesmo ser louca! O que pode querer comigo a essa altura do campeonato?

— Não quero nada de você, Armando. Não sou uma de suas sirigaitas. O assunto é grave, por isso insisti para encontrá-lo.

— Diga logo o que quer. Tenho mais o que fazer.

— Caio Henrique é seu filho, não de Noel.

Armando não deu importância ao que Carla dissera e soltou uma gargalhada seguida de um comentário:

— Antes eu tinha dúvidas, mas agora tenho certeza de que você é louca...

— Não, Armando, diga que fui louca de ter caído em sua lábia. Já tinha esquecido a besteira que fiz que foi sair com você. Casei-me grávida, pensando que o filho era de Noel, mas agora não estou louca e não sei o que fazer.

— É louca sim! Como esse filho pode ser meu, se mal encostei em você?

— Você mal encostou em mim, mas, numa segunda vez, conseguiu.

— Então eu digo que essa criança pode ser de qualquer outro. E aí?

— Armando, o Caio Henrique tem seus olhos, os pezinhos e as mãozinhas dele são idênticos aos seus... Minha sorte é que ninguém reparou ainda, mas morro de medo de frequentar a casa de minha sogra e ela e a filha buscarem semelhanças minhas e de Noel no Caio Henrique, pois são praticamente inexistentes.

— Só malucas como você buscam testes de paternidade em pés e mãos!

— Não o comove o fato de saber que tem um filho sendo criado por outro?

— Sinceramente, não! Não coloquei um revólver em sua cabeça para deitar-se comigo! Além disso, você está sugerindo que eu assuma a paternidade?

— Você é um mau-caráter! Não tem um pingo de humanidade. Deveria fazê-lo pagar por isso com a própria vida. Meu pai o mataria se soubesse.

— Ah! Sim... É verdade. Mas desculpe-me perguntar, "senhora bom caráter", você presta por acaso? Não sou como o cordeiro do Noel e não tenho medo do borra-botas de seu pai. Não assumirei coisa alguma. Não tenho medo de ameaças nem de mulheres fáceis como você! Se quiser, posso implorar ao seu pai para que não a mate primeiro pela vergonha que deve ser ter uma filha como você.

Carla silenciou, sufocando a humilhação e o ódio que sentiu, mas explodiu em seguida:

— Amaldiçoo você, Armando! Tomara que pague pela culpa que carregarei em silêncio pelo resto da vida. A justiça tarda, mas não falha! Não se esqueça disso!

Armando ironizou:

— Pelo menos, você falou uma coisa que vale a pena para seu próprio bem: "Carregará a culpa em silêncio". Faça isso e fique tranquila, pois não confessaria um absurdo desses nem sob tortura, ainda mais porque não me interessa! E, a propósito, não me procure mais para nada, pois você é uma "mulher casada" e deste mato não sai coelho!

E assim Armando virou as costas, deixando Carla a desejar-lhe todo tipo de desgraça.

Sara teve uma concessão do Conselho Tutorial do plano espiritual para visitar a Terra, acompanhada de Dalva, seu anjo, dando créditos por sua dedicação como preletora, contribuindo para o soerguimento dos muitos espíritos que se beneficiavam com seu trabalho.

Na casa de Ana e Jonas, Sara e Dalva juntaram-se aos anjos do casal após se saudarem. Sara expressou admirada:

— Que bênção ver minha mãezinha às voltas com tantas crianças...

— E que alegria ver seu pai feliz por ver a esposa feliz! Que exemplo de superação — emendou Dalva.

Na casa de Noel, Sara aproximou-se de Caio Henrique para abraçá-lo:

— Oh! Meu querido! Que bom vê-lo lindo assim!

As vibrações de Sara foram percebidas pela criança, que brincava no tapete da sala, causando-lhe alegria e despertando a atenção de Noel:

— Carla, olhe como Caio Henrique está risonho.

— Deve ter visto um passarinho verde — respondeu Carla, sem perceber a aproximação de Sara acariciando o rosto do garotinho:

— Quem diria... Carla, a menina da cantina da escola...

Odilon, anjo de Caio Henrique, observou:

— Sua presença deixou-a mais calma... E olhe que calma para Carla é coisa rara de se ver...

Depois de visitarem várias famílias, nas quais Sara e Dalva eram recebidas com carinho pelos anjos, as duas chegaram, por fim, à residência da família Norton Salles.

Sara foi ao encontro de Dionísio, anjo de Joana, dando-lhe um abraço demorado:

— Ah! Senhor Dionísio... Quanta saudade...

— Nossa, querida Sara! — correspondeu Dionísio e continuou: — Anda fazendo muitas barreiras magnéticas?

Sara sorriu:

— Querido anjo Dionísio, ainda estou aprendendo a construir barreiras para minhas próprias paixões.

Após cumprimentar os demais anjos presentes, Sara abaixou-se para ficar mais perto das crianças:

— Olhem só como Priscila e Murilo estão lindos! Gravei o rostinho deles em minha memória...

Natanael, anjo de Priscila, disse:

— Ficamos felizes de saber de seu histórico no Ministério do Acervo. Em algumas encarnações, estará como Rodrigo: mais forte e mais lúcida, com amplo domínio de si mesma.

— Por isso estou analisando as arestas que me faltam aparar — respondeu Sara. Entre as informações a que tive acesso no Ministério do Acervo, Jader está em meus planos de maior relevância, mas não consigo definir uma forma de convivência entre nós... Talvez tenha de esperar o final desta encarnação de Jader para visualizar algo que possa fazer para satisfazer as necessidades que clamam meu ser.

Dalva comunicou-se telepaticamente com Abelardo, que forneceu a coordenada de onde estava Jader para o encontro que se realizou segundos depois.

No Reduto Taberna, Abelardo, anjo de Jader, apresentou um acompanhante, saudando as recém-chegadas:

— Sara e Dalva, este é Ezequiel, nosso irmão que me acompanha em estágio. Como podem observar, Jader continua sucumbindo aos imperativos viciosos do sexo, mantendo os acompanhantes Pedro e Nélio na comunhão dos prazeres sensitivos. A encarnada com quem Jader está conversando é Cássia, por quem ele se apaixonou. Lembra-se dela, Sara?

— Estou me recordando... É Estela, esposa de Jader na encarnação em que o fiz se perder quando fui sua amante. Estela é prostituta atualmente?

— Sim, Sara. Os benfeitores atenderam-na no pedido de reencarnar em uma família honesta, que reside no interior de outro estado, mas Estela, hoje Cássia, não conseguiu vencer a conveniência material proporcionada por Jader naquela encarnação, decidindo, assim, levar uma vida com menos sacrifícios. Ela foi encaminhada para cá pelos benfeitores de nosso plano para encontrar-se com Jader, com o objetivo de proporcionar-lhe a chance do perdão, visando tornar sua atual encarnação mais produtiva, já que não houve modo de fazer Cássia desistir da opção de ser prostituta.

— Pobre Cássia, pobre Jader... — lamentou Sara. — Se eu não tivesse falhado, eles não precisariam passar por isso.

— Não é apropriado lamentar-se pelas oportunidades que são dadas aos outros, Sara... — disse Dalva. — Somos todos falíveis, mas Deus sempre nos dá oportunidades para superarmos nossas falhas.

— É verdade, Sara — complementou Abelardo. Você teve o propósito de reformar Jader, falhou, mas compreendeu que as raízes profundas lhe posicionaram no destino que tomou. Cássia, no entanto, ainda não superou a mágoa do marido infiel do passado e agora o elegeu para extrair-lhe vantagens, fascinando-o sexualmente. Hoje, Jader é cliente de Cássia, e esta foi a melhor forma encontrada para que ela pudesse entender o próprio processo de libertação das mágoas e culpas do passado. Cada um tem um caminho, e ninguém é igual no mundo. Cássia está indo do jeito dela, nos limites dela, e está fazendo o melhor que pode.

Capítulo 19

1979

Em uma colônia espiritual distante da Terra, Sara estava reunida com Sebastião, um dos dirigentes do Conselho Tutorial, que lhe prestava as últimas recomendações na presença de diversos anjos guardiões e de Rodrigo:

— Sara, você tem conhecimento dos riscos que sobrevirão, mas devo orientá-la que o ciclo gestacional de Cássia, que será sua mãe, pode não chegar ao fim, pois, apesar de suas intenções, estará sujeita à vontade dela e de seu pai, que será Jader.

— Estou ciente dessa possibilidade, conselheiro Sebastião, mas estou determinada a vencer e, se não conseguir reencarnar por motivos alheios à minha vontade, vencerei por amor mesmo assim, pois meu objetivo não é tocar, mas doar meu coração a Cássia e Jader.

— Por isso mesmo a concessão da reencarnação foi possível para você, Sara — continuou o conselheiro —, mas a questão é que, para você, se trata de uma escolha meritória, mas para Cássia e Jader, sua vinda como filha é compulsória. Faremos o possível para a gravidez chegar ao fim, mas não poderemos intervir no livre-arbítrio do casal, caso eles decidam tomar medidas drásticas para interromper a gravidez.

— Fiquem tranquilos. Estou ciente disso e tenho esperança de que, se não for com essa possibilidade, não desistirei ainda assim. Me sustentarei na coragem, quantas vezes for preciso.

Após saudar os demais, Sebastião estendeu a mão direita sobre a fronte de Sara, pronunciando:

— Daqui a duas semanas terrestres, passará pelo processo de miniaturização para reencarnar. Que sua vontade seja o pensamento, seu pensamento o amor, e o amor a sua mente...

Assim que o conselheiro esvaeceu diante de todos, Sara chorou de felicidade, sendo abraçada pelos anjos e por Rodrigo, que compartilhou do momento solene.

Era quase final do ano de 1979.

Gratiel trabalhava em um conhecido escritório de advocacia e, como no ano anterior recebera o diploma de Direito e fora eleita a melhor aluna da turma, conquistou uma vaga para lecionar no período noturno.

Na sala da reitoria, Gratiel conversava com o coordenador do curso que ministrava:

— Doutor Jorge, precisamos tomar uma atitude severa com essa aluna! Não é possível que seremos obrigados a aceitar toda essa indisposição que desgasta todos nós!

— O problema é que vivemos uma época difícil, professora Gratiel. A juventude é impetuosa e insolente e, pelo fato de nossa universidade ser particular, infelizmente é preciso fazer vista grossa algumas vezes... Mas fique tranquila. Tenho certeza de que, depois de conversarmos com essa filhinha de papai, os problemas diminuirão.

— Não entendi. O senhor disse "filhinha de papai"? Por que então ela travou essa briga ferrenha para baixarem o preço da mensalidade, falando até em greve de alunos?

— Estamos lidando com uma criatura que se arroga "defensora" das classes menos abastadas. É coisa de rebeldes sem causa... Chamei-a aqui porque quero discutir uma possível revisão de prova da matéria que a senhora ministra, por isso pedi sua presença — finalizou o coordenador quando bateram à porta:

— Pode entrar — autorizou doutor Jorge.

— Com licença. Meu nome é Priscila. Boa tarde, professora Gratiel. O senhor mandou me chamar? — indagou com altivez.

— Sim. Sente-se, por favor — pediu doutor Jorge.

Priscila sentou-se ao lado de Gratiel, que lhe lançou um olhar lancinante. O coordenador do curso continuou:

— Chamei a senhorita para pedir-lhe que pare com a agitação que está promovendo na universidade, prejudicando os trabalhos e o bom andamento dos cursos.

— Paro hoje mesmo, desde que nossas reivindicações sejam atendidas! Pois nem satisfação vocês deram...

Gratiel mostrou-se indignada, mas o coordenador não a deixou manifestar-se e prosseguiu:

— Senhorita Priscila, compreendemos suas intenções, porém existem outras formas fazer suas reivindicações, sem a necessidade de paralisações, passeatas no campus, além do fato de a senhorita instigar os alunos na porta para não pagarem o boleto da mensalidade.

— Apresentamos um abaixo-assinado, mas não fomos atendidos, por isso adotamos tais medidas. É um direito nosso, afinal estamos em uma Universidade de Direito! — respondeu Priscila imperiosa.

Gratiel não se conteve:

— Já que estamos em uma "Universidade de Direito", falemos direito! Onde se lê "fomos", "resolvemos" e "nosso", leia-se "fui", "resolvi" e "meu"! Ou você acha que não estamos percebendo que está fazendo essa balbúrdia para aparecer, hein, menina?

— Professora Gratiel, não pretendo me candidatar a cargo algum nem sou política, por isso não tenho motivos para querer aparecer!

— Ah! Não? Então por que a lista que você preparou para arrecadar as assinaturas dos alunos sugere a substituição de mestre em minha cadeira? Alega que solicitou revisão de prova, mas tirou nota máxima. Qual é o motivo exatamente para considerar-se prejudicada?

— Não achei justo seu critério excessivamente rigoroso, além disso, foi uma avaliação leonina!

— Muito bem! Agora, você pelo menos conjugou o verbo certo, na pessoa certa! Disse "não achei" justo, ou seja, você não achou justo, não é?

Antes que Priscila respondesse, Gratiel levantou-se rapidamente, apanhou suas coisas, pediu licença ao coordenador, e desafiou Priscila:

— Quando eu era moleca na escola, a gente tratava assim: "Vou te catar lá fora". Mas com você, serei civilizada: "Vou te catar na sala mesmo". Venha falar comigo sozinha na outra sala, porque quero ver até que ponto você acredita no ideal que está defendendo pelos quatro cantos. Acompanhe-me!

Doutor Jorge tentou acalmar os ânimos:

— Professora Gratiel, ainda não terminei o que...

Priscila não deixou o coordenador concluir, dizendo:

— Pago para ver! Não tenho medo de nada!

— Priscila bateu a porta com força ao sair.

As duas entraram na sala ao lado. Gratiel jogou um pacote contendo um calhamaço de provas sobre a mesa:

— Ai está futura doutora! Contarei até dez, daí viramos e atiramos!

— Não entendi! O que quer fazer? — perguntou Priscila.

— Quero ver se você é este "poço de justiça" a serviço dos pobres e indefesos universitários! Pediu revisão, não é? Pois então terá! Mas quero ver se tem peito para fazer a revisão comigo, porque até agora notei que seu peito é um pouco pequeno para o tamanho do sutiã!

Aceitando o desafio, Priscila procedeu à correção das quarenta e sete provas, contendo dez questões cada, discutindo cada questão sobre a avaliação de Gratiel. Ao final, Priscila sentiu-se constrangida, observando:

— Eles não são tão ruins assim... A Juliana, o Navarro, a Sílvia e Olívia conseguiram tirar nota satisfatória, mas a maioria achou esta prova muito difícil.

— Pelo que me recordo, os amigos que mencionou sentam no perímetro quadrado de sua carteira... Ou você pensa que é tão espertinha e não notei que facilitou as respostas para eles conseguirem nota?

Mesmo constrangida, Priscila tentou evasiva:

— Nossa, professora! Coitados deles! A senhora foi muito severa...

— "Senhora" é seu passado! Chame-me de você. Você, que se diz tão justa, olhe bem para mim e diga que não colaram de você. Seja mulher e diga a verdade!

Divertindo-se intimamente com o silêncio de Priscila, que estava cabisbaixa, Gratiel não demonstrou o carinho que começou a sentir pela aluna e continuou:

— Quem cala consente! Então seria justo eu lhe dar zero nesta prova, porque, afinal, é injusto deixar os alunos passarem sem saber a matéria, concorda? Quando os alunos, que conseguiram tirar notas satisfatórias, prestarem exame na OAB, não terão você a tiracolo para se safarem, concorda? Quem são os coitados nesta história? Eles, que extraem de você facilmente as informações, ou os futuros clientes deles, que se formaram sem conhecimento, porque tiveram uma ativista ferrenha escondida atrás de uma carapuça protecionista?

Estabelecido o silêncio por um longo intervalo, Priscila atreveu-se a levantar o olhar, observando a expressão apaixonada de Gratiel, e perguntou desconfiada:

— Por que está me olhando desse jeito? Não precisa ficar com pena de mim! Fiz besteira, concordo, mas não farei mais. Você se saiu bem, é ótima em dialética.

— É que estou me lembrando de uma pessoa do passado recente... Uma pessoa que se preocupava com os outros... Com os preguiçosos que não queriam saber de estudar.

— Pelo jeito, está falando de si mesma, não é, professora?

— É Priscila... É sim... Eu a entendo. Você domina bem a matéria, gosta do que estuda, mas parece que falta algo, não é? Por mais que estude, parece que nada é suficiente.

— Puxa vida, Gratiel! Esta foi a melhor maneira de dizer que não tenho o que fazer?

— Não. É que precisa canalizar essa energia transbordante, eu sei... Sou assim também.

— É verdade... Por mais que estude e tire nota máxima em quase tudo, exagero na procura do que fazer. Desculpe-me por fazê-la corrigir todas essas provas de novo. Estou com raiva de mim mesma por ter facilitado a vida desse bando de preguiçosos.

Ambas sorriram, e Gratiel ofereceu:

— Priscila, você precisa canalizar essa energia toda! Quer estagiar no escritório de advocacia de um amigo meu? Adianto-lhe que o salário não é grande coisa, mas terá a chance de se aperfeiçoar na prática o que está aprendendo.

— Nossa! É tudo o que eu quero, professora Gratiel! Quando começo?

— Conversarei com Reinaldo hoje mesmo e amanhã lhe darei uma resposta. Pri, pode me chamar só de Gratiel se quiser.

— Hum... Quanta intimidade! Mas aqui na universidade é melhor chamá-la de professora mesmo, senão meus colegas preguiçosos poderão se sentir no mesmo direito e isso não é legal. Aliás, gostei quando me chamou de Pri...

Ao se despedirem, Priscila virou-se novamente para perguntar:

— Acha mesmo meu seio pequeno para o tamanho do sutiã? É verdade?

— Essa é boa! Pare com isso. É claro que falei isso só para atormentá-la. Esse é meu lado bruxa, que você conhecerá daqui para frente — riu Gratiel.

A partir daquele dia, Priscila e Gratiel tornaram-se grandes amigas, unidas pelo destino para representarem a luz da amizade, que irradia iluminando corações.

Capítulo 20

1980

No consultório de doutor Alex, Jader repetia a mesma atitude há anos, mas desta vez o psicólogo deu um basta:

— Jader, não tem sentido você fazer o que faz. Volte aqui. Precisamos conversar.

— Por que, doutor Alex? Estou lhe pagando para isso.

— Pois então encerraremos hoje!

— Calma, doutor! Não precisa se irritar... É que preciso resolver alguns problemas e não estou com tempo para conversar.

— Este local é um consultório, não uma "ponte" nem um subterfúgio! Desde o primeiro dia, você tem utilizado as consultas apenas como álibi não sei para quê e isto não está correto.

— Deixe de bobagens, doutor Alex! Para que melindres desnecessários? Você é o analista, eu o cliente. Qual é o problema? Prefere que fique à sua frente em silêncio por uma hora ou que me lamente pela esposa e pelo trabalho?

— Até agora compreendi sua omissão ou sua dificuldade para se abrir, mas acredito que está mesmo usando as consultas para qualquer coisa, menos para os fins a que nos propomos. Se não disser do que se trata, encerraremos a terapia.

— Doutor Alex... Não pode se negar a me atender. Isto é antiético!

— Atendo. Então sente e me deixe fazer meu trabalho.

— Hoje não dá, mas prometo que, na próxima consulta, conversaremos e lhe contarei muitas coisas. Estamos combinados?

— Não, Jader. Isto já foi longe demais. Quero que vo...

Depois de deixar doutor Alex falando sozinho, Jader, em poucos instantes, já se encontrava em um luxuoso bar na presença de doutor Otacílio Miranda:

— Não foi este o nosso trato, delegado! Você se comprometeu a fazer o serviço e só fez a metade. Não tem do que reclamar, porque lhe paguei muito bem por isso.

— Calma, homem! Está preocupado à toa... Cássia está internada e a menina está na maternidade. Daqui para frente, é só você relaxar. A criança é prematura de mãe viciada e não deve sobreviver.

— Doutor Otacílio, o senhor havia me dito que daria um fim em Cássia, mas, em vez disso, mandou a mulher para um hospício. Agora, se ela resolver dar parte na justiça, está à disposição de quem quiser ouvi--la. Quanto à prova, ela está na maternidade para quem quiser ver... Acha que estou seguro?

— Jader, se fosse só a Cássia, tudo bem. Eu mandaria matar a prostituta, mas ela estava grávida. Se não a matamos antes, quer que agora matemos um bebê na maternidade? Você deve estar louco!

— Diga quanto quer agora mesmo!

— Não quero nada e não farei isso! Mas posso lhe recomendar quem faz o serviço, no entanto o preço é muito alto. E eu lhe garanto que, se meu nome aparecer nessa história, não será sua reputação que estará em jogo, porque defunto não tem reputação. Entendeu o recado?

Uma semana depois, enquanto Jader saía da maternidade, Abelardo disse para Dalva:

— Jader entregou-se totalmente e não há mais como contornar a situação. Será preciso colocar em prática as deliberações tomadas pelo Conselho.

— Acompanhe seu tutelado, Abelardo. Ficarei aqui com Sara na UTI do berçário para protegê-la, caso ele consiga contratar os assassinos — respondeu Dalva.

Jader terminava o jantar em sua casa com a família, sendo observado por Abelardo, seu protetor, e pelo estagiário Ezequiel, que perguntou:

— A vida orgânica de Jader se extinguirá antes do tempo?

— Não — respondeu Abelardo. — Ele mesmo a extinguiu quando decidiu alterar a ordem das coisas.

— Analisando friamente a questão, isto poderia ser interpretado como castigo, pois, da forma que colocou, parece uma sentença — continuou Ezequiel.

— No caso de Jader, não deixa de ser uma autossentença. A decisão do Conselho Tutelar era de prolongar-lhe a existência por mais um quarto de tempo, no entanto, observe o coração de meu tutelado.

Ezequiel espantou-se:

— As toxinas que Jader aderiu ao perispírito extinguiram o fluido vital do chacra cardíaco. Este processo não pode ser revertido?

— Poderia... se Jader mudasse de opinião sobre o que pretende fazer. Uma mudança de opinião seria a possibilidade de produzir o antígeno para cessar a ação das toxinas, mas falta amor para isso. Agora observe o que ele produz através do chacra coronário — indicou Abelardo ao estagiário.

— O processo é mesmo irreversível!

Jader tombou sobre a mesa gemendo e urinando-se, e Joana desesperou-se a gritar:

— Murilo, chame o socorro para seu pai, porque ele está passando mal! Corra, Murilo, corra!

A ambulância chegou ao hospital. Jader encontrava-se consciente na maca e foi conduzido por uma enfermeira a uma sala no pronto-socorro.

— Enfermeira, eu me sinto melhor. É necessário que fique nesta maca?

— Senhor Jader, primeiramente terá de ser examinado pelo médico para sabermos a gravidade do seu problema. Precisa permanecer em repouso.

De repente, um tremendo estrondo aconteceu do lado de fora do hospital, seguido de um clarão, que explodiu os vidros do edifício. Todos correram em pânico, pois todo o prédio começou a tremer.

Jader encontrou forças para arrastar-se pelo corredor, quando as paredes do edifício começaram a cair. Com dificuldade, venceu a rampa disputada por todos que corriam a tropel, lutando por suas vidas.

O desespero fez Jader encontrar forças onde não havia, mas, já próximo à marquise em frente ao pronto-socorro, a laje do edifício caiu sobre ele, fazendo-o permanecer imóvel, encolhido e coberto pelo imenso bloco de concreto. Restou-lhe, então, observar a movimentação ruidosa de pessoas sendo atingidas pelos estilhaços deslocados com velocidade pelas bolas de fogo, que caíam em todas as direções, provocando destruição.

Passada uma hora do inexplicável desastre, o desvario foi cessando até mergulhar no quase completo silêncio. E a noite chegou.

O pânico de Jader foi diminuindo à medida que ele se percebia ileso, recuperando forças para movimentar-se. Apesar da fraqueza, ainda gritou por socorro.

Notando que havia poucas pessoas ao redor, Jader movimentou-se pela minúscula câmara onde estava, desferindo golpes, aleatoriamente, contra as pedras que encontrava. Abrindo caminho, conseguiu, por fim, sair do cubículo, que desmoronou assim que ele tirou suas pernas, ouvindo o derradeiro grito de alguém que não teve a mesma sorte de sair a tempo.

Olhando à sua volta, era só ruína e destruição. Jader viu corpos estirados ao longo do pátio externo do hospital e dos prédios próximos que haviam desmoronado e lamentou:

— Será o fim do mundo?

Ofegante, Jader conseguiu levantar-se, tateou as pernas e a bacia repletas de hematomas, sacudiu a roupa coberta de poeira e começou a andar com dificuldade, arrastando a perna direita que doía.

Sentia muita sede devido ao esforço extremo que fizera, por isso decidiu procurar água.

O que via era apenas devastação e morte. Alguns prédios e casas ainda incendiavam. Corpos de pessoas e animais atingidos pelas bolas de fogo estavam carbonizados, espalhados pelas ruas, enquanto outros agonizavam pelo caminho, entre gemidos comoventes de dor.

Avistando ao longe alguns hidrantes, que esguichavam água de um prédio destruído, Jader seguiu exausto para lá, onde conseguiu saciar sua sede, rindo por ter conseguido manter-se vivo e deixando que a água escorresse pelo seu corpo.

O próximo passo seria identificar sua localização e tentar voltar para casa para saber se esta havia sido atingida pela chuva de meteoros, que supunha como o fenômeno provável.

Apesar da visão prejudicada, Jader conseguiu situar-se por meio das placas de sinalização dispostas nas esquinas, o que o possibilitou caminhar por ruas que conhecia.

Durante o percurso, atormentava-se com o pensamento do que poderia encontrar, pois, por tudo que via, nada havia restado da cidade.

Estariam Murilo e Priscila machucados? Teriam sobrevivido ao que devia ser o fim do mundo previsto há tempos por religiosos?

Jader calculou que estava a meia distância entre o hospital e sua casa, transcorrida ao longo de três horas. Estava escuro e suas forças extintas. Resolveu, então, entrar em uma casa semidestruída para restituir suas energias e procurar comida, pois a fome inibia sua intenção de continuar a caminhada.

Na geladeira tombada na cozinha, Jader comemorou ao encontrar restos de comida com os quais se alimentou, avistando, em seguida, uma panela sem tampa que exibia o cozido espalhado ao lado do fogão, e exclamou com pesar:

— Pobre família... Nem imaginavam que uma desgraça dessas aconteceria próximo ao horário do jantar...

Ao tentar afastar o fogão para desencaixar a panela, Jader desesperou-se ao notar a mão de uma criança imóvel, estendida embaixo do utensílio, deduzindo que havia sido esmagada pela pia de mármore à frente.

Mesmo tremendo, Jader puxou o cozido e comeu-o com sofreguidão, sem sentir o sabor do alimento. Depois, temendo que o resto da casa desabasse, deslocou um colchão que encontrou para fora da residência, atirando-se sobre ele e caindo, em seguida, em sono profundo.

Ao despertar pela manhã, Jader revistou cuidadosamente o corpo todo antes de se levantar, observando que os ferimentos da coxa direita estavam menores.

Olhando para o céu nublado, desabafou:

— Meu Deus, como queria que isto tivesse sido um pesadelo...

Jader decidiu continuar a caminhar para sua casa e, faltando alguns quarteirões para chegar, avistou um homem de idade avançada atrás do portão de uma casa arruinada, pondo-se feliz a chamá-lo:

— Hei, você! Estou indo aí!

A certa distância, o homem apontou-lhe uma espingarda, advertindo:

— Não se aproxime, senão atiro!

Cessando o passo, Jader apresentou-se:

— Calma! Meu nome é Jader e moro aqui perto do senhor. Estou indo para casa para saber como está minha família.

— Não quero saber! Se não desviar a rota, verá sua família no inferno!

— O que há com você? Ocorreu-lhe que podemos ser um dos poucos sobreviventes deste lugar?

— Então serei o único! — o homem começou a atirar, fazendo Jader desviar-se do caminho.

Chegando à frente do que restou de sua residência, Jader postou-se à porta de entrada, preparando-se para a cena de terror que poderia encontrar.

Com muito medo, não entrou de imediato e começou a gritar:

— Murilo! Priscila! Joana! Estão aí?

Jader ouviu a voz de todos chorando e clamando:

— Papai... Papai... Jader, pelo amor de Deus, você está aí? Sou a sua mulher, Joana...

Dominado pelo desespero, Jader chutou a porta, entrando, por fim, em sua casa, ouvindo os clamores repetidas vezes, mas sem conseguir distinguir de onde vinham:

— Priscila, fique calma! Murilo, onde vocês estão? Joana, estou ouvindo vocês, mas onde estão?

Jader entrou em todos os cômodos em ruínas, procurou em todos os lugares da casa, mas os chamados não cessavam, aumentando-lhe o desespero ao observar que o volume das vozes de seus familiares era o mesmo em qualquer lugar que estivesse. Por fim, ponderou:

— Acho que enlouqueci... Essas vozes só podem ser coisa da minha imaginação... Não tem ninguém aqui...

Os chamados cessaram de repente.

Jader largou-se no sofá, onde parte do teto havia desabado, e, lentamente, percorreu com o olhar à sua volta, indagando-se intimamente:

— Onde estariam todos? Felizmente, não estavam ali, mortos... Onde procuraria a família, se, com aquela devastação, não havia telefone nem qualquer meio de comunicação disponível? Aqueles cadáveres estendidos pelas ruas logo entrariam em decomposição, liberando odores insuportáveis e doenças. Para onde iria?

Depois de pensar muito, disse em voz alta:

— Talvez seja melhor procurar um lugar fora do perímetro urbano. Arrecadarei mantimentos e provisões até encontrar outros sobreviventes, que saberão qual foi a extensão desta tragédia. Devem existir lugares que não foram atingidos...

Capítulo 21

Dois dias se passaram desde o evento arrasador.

Jader juntou alimentos, utensílios e ferramentas, julgando serem suficientes para manter-se em uma região pouco afastada da cidade, e observou que os transeuntes que encontrou pelo caminho não sabiam o que estava acontecendo.

Após uma semana, tendo contado os dias em riscos feitos em um pedaço de madeira, Jader ficou feliz ao encontrar uma conhecida.

Era Janete, uma prostituta da casa que frequentava.

A mulher caminhava cabisbaixa, quando Jader a chamou:

— Janete! Finalmente encontrei alguém conhecido neste apocalipse! Lembra-se de mim?

— Vagamente.

— Sou Jader. Já fui seu cliente no Reduto Taberna.

— Muito interessante... Então devo mesmo estar no inferno, onde só tem gente que não presta.

— Não fique desanimada! Pelo menos estamos vivos, deveria agradecer.

— Por acaso você sabe onde estamos? Já olhou para o céu e viu a luz do sol?

— Os raios solares não ultrapassam a poeira que se formou acima da atmosfera. Foi assim que ocorreu durante a extinção dos dinossauros. Não sei a extensão do cataclismo, mas, pelo andar da carruagem, o sol não deverá surgir tão cedo.

Meneando a cabeça em demonstração de desprezo, Janete continuou a caminhar, mas Jader a impediu:

— Aonde você vai? Fique aqui comigo... Encontrou alguém conhecido neste fim de mundo?

— Não encontrei... Mas para que ficaria com você?

— Ora, Janete... A solidão é uma coisa horrível. Poderíamos fazer companhia um ao outro... E, já que nos conhecemos, poderíamos satisfazer algumas vontades...

Notando a intenção sinuosa de Jader, Janete passou a ironizá-lo:

— É mesmo... Poderíamos fazer deste lugar um "paraíso", afinal os dinossauros estão extintos, não é mesmo? E quais outras vantagens eu teria em ficar com você?

— Montei um pequeno depósito escondido perto daqui. Eu a protejo, e cuidamos um do outro... O que acha?

— Hum... Parece interessante. Gostei da parte sobre "satisfazer algumas vontades"! Mas estou com um "probleminha" e, como deve ter percebido, não há muitos médicos por aqui.

Orgulhosamente, Jader exibiu uma porção de preservativos:

— Olhe, peguei-os nas ruínas de um posto de saúde. Problema contornado.

Janete deu uma longa risada, simulou desejo, e exclamou:

— Oba! Aproveitaremos agora mesmo!

Janete tirou a roupa, e Jader fez o mesmo, posicionando-se para o deleite. Mas, quando se aproximou sem cerimônia da mulher, deu um salto para trás com o susto que levou ao observar a deformidade vaginal, na qual vermes fervilhavam na genitália da prostituta.

Janete gargalhou perguntando:

— Pois então, não faremos amor gostoso?

— Como consegue rir disso? Está em carne viva... Não sente dor?

— As dores que sinto só eu sei quais são...

Horrorizado, Jader deu passos para trás:

— Realmente, é melhor você procurar ajuda... Se precisar, pode vir buscar alimentos, porque nisto eu posso ajudá-la.

Janete desferiu um ferino olhar, medindo Jader de baixo para cima:

— Obrigada. Procurarei "ajuda"...

Observando Janete sair como chegou, cabisbaixa e vagarosamente, Jader permaneceu alisando os cabelos, tentando entender as respostas reticenciosas, ignorando a presença de seu anjo protetor Abelardo e do estagiário Ezequiel, que perguntou:

— Até quando Jader permanecerá em zonas umbralinas?

— Até reconhecer sua verdadeira situação, seme-lhante ao caso daquela criatura infortunada que vimos há pouco. Janete desencarnou há mais de cinco anos, mas só agora começou a compreender as coisas que lhe aconteceram... — respondeu Abelardo.

— Jader contabiliza que está aqui há uma semana, mas já se passaram sete meses... Nem para nós é possível prever os limites de tempo para este tipo de atmosfera mental.

— Isso mesmo. Existem casos bem piores, em que uma pessoa repete a mesma cena por décadas, imagi-nando que cada cena sempre recomeça. Com Jader, isto provavelmente não acontecerá, porque ele se mantém isolado nas ilusões que projetou, visando apenas ao prazer de satisfazer seus desejos carnais, dando solução de continuidade à ignorância que prossegue além da vida material, em prejuízo de sua libertação. O egoísmo de meu tutelado equivale ao cárcere mental.

— De pensar que nós mesmos, tantas vezes, passamos por esses estágios de obscuridade espiritual na transição da vida para a morte do corpo físico, até reconhecermos o verdadeiro sentido da vida...

— É verdade, Ezequiel... Uns demoram mais, outros menos. Quanto mais materializados, mais tempo se preocupam com o que a matéria proporciona, valorizando a matéria, atrofiando a alma à feição das asas de um pássaro, que se recusa a sair da gaiola.

— Obrigada por sua visita à nossa casa, doutor Alex. Sente-se, por favor — convidou Joana.

— Apesar de já ter passado algum tempo, vim ver como a senhora e sua família estão e transmitir o pesar pela morte de seu esposo.

— Estamos levando a vida, doutor... A ausência de Jader é uma lacuna aberta e esta casa tem parecido vazia...

— A fase de luto é muito difícil. É importante não se deixar dominar pelo pensamento insistente da ausência. Sei que é difícil, mas procure desenvolver atividades diferentes daquelas que lhe tragam lembranças. Dê continuidade à sua vida, apesar do sentimento de perda.

— Sinto que preciso fazer isso mesmo, porque senão ficarei louca. Estou me apoiando em meus filhos, mas tem horas que a falta de Jader parece insuportável.

Após um breve silêncio, que o analista promoveu para que Joana pudesse recompor-se da emoção do momento, ela perguntou:

— Doutor Alex, preciso lhe fazer algumas perguntas para confortar minha alma. Posso?

— Fique à vontade.

— Tentarei ser sucinta... Nos últimos meses em que Jader frequentou suas consultas, lembro-me de que ele estava empenhado em descobrir quais eram os problemas relativos à sua falta de interesse por mim. Antes do ataque do coração, ele sempre tinha pesadelos e acordava assustado, dizendo que sonhava com o enterro de sua mãe, mas, pouco antes de despertar dos sonhos, dizia coisas assim: "Fique aí mesmo, sua desprezível", ou, às vezes, "Não se levante do caixão". A menos que Jader sentisse raiva da mãe, às vezes achava que ele sonhava comigo e não queria admitir. Era comigo que Jader sonhava, doutor?

— Desculpe-me, dona Joana. Esta é uma questão que diz respeito ao sigilo do paciente. Eu estaria fugindo à ética se discutisse qualquer assunto a respeito do tratamento de meus pacientes com a senhora.

— Doutor Alex, Jader está morto. Qual é o problema de o senhor me revelar algo que represente a satisfação de uma curiosidade que não é vã? Preciso saber: os sonhos de Jader tinham a ver comigo ou com a mãe dele?

— Não posso comentar a respeito das consultas de meus clientes, mas devo recomendar que isto não é motivo para se torturar. A senhora deve se preocupar em dar continuidade à sua vida.

— Tudo bem, mas o senhor pode me responder, pelo menos, por que de nada estava resolvendo as consultas que ele tinha com o senhor?

— A senhora me constrange falando assim, pois eu não poderia exigir de meu cliente melhoras, se ele mesmo mal entrava no consultório e já saía das consultas, que não duravam nem cinco minutos. Nos últimos dias, inclusive, pedi que não fosse mais às sessões, se continuasse a agir daquela forma.

— É mesmo, doutor Alex? Por favor, espere um pouco.

Joana levantou-se, apanhou um papel na cristaleira e entregou ao analista:

— Leia este bilhete que Jader deixou para mim um dia antes de morrer.

Doutor Alex leu:

Meu amor, não se esqueça de que hoje irei à consulta estendida de duas horas com doutor Alex. E, se chegar tarde, é o de sempre: fui à missa.

Percebendo que a intenção de sua visita cordial poderia enveredar para uma situação constrangedora, doutor Alex esquivou-se:

— Não há data no bilhete, dona Joana.

Irritada, a viúva replicou:

— Mas eu sei quando Jader escreveu este bilhete! Se as consultas não duravam cinco minutos, então há algum equívoco. Doutor Alex, gostaria que o senhor abrisse o jogo comigo!

A entrada de Priscila, que chegava da universidade, fez Joana desistir de continuar inquirindo o analista, que lhe devolveu o bilhete, tentando liberar-se da cobrança por mais explicações:

— Por favor, não repare, mas preciso ir.

— Boa noite, mamãe — aproximou-se Priscila, observando a expressão de irritação de Joana fixada no analista.

— Boa noite, Priscila. Este é o doutor Alex, analista de seu pai. Ele veio nos visitar para manifestar seu pesar.

Priscila estendeu-lhe a mão, cumprimentando-o, e Alex educadamente retribuiu o gesto:

— Muito prazer. Meus pêsames. Desculpe-me, mas já estava de saída.

Joana acompanhou o analista até a porta:

— Não quero ocupar seu tempo, doutor Alex. Agradeço sua visita e gostaria de saber se posso marcar uma consulta com o senhor, pois acredito que estou precisando.

Disfarçando-se de solícito, mas preocupado ao pressentir a exposição a que se submeteu, doutor Alex puxou do bolso um cartão de visitas e entregou-o a Joana.

Priscila perguntou, depois que ele foi embora:

— Mamãe, por que estava olhando para ele como se quisesse socá-lo?

— Impressão sua, Priscila. Venha para a cozinha. Fiz bolinhos de chuva para você e Murilo.

Perspicaz, Priscila insistiu:

— Você ficou sabendo de algo sobre o papai, não é? O que foi?

— Nada, filha... Só acho que esse doutor arrancou muito dinheiro do seu pai por pouco resultado, só isso.

— Se acha isso, por que quer marcar uma consulta com ele?

— Só quis ser educada, Priscila. Não marcarei.

— Mamãe, eu a conheço... Essa cara de desconfiada não me engana.

157

Capítulo 22

O maior prazer de Caio Henrique era visitar a casa da vovó Clotilde, onde recebia a atenção dela, do vovô Oto e da tia Nívea, desfrutando da atmosfera agradável de um ambiente de alegria e brincadeiras.

Nas poucas vezes em que Noel encontrava tempo para levá-lo à casa de seus pais, ia sem a companhia de Carla.

Oto iniciou um diálogo com Noel:

— Desculpe-me pela sinceridade, meu filho... Decerto que em briga de marido e mulher não se mete a colher, mas sua esposa é pirracenta demais! Por mim, tudo bem, mas onde já se viu dar esse desprezo a Clotilde? Nós não temos culpa das brigas de vocês.

— Concordo, pai... Compartilho de seu ressentimento e, se não fosse por Caio Henrique, estaria fora desse casamento há muito tempo.

— Você está numa sinuca de bico! Mas, como dizem: "Ajoelhou, tem que rezar!".

— Minha esperança é de que Caio Henrique complete idade suficiente para aceitar nossa separação. Só assim poderei me livrar dessa louca.

— Isso não acontecerá, porque não acredito que irá deixar Carla criar sozinha seu filho, mesmo quando ele se tornar um adolescente.

— Pior é que o senhor tem razão, pai... Mãe é mãe, não importa o temperamento, a loucura, ou o gênio.

— A mãe é sempre a heroína. Caio Henrique só tem oito anos, mas, se quiser deixá-lo infeliz, fale algo ruim sobre Carla para o menino. Noel, ela pelo menos faz as vezes de esposa com você, ou é tão rusguenta na cama como fora dela?

— Pai! Que pergunta inconveniente! Mesmo assim responderei: faz por obrigação. Parece uma boneca, imóvel, esperando que eu termine o "serviço".

— Já pensou em dar-lhe outro filho para ver se desvia a atenção dela? Quem sabe não para de atormentá-lo um pouco?

— Até parece! Ela repudia a ideia fazendo sinal da cruz quando Caio Henrique sugere um irmãozinho. Carla sempre diz que filho só dá trabalho, mas percebi que, agora que contratei uma empregada para ajudá-la, ela tem me atazanado mais ainda.

— Noel, Noel... Essa mulher ainda vai lhe pregar uma peça... Agora que você está na construtora, indo de vento em popa, ela ficará cada vez mais exigente e o atormentará cada vez mais. Escute o que estou lhe dizendo: "Cabeça vazia, oficina do diabo!".

— Para dizer a verdade, também temo isso, pai... É impressionante como Carla não tem vontade de fazer nada, não quer saber de absolutamente nada, mas age como se fosse uma condenada em casa. Seu único objetivo de vida ou prazer é me provocar... Fico pensando que, se eu fosse mais agressivo, ela tomaria mais cuidado antes de me atormentar.

— Ponha logo um filho nela, Noel! Arrume um "jeitinho". Arrume essa ocupação para ela.

— Ficou maluco, pai? Eu estou querendo me livrar dela, e o senhor sugere que a engravide outra vez?

— Sejamos honestos, filho. Homens como nós comem o pão que o diabo amassou, mas não deixam a família. Que diferença faz se Caio Henrique tem oito ou terá trinta anos? Sabemos que você sempre encontrará justificativas para não desagradá-lo, como, por exemplo, decidir se separar da mãe dele. Ainda mais sabendo que, se a deixar, só restará o hospício para Carla, porque só você consegue aguentá-la.

Com este pensamento, Noel decidiu adotar a ideia de Oto como uma solução, acreditando que a gravidez de Carla seria um paliativo para conquistar um pouco de paz.

O método anticoncepcional utilizado pelo casal era o coito interrompido. Tentando não levantar suspeitas em Carla, Noel interrompia tardiamente o ato sexual, visando provocar o incidente da gravidez.

Após três meses de tentativas, mesmo intensificando a frequência das relações sexuais com a esposa, sob os protestos de Carla, que não sentia prazer, Noel suspeitou que ele ou a esposa estivesse com problemas de fertilidade. Resolveu, então, procurar um urologista sem o conhecimento de Carla, para avaliar qual seria o impedimento da gravidez.

Realizados os exames recomendados, Noel foi à consulta com o urologista, na qual o médico lhe transmitiu a notícia:

— O senhor informou que tem um filho com sua esposa. Confere?

— Sim, doutor. Caio Henrique, que está com oito anos.

— Sua esposa sabe que o senhor está fazendo estes exames?

— Não entendi sua pergunta, doutor. Por que importa ela saber?

— Desculpe-me perguntar ao senhor: seu filho provém de um casamento anterior do senhor ou de sua esposa?

— Não, doutor. Estou com algum problema?

— Senhor Noel, os resultados destes exames indicam que o senhor é estéril.

— Isto é um absurdo! Como posso ser estéril se...

Cingido pelas circunstâncias, ao observar que o paciente não concluira a frase e ficara pensativo, o médico continuou:

— Senhor Noel, recomendo-lhe calma.

— Essa esterilidade aconteceu recentemente, doutor?

— Os exames mostram que a esterilidade é congênita, ou seja, o senhor sempre foi estéril, porque suas gônadas não produzem espermatozoides. A glândula prostática produz apenas o líquido espermático.

— Desculpe-me, doutor, mas estes exames são meus? Já ouvi casos de troca de resultados.

— Farei o seguinte: recusarei estes exames e pedirei que os repita. Acrescentarei também outros exames mais detalhados e, enquanto não ficarem prontos, pedirei ao senhor que pondere a situação e não deixe os fatos que passam por sua mente alterarem sua rotina.

O estado de perturbação de Noel o fez tecer um infeliz comentário:

— Pela confiança que o senhor demonstra nesses resultados, o diagnóstico de esterilidade acompanha um adjetivo: corno.

— Compreendo a situação delicada que é a de receber um diagnóstico como este e o deixo à vontade para consultar outro especialista, caso não sinta confiança em mim. Mas ratifico minha recomendação de manter-se calmo, senhor Noel.

— Não estou desconfiando do senhor, doutor, mas, se os próximos exames confirmarem o diagnóstico de esterilidade congênita, sinceramente não sei o que farei...

O especialista foi cuidadoso na resposta:

— Em primeiro lugar, lembre-se de que ama seu filho e que ele não tem nada a ver com isso. Em segundo lugar, sejam quais forem as atitudes que tomar, saiba que repercutirão na vida desse menino que o chama de pai desde que nasceu... E, em terceiro lugar, aja com o coração e não com a cabeça quente para não se arrepender depois, pois, se os resultados forem confirmados, caberá ao senhor decidir seu futuro, que certamente refletirá também no de seu filho.

Noel agradeceu os conselhos do médico e marcou o retorno da consulta para dali a quinze dias, quando já teria os resultados dos novos exames.

Foram quinze dias intermináveis. Desconhecendo os fatos, Carla intensificou o azedume característico de seu temperamento, submetendo Noel a torturantes provas de paciência:

— Se não me procura mais, é porque arrumou outra! — provocava, jogando talheres sobre a pia com agressividade.

Carla dirigia insultos a Caio Henrique, visando atingir Noel indiretamente, que, por várias vezes, chegou ao limite, quase desencadeando explosões de raiva. Ainda assim, conseguiu reprimir suas vontades quando se lembrou das recomendações do médico para favorecer o resguardo de Caio Henrique.

Um dia antes da consulta, Noel considerava-se um sentenciado à morte. Sentindo um impulso de vingança, que canalizou em energias sexuais, procurou a esposa no leito, mas ela não cessava de fustigá-lo, ignorando o momento que o marido passava:

— Ué? Resolveu "funcionar", ou quer só "variar o prato"? — disse Carla enquanto tirava a camisola como quem oferta de mal grado uma esmola.

Noel prosseguiu, tomando o corpo da esposa como quem toma um cálice amargo, dominado por sentimentos obscuros, sentindo prazer ao imaginá-la internada em um hospício, implorando a visita de alguém, com o corpo marcado por diversos hematomas de tanto se bater e ser medicada à força por enfermeiros que lhe abusavam sexualmente, mediante à vulnerabilidade ocasionada por altas doses de calmantes inoculados à força.

Naquele dia, contemplaram a cópula com recíproco prazer.

Carla não compreendia por que se entregava a Noel com desejo, sem controlar as palavras obscenas que lhe saíam fáceis dos lábios, proferindo a evidência de alcançar o prazer de forma inédita.

Noel, por sua vez, não compreendia como podia sentir tanto prazer com a mulher que sentia vontade de matar.

Preocupado com a ocorrência, Heitor, anjo de Noel, dirigiu-se a Odilon, anjo de Caio Henrique:

— Situação difícil para ambos.

— Noel está se entregando à sintonia perigosa dos pensamentos, que, sem saber, encontra afinidade com os pensamentos de Carla, provocando-lhe satisfação — respondeu Odilon.

Heitor aduziu:

163

— Incrível como Carla se condicionou a entregar-se apenas sob tais circunstâncias, como quem se entrega à tortura de um carrasco, exatamente como fez no passado.

— É que Carla não superou a sede de vingança e, por isso, nutre-se inconscientemente destas formas-pensamento produzidas por Noel, que, por sua vez, também inconscientemente, dá vazão aos sentimentos do criminoso do passado — disse Odilon.

Compreendendo o que acontecia, Sálvio, anjo de Carla, surgiu comentando:

— Reforçamos a barreira para impedir a entrada dessas criaturas aí fora. Elas foram atraídas por essas vibrações, que, pelo visto, contaram com a contribuição de Noel para emiti-las.

Heitor perguntou a Sálvio:

— Amanhã, quando Noel receber as revelações sobre a infertilidade, talvez precisemos proceder aos trabalhos de revelações espirituais de vivificação de memória.

— Já reservamos a sala e os aparelhos para isso — respondeu Sálvio. — O Ministério do Acervo autorizou.

Odilon completou:

— Também fomos autorizados pelo Conselho Tutorial a pedir para o anjo guardião do médico para que inspirasse seu protegido na aplicação de um calmante em Noel para facilitar o trabalho.

Capítulo 23

No dia seguinte, o médico urologista apresentou a Noel a confirmação sobre sua esterilidade congênita.

Inspirado por seu anjo, doutor Martinelli abriu a gaveta retirando um calmante, levantou-se e entregou o comprimido a Noel com um copo de água:

— Tome, meu caro. Isto o ajudará.

— Por acaso este comprimido é para dor de corno? — perguntou Noel.

— Não. É para ajudar a mantê-lo calmo. Mas sei que conseguirá controlar-se, pois cultiva sentimentos de amor pela criança que o chama de pai.

Noel engoliu o comprimido, levantou-se e pediu:

— Doutor, prometa-me que não contará isto a ninguém pelo bem de Caio Henrique, meu filho.

— Não tenho motivo algum para contar. Tenho convicção de que procedi corretamente contando-lhe a verdade e desejo que conduza sua vida com a mesma dedicação que certamente sempre teve com sua família.

Arrasado, Noel retirou-se do consultório, pensando no que fazer, envolvido pelo desgosto ao lembrar-se do casamento na igreja e das atitudes grosseiras de Carla, que, certamente, deveria saber que Caio Henrique não era seu filho biológico.

Noel teve vontade de ir à casa dos pais de Carla para mostrar-lhes os exames e contemplar a reação do sogro prepotente quando soubesse que a filha era uma falsa moralista.

Sem lembrar-se de que havia tomado um forte calmante, Noel parou em um bar, tomou três doses de uísque, mas não conseguiu permanecer ali por muito tempo. Desejava chegar logo em casa para desmascarar a mulher imoral, tendo argumentos para colocá-la para fora.

No caminho para casa, pensou em um minucioso texto contundente para dizer a Carla. Planejou tudo sem pensar em Caio Henrique, mas, quando abriu a porta, o menino veio recepcioná-lo como sempre fazia, pulando de alegria e imobilizando-o:

— Papi, vai me levar para casa da vovó Tide?

Noel não teve ânimo para responder à pergunta do filho. Olhou para o rosto daquele menino que tanto amava e que, embora não fosse dele, era seu maior motivo de viver. Ele, então, ajoelhou-se para abraçar Caio Henrique, iniciando um silencioso choro, tentando evitar que o pequeno percebesse.

— Que cheiro ruim é esse, papi? — reclamou Caio Henrique ao sentir o odor da exalação etílica do pai, que, desnorteado, se desfez do abraço, seguindo em direção ao quarto, trancando-se e ouvindo Carla dizer em voz alta para que ele ouvisse:

— O que foi, Caio Henrique? Seu pai está de ovo virado? Não dê bola para ele, porque uma hora Noel sairá do quarto para lhe dar um "oi" decente.

Ao ouvir a frase dita com sarcasmo, Noel lutou para suportar, mas, desesperado, teve o ímpeto de matar Carla. Apanhando em uma caixa escondida um antigo revólver que fora de seu avô, ele segurou a maçaneta da porta para abri-la, mas lembrou-se da expressão de Caio Henrique e não teve coragem de prosseguir.

No auge do desespero, sentindo-se impotente com a situação, Noel sentou-se na cama vencido e apontou a arma para a própria cabeça, sentindo que ali encontraria o alívio para fugir daquela situação.

Enquanto o dedo indicador de Noel forçava lentamente o gatilho do revólver, o anjo protetor de Caio Henrique inspirou o menino, que retrucou Carla com severidade:

— Não fale assim do papi, mãe... Ele é meu papai e amo ele...

Noel tirou o dedo do gatilho baixando-o e deitou--se encolhido na cama para chorar convulsivamente.

Heitor, seu anjo protetor, suspirou fundo:

— Graças a Deus! Obrigado, Senhor.

A partir daí, Heitor magnetizou Noel induzindo-o a um sono profundo, promovendo o desprendimento espiritual do corpo físico.

Ao desdobrar-se, Noel defrontou-se com seu anjo Heitor, com Odilon, anjo de Caio Henrique, e Sálvio, anjo de Carla.

— Quem são vocês? — perguntou Noel confuso.

— Somos amigos — respondeu Heitor. — Precisamos conversar.

Após conduzirem Noel a um espaço físico fora da crosta, os anjos colocaram-no em uma câmara aparelhada e, aguardando outros trabalhadores, fizeram os preparativos para darem prosseguimento ao processo de Vivificação de Memória Espiritual.

— Por favor, Noel, sente-se aqui — convidou Adalberto, agente do Ministério do Acervo, introduzindo--lhe uma coroa ligada a tênues fios invisíveis conectados a um pequeno aparelho.

Odilon perguntou a Adalberto:

— Falta algo para iniciarmos a Vivificação de Memória?

— Aguarde um momento enquanto meço a tolerância de alcance possível do assistido — respondeu Adalberto procedendo à minuciosa inspeção no aparelho e concluindo por fim: — O assistido terá uma considerável capacidade de retenção dos fatos que lhe serão apresentados e que ocorreram há poucas encarnações. Ele possui capacidade de memória suficiente para guardar o que interessa, quando retornar ao corpo físico, por meio da intuição. No entanto, é possível que tenhamos dificuldades apenas pelo fato de ele ter ingerido bebida alcoólica. Isto nos dará mais trabalho, mas, como sabem, contornaremos o problema fixando uma concentração de fluidos em um grau elevado no chacra coronário.

O benfeitor sinalizou o início dos trabalhos, conectando tênues ligamentos no aparelho sobre a cabeça de Odilon e Sálvio, instruindo Heitor:

— Quando receber, através do aparelho, as informações de memória pregressa, não interaja com seu protegido para que ele pense que está passando pela situação que visualizará no momento. Ao alcançar o momento do compromisso que Noel assumiu com Caio Henrique, alimente a fonte magnética, codificando a mensagem para melhor fixação no cérebro físico de seu protegido.

Adalberto colocou a conexão no chacra coronário de Heitor, acionando o processo de Vivificação de Memória, com os três anjos interligados mentalmente a Noel, proporcionando a ele percorrer a história de encarnações passadas:

Noel era médico especializado em partos.

Embora sua função fosse dar à luz as crianças de um afastado vilarejo, fazia seu trabalho interessado apenas em aquisições monetárias. Por este motivo, aceitava executar abortos ocasionais, cobrando um alto preço aos interessados.

Em uma dessas ocasiões, Noel tratava com Armando, que, na época, era um jovem e rico fazendeiro:

— Posso lhe garantir a retirada do feto, mas não posso garantir que matarei a mulher. Do meu trabalho cuido eu. Quanto ao silêncio da serviçal que o senhor engravidou, o senhor mesmo cuidará disso.

— Estive pensando num acidente. Durante o aborto, o doutor poderia provocar um sangramento que levasse essa serviçal insolente para debaixo da terra.

— Desculpe-me, senhor. Não posso fazer isso. Tirar-lhe o feto é lícito para mim, pois será menos um bastardo sobre suas terras, mas subtrair a vida de quem quer que seja não é minha função, pois tenho a missão de manter a vida, não de extingui-la.

— Que desculpa darei aos pais dela? Como manterei isto em segredo? Meu pai já avisou que, se houvesse uma próxima vez, me exilaria!

— Pelo que me contou, a moça não concorda em abortar. Sugiro que façamos o seguinte: envie seus capangas de confiança e sequestrem-na. Amarrem a mulher e mantenham seus olhos vendados. Para garantir que não seja reconhecido, irei encapuzado juntamente com minha assistente, que como sabe, é minha esposa.

— Muito bem, doutor! O senhor é muito inteligente! Carla não saberá quem foi e, se quiser acusar-me, será a palavra da reles serviçal contra a minha.

— Executarei o aborto visando sua rápida recuperação. Ela pensará nas consequências se ousar fazer acusações, mas tenho certeza de que vai querer evitar escândalos.

No dia combinado com Noel, o médico, acompanhado de sua esposa, personificada por Gratiel, dava início ao sinistro plano, sob doridas súplicas da vítima amarrada, que, de olhos vendados sobre a mesa, estava personificada por Carla.

Por meio de um sinal indicado pelo médico, os capangas foram orientados a amordaçarem a boca de Carla para trabalharem com tranquilidade, considerando que os gritos poderiam chamar a atenção de alguém, apesar do local afastado.

Durante a fase de extração fetal, o médico foi surpreendido com o fato de serem dois fetos: o de um menino, personificado por Caio Henrique, e de uma menina, personificada por Sara.

"Essa não: são gêmeos!", pensou ele prevendo que teria mais trabalho.

Apesar dos protestos silenciosos das entidades interditadas no nascimento, Noel não se abalou, porém Gratiel, sua esposa, comoveu-se muito.

A partir daquele dia, Gratiel cessou sua participação nos trabalhos do marido, dedicando-se a auxiliar as mães e crianças carentes da comunidade, decisão reprovada por Noel, que tinha vistas somente aos próprios interesses, abrindo mão da paternidade pelo fato de não gostar de crianças.

Ao desencarnar de forma terrível, acometido por hanseníase, que o consumiu durante anos, Noel padeceu e sofreu muito no Além, permanecendo um longo período nas zonas de remorso até ser socorrido. Sara e Caio Henrique libertaram-no da cadeia de ódio de outros perseguidores que não conseguiram perdoá-lo.

Após um longo período sob a proteção de seu anjo Heitor, antes de ingressar para sua próxima encarnação, o ex-médico despediu-se dos amigos discursando emocionado:

— Reconheço que não me perdoei o suficiente para reconstituir integralmente a área genésica, mas tenho fé que terei possibilidade de amar como filhos as mais de cento e trinta vidas que impedi de nascer.

Retornando às posições mentais originais, os anjos guardiões agradeceram o agente Adalberto, retornando à Terra e acompanhando Noel, que retomou o corpo físico, despertando assustado ao observar a arma ainda em sua mão e guardando-a rapidamente.

— Que loucura foi essa, meu Deus? O que eu faria?

Após questionar-se, Noel sentou-se na cama para refletir.

Conservava a amargura das revelações obtidas a respeito da esterilidade e sobre Carla, mas notou uma disposição diferente. Estava mais tranquilo, seguro e centrado, ignorando que tal disposição tinha a ver com a Vivificação de Memória manipulada pelos anjos.

Os compromissos assumidos há muito tempo foram vivificados e fixados em seu inconsciente, aliviando as dores da própria consciência.

Caio Henrique bateu à porta:

— Papi, a janta já tá pronta! Venha jantar!

Noel destrancou a porta, apanhou Caio Henrique no colo e pensou:

"Meu Deus, o que o Senhor me reservou? Amo este menino mais que qualquer coisa nesta vida e não posso ter filhos... O que seria dele seu eu tivesse feito uma besteira? Ele não tem culpa de nada."

Caio Henrique perguntou:

— Papi, vamos na vovó Tide amanhã?

— Sim, meu filho, mas primeiro preciso que me responda uma coisa muito importante — disse Noel sufocando a emoção.

— O quê, Papi? Pode perguntar que eu respondo.

— Você sabia que eu te amo muito, meu filho?

— Sim, papi! Eu também amo muito você!

Os anjos regozijavam:

— Agradeço o empenho de todos — disse Heitor.

Odilon, anjo de Caio Henrique, observou:

— Agradeçamos a Deus a possibilidade da Vivificação que restaurou a vontade de Noel de viver.

Pensativo, Sálvio, o anjo de Carla, manifestou-se:

— Estou preocupado com Carla... Além de não considerar perdoar-se, ainda tem em mente retornar a Mirian.

Capítulo 24

— Mãe, você nunca teve o hábito de ler jornal. Por que está tão compenetrada? — questionou Murilo curioso.

— Faça-me o favor de dar licença! — Joana fechou o jornal contrariada.

— O que está procurando? Posso ajudá-la?

— Nada. Estou experimentando fazer coisas novas, conforme a sugestão do doutor Alex. Ler jornal é algo que nunca fiz.

— Está certíssima! — exclamou Priscila. — Saia de casa, faça cursos... No escritório onde estagio, se quiser, pode ser que eu encontre algum trabalho para a senhora.

— Calma, Priscila... Deixe-me começar devagar. Preciso mesmo de uma nova vida, senão ficarei louca dentro de casa, sem ter o que fazer.

Após os filhos saírem, Joana deu um telefonema:

— É do escritório do detetive Silva? Vi um anúncio no jornal e...

Joana tinha pressa de satisfazer suas dúvidas em relação a Jader. Queria saber se ele fora mesmo o homem dedicado e ao mesmo tempo problemático que mostrava ser.

— Aqui está o cheque de adiantamento pela investigação que iniciará, senhor Silva. Sou inexperiente neste tipo de coisa, mas sei cobrar por aquilo que pago, por isso espero contar com seu sigilo e gostaria que o senhor cumprisse sua parte do trato.

— Fique tranquila, senhora Joana. Cumprirei o trato, porque sou um profissional sério e vivo disso. No entanto, preciso saber uma coisa: qual é o motivo de uma dama como a senhora, bem posicionada social e financeiramente, querer conhecer a rotina do seu falecido marido?

— É simples, caro senhor... Quero saber se estou acendendo vela para mau santo. Por isso, peço que não me poupe de nada. Fique tranquilo que não me matarei se descobrir coisas que me desagradem, por mais escabrosas que sejam. É para isso mesmo que o estou contratando.

— Pode deixar, senhora. Com as fotos de seu falecido esposo, esses canhotos de cheque e com as informações sobre sua rotina, darei início ao trabalho amanhã mesmo, com o primeiro retorno previsto para daqui a uma semana.

Dalva, anjo de Sara, perguntou a Dionísio, anjo de Joana:

— Joana está preparada para as revelações que lhe serão apresentadas?

— Na verdade, a intuição feminina já aponta para as revelações — disse Dionísio. — E sabemos que, diante da situação que vivenciou, ela torce para que suas suspeitas sejam verdadeiras.

Decidida a arrecadar todas as informações possíveis, três dias depois do encontro com o detetive, Joana encontrou-se com doutor Alex.

Levantando as questões triviais elaboradas por um analista, ele encerrava:

— Diante de suas respostas, percebo que não procura um analista para resolver questões existenciais. Qual é o real motivo de me procurar, Joana?

— Não considera que uma mulher, que tenha se sentido rejeitada pelo marido, necessite de ajuda, Alex? Acho que o procurei para melhorar minha autoestima.

— Pelo que demonstra, não parece ter problemas de autoestima. Sua postura revela realização, ainda mais que tinha conhecimento da impotência sexual que seu esposo alegava.

Joana mudou a tática para conseguir extrair informações do analista, visando atingir o psicólogo por meio da consciência:

— Alex, já pensou na hipótese de eu ter sido uma esposa dedicada e fiel todo esse tempo, prezando pela família, e ter percebido que tudo pode ter sido em vão? E se eu descobri que fui enganada?

— Esta é uma questão que deveria ter sido avaliada quando Jader estava vivo. Por que não o fez?

— Fiz. O caso é que Jader era um homem esperto, como você sabe. Pode ser que tenha mentido para mim, não acha?

Visivelmente cingido pelas circunstâncias, Alex sentiu-se compelido a liberar-se do problema:

— Joana, não me compreenda mal, mas gostaria que se colocasse em minha posição. Na verdade, o objetivo de sua consulta é buscar informações de Jader. Sinceramente, acredito que seja melhor procurar outro analista. Por favor, não se ofenda com isso.

— Pelo menos agora está sendo honesto comigo! Quero que compreenda o seguinte: tenho o direito de saber e você tem o direito de não me contar o que sabe.

Reconheço seu lado profissional e admiro sua postura, mas gostaria que você também reconhecesse que ambos ficamos em uma posição difícil, pois, quando foi à minha casa transmitir seu pesar, seu paciente era Jader, não eu, certo? Foi você quem me procurou primeiro.

— Tem razão, Joana. Desculpe-me por tê-la procurado.

Com um sorriso aberto, Joana estendeu a mão despedindo-se do analista:

— Sem mágoas, Alex. Se desejar procurar-me como amiga, pode me telefonar. Prometo que não questionarei mais nada a respeito de Jader.

Sozinho na sala, absorto em pensamentos, Alex estava impressionado:

— Como Jader não soube valorizar uma mulher como Joana? Certamente telefonarei, porque... Que sorriso lindo ela tem! Fazia tempo não me sentia assim.

— Bom dia, senhor Silva. Para mim, que estou aguardando ansiosa as informações, a semana pareceu um ano. Quais são as novidades?

— Bom dia, senhora Joana. Consegui obter parte das informações, mas me deparei com uma situação adversa, que julgo ser inconveniente transmitir-lhe ao telefone. Haveria possibilidade de vir a meu escritório?

Sem conter a ansiedade, Joana foi agressiva:

— Senhor Silva, não gosto de enrolação! Caso não tenha conseguido todas as informações, compreenderei, mas não sou boba e quero saber agora mesmo o que descobriu!

— Já que insiste, direi: seu marido estava envolvido com prostitutas, sendo que uma delas o chantageava com uma gravidez indesejada. E, aparentemente, a criança nasceu.

Joana sentiu uma vertigem, deixou o telefone cair e ajoelhou-se, porque não conseguia sustentar o corpo. Depois de quase ficar inconsciente, conseguiu recuperar-se rapidamente e apanhou o telefone:

— Alô, alô. Senhora Joana, está aí?

— Desculpe-me, detetive. Posso ir até aí?

— Eu que peço desculpas, mas foi a senhora quem insistiu para que eu desse a notícia dessa forma. Pode vir, mas, se não estiver se sentindo bem, poderei ir até sua casa.

— Não. Vou até aí e não se preocupe comigo. Tomarei água com açúcar e pegarei um táxi. Por favor, me aguarde.

Chegando ao escritório do detetive, Joana sentou--se e ouviu sem comentar a investigação, que apontava a casa de prostituição que Jader frequentava, a relação dele com Cássia, e, por fim, a gravidez. Joana, no entanto, não conseguiu deixar Silva terminar, explodindo em fúria:

— Inacreditável! Fui enganada todo esse tempo! Por que não pensei em investigá-lo antes? — Joana prorrompeu em um pranto de raiva.

Habituado àquele tipo de situação, Silva levantou--se para consolá-la:

— Calma, senhora Joana. Essas coisas são assim mesmo... Acreditamos nas pessoas e nos decepcionamos... Pense que seu marido já se foi e que não vale a pena continuar sofrendo, pois, se estivesse vivo, as coisas poderiam ser bem mais complicadas.

— Obrigada pelas palavras, detetive. Não precisa se preocupar, só desabafei e estou bem. A moça chegou a ter o bebê?

— É justamente sobre isso que preciso conversar com a senhora. Não sabemos o paradeiro da tal Cássia, porque, quando seu marido a ameaçou de morte, ela fugiu para o interior de São Paulo. Se a senhora quiser continuar a investigação, terei de viajar e o custo sairá mais alto.

— Primeiramente, quero ir até essa casa de prostituição. Não estou duvidando do senhor, mas quero saber tudo tim-tim por tim-tim!

— Pondere, senhora Joana. O que terá uma mulher com sua posição a fazer num lugar desses? Pode ser perigoso...

— Não me julgo melhor que as prostitutas nem acho que sejam melhores que eu, mas quero percorrer a trilha do mau-caráter do Jader! Ai que raiva que eu sinto de mim mesma!

Satisfazendo a vontade de Joana, Silva lhe fez companhia até o Reduto Taberna, apresentando-a à gerente do estabelecimento:

— Dona Zuleide, esta é Joana, viúva de Jader.

A gerente mediu Joana com desprezo, observando:

— Não consigo entender o que querem aqui. Não estou interessada em confusão.

Joana não deixou que Silva se manifestasse e pediu:

— Posso conversar com a senhora a sós?

— A sós também é pago, madame, pois aqui nada é de graça — respondeu Zuleide desrespeitosa.

— Entendo. Fique despreocupada, pois pagarei à senhora. Por favor...

Aceitando de mal grado, a gerente fez sinal para que Joana a acompanhasse e seguiu para um dos quartos. Por fim, convidou-a a sentar-se em uma cama, dizendo o preço:

— Este é o preço por quinze minutos, mas, se passar um minuto, pagará a rodada. E o pagamento é adiantado — Zuleide estendeu a mão esperando o dinheiro.

Joana abriu a bolsa e entregou-lhe as notas e a aliança de casamento, justificando:

— Aqui está. Mesmo que leve menos tempo, pode ficar com este "objeto" também. Apenas peço que me trate com menos hostilidade, pois não vim acusá-la de nada nem estou procurando confusão.

— Mas por que está me dando esta aliança? Tem o nome de Jader e a data de casamento.

— É porque esta aliança estava comigo, mas nunca me pertenceu. Aquele que se dizia meu marido, na verdade, estava casado com vocês.

Contrariada, Zuleide abriu a mão de Joana, devolvendo a aliança:

— Por isso é que nunca quis este tipo de aliança que não vale nada! Nunca encontrei um homem que prestasse nesta vida. São todos farinha do mesmo saco, mas não sou psicóloga. Diga o que quer e vá embora.

— Desejo saber o paradeiro da moça que engravidou do Jader. A criança não tem nada a ver com isso e penso em oferecer ajuda a tal da Cássia, que pode estar em dificuldades.

— Qual interesse você teria em ajudá-la, já que, além de "chifrada" por uma prostituta, a madame só soube disso depois que seu marido morreu?

— É a minha consciência que comanda e posso lhe assegurar que não pretendo fazer nada de mal a essa moça. Ela, certamente, foi mais uma vítima de Jader. Silva me contou que ela foi até ameaçada pelo meu marido, porque não queria abortar a criança.

— Vítima coisa alguma! Ela planejou a gravidez e eu mesma a aconselhei a não dar continuidade a isso. Ela quis dar uma de esperta e se azarou.

— Zuleide, por favor, me dê uma pista de onde posso encontrar Cássia. Tome.

Joana tirou um bolo de notas da bolsa, sem contar quanto havia, e entregou a Zuleide, que guardou o dinheiro no sutiã:

— Prometa que não voltará mais aqui, senão vai me ferrar.

— Prometo. Basta me dar um norte para que eu desapareça daqui para sempre.

— Só quero ver... Cássia já não batia bem das ideias e ainda mais barriguda... Não tinha serventia para nada neste lugar. Teve crises de loucura, mais ou menos no quinto mês de gravidez, e tomou até água sanitária com sabão em pó para abortar a criança. Na última vez que surtou, o dono daqui, que é delegado, despachou a moça não sei para onde e não tivemos mais notícia dela. E é só. Passar bem — Zuleide levantou-se com rudeza apontando a saída para Joana, que insistiu:

— Por favor, me informe o nome completo de Cássia para procurá-la...

Zuleide arregalou os olhos, apontando novamente a saída e aumentando o tom de voz:

— Eu disse "passar bem"! Não dê uma de surda, senão pedirei para que a coloquem para fora!

Sem alternativa diante da animosidade de Zuleide, Joana saiu ao encontro de Silva, que a aguardava no sofá:

— Vamos, Silva. Não temos mais nada a fazer aqui.

Enquanto caminhavam para a saída, uma jovem os ultrapassou, acendeu um cigarro e os esperou do lado de fora do bordel. Quando Joana passou, ela sussurrou-lhe de maneira leviana:

— Eu estava no quarto ao lado, despachando um molenga, e ouvi quase tudo... Disfarce e jogue "cinquentinha" na minha mão, que lhe falo o nome da biscate.

Sem pestanejar, Joana vasculhou a bolsa, tirou umas notas e viu que faltava pouco para completar o que a moça havia pedido.

— Veja, isto é tudo que me restou.

Grosseiramente, a moça arrancou as notas da mão de Joana, dizendo-lhe ao ouvido:

— Cássia era nome de guerra. O nome verdadeiro dela é Josefina Araújo. "Passar bem" — finalizou em tom provocativo, mas Joana continuou:

— Ganhará mais "cenzinho" se me disser onde encontro a Josefina Araújo.

— Então me dê logo, senão a bruxa da Zuleide irá desconfiar.

Joana disse para Silva:

— Dê-me uma nota de cem. Rápido, homem! Depois lhe pago!

Silva atendeu ao pedido de Joana, que passou sorrateiramente a nota para a moça.

— A Cássia foi "jogada" no hospício do Juqueri — a moça sussurrou ao ouvido de Joana.

Enquanto Joana, a passos rápidos, seguia para o carro de Silva, o detetive entrou no veículo e perguntou intrigado:

— O que aquela moça lhe disse? Descobriu algo mais?

— Não. Por favor, vamos para seu escritório que lhe farei o cheque conclusivo desta investigação com o dinheiro que lhe devo pelo pagamento da moça.

— Não dará continuidade à investigação para saber o paradeiro da tal de Cássia?

— Não, detetive. Agradeço sua contribuição e fiquei muito satisfeita por ter chegado até aqui. Se, futuramente, precisar dos seus serviços, o procurarei. Não irei mais longe porque não quero saber de encrencas. O que descobri até agora já é o suficiente.

Capítulo 25

Em voz alta, Jader remoía:

— Estranho que o tempo pareça não passar... Tenho pensado tanto em Joana... Será que está viva com Priscila e Murilo?

E refletia:

— Como pode tudo ter se perdido assim? Por que as pessoas são tão indiferentes quando deveriam ser solidárias umas com as outras, unindo-se? Mas quem sou eu para julgar, se sempre fui disperso e ausente? Poderia ter sido feliz com Joana, mulher valorosa, dedicada... Por que agia daquela forma com ela? Reconheço que me casei por interesse, mas não consigo entender por que nunca quis fazê-la feliz...

O estagiário Ezequiel comentou com Abelardo, anjo de Jader:

— Parece que, finalmente, Jader está caindo em si, abrindo as portas para a luz...

— Pelo que parece sim, mas não é luminoso como o arrependimento — respondeu Abelardo.

— Seria esta a oportunidade de intervirmos?

— Ainda não. Infelizmente, Jader ainda permanece introspectivo aos próprios interesses. Se intervirmos agora, poderá ser perigoso. Ele está preparado para reconhecer algumas faltas, mas não para assumi-las integralmente. Se intervirmos neste momento, poderemos colocá-lo em uma situação mais crítica do que a atual.

— Ele poderia se inserir em zonas de remorso?

— Pelo contrário. A possibilidade é de que continue praticando a mentira, empreendendo esforços apenas para safar-se das responsabilidades, o que poderia prorrogar a situação atual indefinidamente. Ele poderia acostumar-se à ociosidade ou buscar facilidades na ilusão de enganar, quando, na verdade, estaria enganando somente a si mesmo.

Perto do meio-dia, Priscila atendeu o telefone enquanto Joana estava no banho:

— Boa tarde. É a Joana?

— Boa tarde. Quem deseja falar com ela?

— É Maria Antônia do Instituto Juqueri.

Priscila fez uma breve reflexão:

"O que minha mãe estaria esperando de um hospital para loucos?".

Preocupada em entender o que se passava, Priscila aproveitou a confusão da mulher para dar continuidade à conversa, esforçando-se para reproduzir a maneira de falar de Joana:

— Sim. Como vai a senhora, dona Maria Antônia?

— Ora, Joana! Sem essa de senhora, pois você mesma me deixou à vontade para não precisarmos de formalidades.

— É verdade, Maria Antônia. Desculpe-me. Acabei me distraindo porque a tevê está ligada, mas acabei de desligá-la para falar com você. Pode falar. Tudo bem?

— Sim, amiga, tudo bem. Desculpe-me pela demora para lhe dar um retorno. Fiquei comovida com sua história e só ontem consegui pesquisar o que pediu.

Intrigada, Priscila esforçou-se para continuar fingindo com o propósito de descobrir do que se tratava aquela ligação.

— Que bom que conseguiu! Tinha certeza de que poderia contar com você. Conte-me o que descobriu, porque estou ansiosa.

— A interna a que você se referiu existe mesmo. Está internada aqui e seu histórico é de chorar. O nome que me forneceu é mesmo Josefina Araújo, mas acrescente "da Cruz", que é o nome completo da paciente.

— Como você é solícita! Sabia que podia contar com você. Por favor, continue.

— O diagnóstico dessa paciente é de psicose maníaco-depressiva. Quando deu entrada no hospital, estava mesmo grávida de cinco meses. O filho provavelmente era do safado do seu marido, como você falou, porque consta no prontuário de internação que ela entrou aqui delirando, pronunciando o nome de Jader e apontando-o como o pai da criança. Não sei o que aconteceu com o bebê e se ela fez o parto aqui mesmo. Nem sei dizer o destino da criança, se é que sobreviveu.

Custosamente, Priscila continha o choque, por isso começou a chorar, imaginando que motivos a mãe teria para ocultar tais revelações dela e de Murilo.

Notando que a moça esperava uma resposta, Priscila respondeu disfarçando:

— Estou em choque, Maria Antônia... Mas, por favor, continue... Tem como descobrirmos o que aconteceu com a criança?

— Não tenho acesso aos arquivos após tal ocorrência. A única coisa que posso lhe garantir é que a mulher ainda continua internada. Caso contrário, a ficha dessa moça não estaria mais no arquivo do qual extraí essas informações.

— Não tenho como agradecê-la, Maria Antônia.

— Compreendo o que sente, mas devo consolá--la: meu ex-marido também era um sem-vergonha como lhe falei. Depois que nos desquitamos, fiquei sabendo coisas de arrepiar. Você não perdeu grande coisa, querida... Agradeça a Deus por tirar esse pilantra de sua vida para que não a atormente mais.

— Poderia visitá-la para lhe dar um abraço e para que me leve ao encontro dessa pobre criatura a fim de prestar-lhe auxílio?

— Pelo amor de Deus, Joana! Já falei que não posso me comprometer. Se quiser ter acesso a essa mulher, recomendo que o faça através de advogados. E peço que meu nome não apareça de jeito algum, senão perderei o emprego.

— Fique despreocupada, amiga. Minha filha é estudante de Direito e conhece advogados. Sei que poderei contar com ela.

— Desejo-lhe, então, boa sorte. Outra coisa que queria lhe dizer: você falou que não queria envolver seus filhos nesta história, mas, por experiência própria, não adianta querer preservá-los, pois, cedo ou tarde, eles poderão descobrir o canalha que era o pai e a culparão de ter escondido isso deles. Comigo também foi assim. Meus filhos colocavam o pai num pedestal, daí descobriram por outras pessoas que ele era um safado e me acusaram de omissa.

— Você tem razão, amiga. Mesmo assim, quero lhe fazer um pedido: não ligue aqui para casa por enquanto, pois quero preparar meus filhos para uma notícia como essa.

— Fique sossegada, Joana. Aproveitei que não tem ninguém aqui na sala e liguei para você, porque é complicado. Se souberem que fiz isso, estou frita.

Priscila permaneceu atônita no sofá, ainda se refazendo das revelações, que desmoronaram a figura paterna que construiu.

Joana surgiu demonstrando preocupação ao ver Priscila transfigurada.

— O que houve, Priscila? Por que está chorando?

— Nada de mais, mãe. É que perdi um documento importante de uma audiência e fiquei chateada. É só isso...

Naquele mesmo dia, Priscila determinou que descobriria outros detalhes da história. Fez alguns telefonemas cruzando contatos, movimentou forças de onde conseguiu, até conquistar o que mais queria: a possibilidade de marcar uma visita com a paciente Josefina Araújo da Cruz no dia seguinte.

Ao final do dia, Priscila telefonou para Gratiel, pedindo para que a acompanhasse e combinando de esclarecer detalhes quando estivessem a caminho do Instituto Juqueri.

Priscila adormeceu angustiada e, quando seu espírito se desprendeu, foi levada ao encontro de Jader.

Sem notar a presença de seu anjo Natanael, Priscila observava Jader encostado em uma árvore seca, envolto por uma névoa escura na paisagem lúgubre, expondo em seu semblante solidão e tristeza.

Natanael tornou-se visível para Priscila:

— Seu pai não consegue vê-la e o campo vibratório no qual está envolvido não é propício à sua aproximação.

— Moço, ele consegue me ouvir? Posso tentar falar com meu pai?

— Tente. Fale com o coração.

Ao ouvir a voz da filha chamando-o, Jader levantou-se depressa:

— Filha, onde você está? Que saudade...

Angustiada ao notar o pai esfarrapado e sujo, Priscila começou a chorar e, amparada por seu anjo Natanael, continuou:

— Pai, por que o senhor traiu a mamãe? Por quê?

— Do que está falando, filha? — gritou Jader sentindo-se desmascarado.

— Você traiu a mamãe e teve um filho com outra mulher, pai... Eu descobri... Por que fez isso com a gente?

Jader encostou-se em um tronco com as duas mãos à face, encolhendo-se para responder:

— É porque seu pai é um canalha, minha filha... Perdoe-me...

Enquanto Priscila contemplava a tristeza do pai, Ezequiel, o estagiário, e Abelardo, anjo de Jader, aproximaram-se de Natanael. Abelardo disse:

— A visita da filha será de grande ajuda para Jader.

— Esperamos que sim — respondeu Natanael.

— Deus permita que a força do amor de Priscila seja capaz de motivar o pai a retirar-se dessa cadeia nociva.

— Pai, saia daí agora! — pediu Priscila com instância.

— Não posso, filha! Não sei por onde sair...

Priscila voltou-se para Natanael suplicando:

— Senhor, por favor, ajude-me a tirar meu pai dali, pelo amor de Deus...

— Ele sairá em breve, mas a levarei de volta para casa, pois o desfecho desta situação dependerá muito de você.

— O que posso fazer para ajudá-lo?

— Você saberá e sabemos de sua vontade de resgatar Cássia. Não tema. Estamos ao seu lado.

Na manhã seguinte, Priscila estava à mesa do café com Joana e Murilo:

— Tive um pesadelo com papai esta noite. Ele estava num lugar escuro, muito triste, parecia tudo demolido. Eu estava acompanhada de um senhor vestido todo de branco, que disse algumas coisas, mas não lembro o quê.

— Devia ser o inferno, Priscila — disse Joana com desdém.

Priscila retrucou, fazendo-se de rogada:

— A senhora acha que o papai merece o inferno?

— Não, querida... Não é isso... É que a descrição do lugar que você deu... Mas seu pai deve estar no céu, porque era um bom homem — respondeu Joana desconcertada, seguida de Murilo:

— Carolas, deixe o senhor Jader em paz. Ele deve estar se revirando no túmulo, para onde todos nós vamos de verdade quando morremos. Não acredito em nada desse negócio de céu e inferno.

Percebendo a reação de Joana, que ficara cabisbaixa, Priscila levantou-se e abraçou a mãe:

— Ah! Mãe... Obrigada por ser a mãe que a senhora sempre foi para nós...

— Imagine, filha... Não sei o que seria de mim se não tivesse vocês...

Capítulo 26

Conforme fora combinado, Gratiel acompanhou Priscila ao Instituto Juqueri:

— Nossa, Gratiel! Que sensação estranha eu tenho desse lugar! Parece que serei presa e não conseguirei sair daqui.

— Estranho mesmo, mas, depois do que me contou, meu medo começa agora, quando você entrar para conversar com a tal Josefina.

Depois de atenderem ao protocolo da instituição, em pouco tempo chegaram ao pequeno pátio do hospital, onde Cássia estava isolada, sentada em um banco, ensimesmada.

A atendente, que acompanhava as visitantes, as orientou:

— Aquela é a mulher que procuram. Não costuma ser agressiva, mas, em caso de imprevisto, é só chamar um dos auxiliares que estão trajando um jaleco igual ao meu. Quando terminar a visita, é só me chamar.

Priscila disse a Gratiel:

— Conforme combinamos, ficarei a sós com ela para que se sinta à vontade.

— Lembre-se de não dizer que é filha de Jader, pois isso poderá fazê-la surtar. Vá e, caso obtenha informações constrangedoras sobre seu pai, controle-se.

Priscila respirou fundo, achegou-se devagar a Cássia, iniciando um diálogo:

— Boa tarde, senhora. Posso me sentar neste banco?

Cássia mal dirigiu o olhar a Priscila, que se sentou, procurando mentalmente qual seria a melhor forma de começar aquela conversa. Inesperadamente, no entanto, Cássia virou-se para ela dizendo:

— Sei que você é a filha de Jader. O que quer de mim?

— Como sabe quem sou eu? — indagou Priscila assustada.

— Além de ser macaca velha, vi uma foto sua e de seu irmão quando tentei roubar a carteira de Jader.

Surpreendida por Cássia tê-la reconhecido, Priscila foi logo dizendo o que queria:

— Descobri coisas sobre meu pai. Honestamente, só conheço a história sobre sua gravidez e vim tentar descobrir o destino que deram ao bebê.

— Aquele maldito resolveu assumir a criança?

— Meu pai morreu há pouco mais de um ano.

Após um breve intervalo para assimilar a informação, Cássia deu uma longa gargalhada de prazer, expressando satisfação:

— Bem feito! Deus é pai, não é padrasto! Bem feito!

Sem alterar-se, Priscila continuou:

— Compreendo que meu pai a tenha feito sofrer muito, mas nós também ainda passamos por momentos difíceis, ainda mais quando soubemos dessas revelações agora. Saiba que está sendo muito difícil... — Priscila não conseguiu continuar e começou a chorar.

— Quero que saiba, menina, que não vale a pena derramar uma só lágrima por Jader, porque ele não presta. Quer dizer, não prestava, graças a Deus.

Notando que Cássia se exaltava e Priscila chorava, Gratiel aproximou-se:

— Está tudo bem, Priscila?

— Tudo bem, Gratiel. Eu acabei me alterando. Não precisa se preocupar. Por favor, deixe-nos a sós.

Gratiel afastou-se.

— Então seu nome é Priscila... Certa vez perguntei o nome dos filhos de Jader, e ele respondeu que eram João e Maria... E a tonta aqui acreditou.

— Josefina, por favor, onde está sua filha?

— Detesto esse nome! Me chame de Cássia, que é meu nome de guerra.

— Como assim seu nome de guerra?

— Então você não sabe que sou prostituta...

— Desculpe-me, Josefina, quer dizer, Cássia. Não estou aqui para julgá-la e, se me contar o que aconteceu, posso tirá-la daqui, pois não parece ser uma doente mental para estar internada neste lugar.

— Por que você me tiraria daqui?

— Porque farei o que for preciso para desfazer qualquer equívoco que meu pai possa ter cometido.

Entusiasmada com a esperança anunciada por Priscila, Cássia revelou os fatos com riqueza de detalhes desde o início, ao que a ouvinte prestava atenção boquiaberta. A mulher finalizou:

— Foi tudo armação de Jader. Ele "comprou" o dono do Reduto Taberna, que é um delegado tão sem--vergonha quanto seu pai era. Para não dar cabo de minha vida, me jogou neste inferno, aproveitando que sabia que eu me drogava. Quando a menina nasceu aqui, a levaram para não sei onde, no dia do parto mesmo. Desde então, estou apodrecendo neste lugar!

— Menina? Então é uma menina? Moverei o mundo para tirá-la daqui, mas não se ofenda com o que perguntarei: tem certeza de que era mesmo filha de meu pai?

— Não precisa ficar com onda, filhota. Sei que sou prostituta. Mas diga-me: como saberei que me ajudará a sair daqui se eu lhe contar como tenho certeza de que a menina é sua "meia-irmãzinha"?

— Cássia, confie em mim, pois, mesmo que não seja, a tirarei daqui se encontrar fundamentação jurídica na constatação dessa sacanagem que fizeram com você. Não me importa o que você tenha feito, importa o que meu pai fez.

— Então está bem. Eu lhe contarei como sei que a menina é de Jader... Sei que não sou boa bisca, mas sou boa no que faço. Quis garantir meu futuro e fiz seu pai ficar "nas nuvens", tanto que ele pagou caro pela exclusividade e parei de tomar a pílula. Só para você saber, seu queridinho pai odiava preservativo e fiz ele se tornar um assíduo freguês. Além disso, por que você acha que o maldito delegado me enfurnou aqui?

— Há quanto tempo deu à luz, Cássia?

— Acho que há pouco mais de um ano.

Priscila levantou-se prometendo:

— Não descansarei enquanto a justiça não for feita. Fique calma, pois farei tudo o que estiver ao meu alcance para ajudá-la e a manterei informada. Tem alguma pista que possa nos ajudar a descobrir onde está sua filha?

— O nome do delegado, que é dono da casa onde trabalhei, é Otacílio Miranda. Ele deve saber, pois foi quem tramou tudo com Jader. Tenha cuidado, porque ele é barra-pesada, um torturador tirano.

Após anotar o endereço do Recanto Taberna, Priscila despediu-se de Cássia, mas foi puxada pelo braço:

— Uma última palavrinha, menina. Sabe, não tenho vocação para ser mãe nem tenho condições para criar uma filha. Preciso apenas que me tire daqui e, se quiser, fique com a menina, porque não a quero.

Priscila recolheu para si a indignação que sentiu e replicou:

— Não se preocupe. Saberei o que fazer, mas primeiro preciso encontrá-la.

Priscila seguiu resoluta ao encontro de Gratiel:

— Conseguiu as informações de que precisava?

— Sim, Gratiel. E, pelo visto, precisarei mais de sua ajuda do que imaginava.

Após ter relatado o que descobriu, Priscila uniu-se a Gratiel e juntas iniciaram um plano, analisando fundamentos da lei para movimentarem forças, objetivando o cumprimento do que a jovem estabelecera como meta principal: encontrar a meia-irmã.

Gratiel articulou contatos, explorou a agenda, buscando mecanismos legais os mais variados, no caso de encontrarem a criança.

Priscila tentava obter o apoio da família em uma reunião, que aconteceu em sua casa.

Seus avós Alessandra e Celso Norton, seu tio Armando e Murilo mostraram-se contrariados com a exposição de Joana e Priscila.

— Priscila, está nos propondo que assumamos uma criança nascida do relacionamento de Jader com uma prostituta? Não posso acreditar que sua mãe esteja de acordo com uma coisa dessas! Diga, Joana! — pressionou Celso Norton.

Observando que Joana se sentia constrangida, Priscila tomou a palavra:

193

— Vovô, a mamãe, certamente, é a pessoa que mais sofre com esta questão. Mesmo assim, ela está levando em consideração o fato de que, mesmo a menina tendo sido gerada em um relacionamento escuso de meu pai, ela é nossa meia-irmã.

Murilo revoltou-se com a argumentação de Priscila:

— Tire-me dessa, Priscila! Quem saiu com uma prostituta e teve uma filha com ela foi o papai! Não eu!

Ao observar que o avô ficara satisfeito, Murilo continuou:

— Imagine só... Ter que conviver e dividir o que é nosso com a filha de uma prostituta! Isso sem contar quem nem dá para saber se é mesmo do papai. Essa criança pode ser filha de qualquer freguês, e eu não quero ser freguês de graça!

Apesar da decepção, Priscila ponderou:

— Vocês estão avaliando a situação sob o lado pessoal, de maneira egoísta! Peço que façam uma reflexão cristã, pois essa criança não tem nada a ver com os erros de papai e de Cássia. Gostaria de ouvir a opinião da vovó.

— Pois bem! Diga sua opinião para Priscila, Alessandra! — pediu irritado Celso Norton cruzando os braços.

— Compreendo sua intenção, querida Priscila, mas já ponderou sobre as mudanças que uma criança vinda desta forma significaria para nosso cotidiano? Pense nas consequências que um escândalo dessa proporção causaria ao nosso meio social.

Visivelmente contrariada pela exposição da avó, Priscila respondeu:

— Penso que, infelizmente, ainda hoje participamos de uma cultura convencionalista, na qual nos preocupamos mais com o que os outros pensarão, em prejuízo do que realmente pensamos e deveríamos fazer. Portanto, para não perdermos mais tempo com esta conversa, gostaria apenas de saber se pretendem fazer algo a respeito para contribuir conosco, no caso de encontrarmos a menina.

Celso Norton deu uma incisiva resposta:

— Nada! Absolutamente nada, Priscila! Admiramos suas intenções humanitárias, mas devo lembrá-la de que, se ideologias correspondessem a propósitos elevados, Mahatma Gandhi seria presidente e não um homem perseguido. Antes de julgar com antipatia minhas observações, gostaria de lembrá-la de que, por reconhecer este fato, vocês hoje não passam fome nem necessidades como seus bisavós e nós passamos, quando imigramos para o Brasil. Se quiser aliviar a consciência, comprando os desatinos de seu pai, ajude uma instituição de caridade para órfãos, pois desta maneira estará atingindo esta infortunada criatura bastarda, mas não queira que inocentes como nós tenhamos que assumir descalabros de atitudes irresponsáveis. Pense que somos responsáveis pelo que fizermos, mas não queira nos envolver em assuntos que não queremos. Você me entendeu?

Priscila simulou acatamento:

— Sim, vovô. Entendi e agradeço a atenção de vocês.

Celso Norton rematou enfático, dirigindo-se a Murilo e a Armando:

— Quanto a vocês, Murilo e Armando, não quero que comentem sobre este assunto com ninguém! Se souber de algum comentário, terão de se ver comigo! Aprendam a ser objetivos e valorizem somente o que vale a pena, pois assim saberão dar continuidade ao nosso legado.

Notando que Armando se distraía comendo um prato de biscoitos e bebendo café, Celso Norton chamou-o, alterando o tom de voz:

— Armando, você entendeu o que acabei de dizer?

Armando engasgou respondendo com ironia:

— Sim, claro, pai! Jader? Quem é Jader?

Mais tarde, enquanto Priscila remoía o resultado decepcionante da reunião familiar em seu quarto, Joana entrou para consolá-la:

— Filha, é difícil imaginar como uma pessoa inteligente como você esperasse uma opinião diferente de alguém como seu avô, uma submissa como sua avó, um machista como Armando e um rapaz inexperiente como seu irmão...

— Não me conformo também com a senhora, que não disse uma palavra a meu favor nem me apoiou quando fui questionada pelo vovô.

— Adiantaria dizer alguma coisa, depois de tudo o que ouviu, Priscila? Lembra-se de que a avisei antes?

— A senhora tem razão. Seria preciso um terremoto para amolecer um coração de pedra como o do vovô... Mas que droga! Se ele concordasse, todo mundo concordaria! Isso é o que chamo de ditadura social!

— Seu avô sofreu muito antes de conquistar um lugar ao sol... É questão de criação, filha...

Priscila deitou-se, apoiando a cabeça no regaço de Joana:

— O que faremos, mamãe?

— Atuaremos em silêncio, correndo contra as dificuldades. Apoiarei você financeiramente e moralmente até conseguirmos chegar aos nossos objetivos, mas devemos agir com cautela, pois, se o todo-poderoso Celso Norton desconfiar, é capaz de nos deserdar...

Capítulo 27

1981

Depois de ouvir os lamentos de Priscila sobre o resultado da reunião familiar, Gratiel observou:

— Não se lamente. Agradeça! Pior seria não poder contar com sua mãe, a pessoa mais importante para nós neste processo. É que, sendo ela a esposa do falecido, talvez possamos apontá-la como a responsável pela guarda da criança, considerando as impossibilidades de Cássia.

— Como faremos para conseguir a informação sobre o paradeiro da criança com o delegado, se a Cássia já falou que o homem é um casca-grossa?

— Esta certamente é a parte mais delicada desta situação... Ainda mais em um regime militar... Pensei em pedir ajuda ao padre Albertino. Ele poderia nos ajudar.

— Excelente ideia, Gratiel!

Padre Albertino concordou em ajudá-las e marcou uma audiência com o delegado Otacílio Miranda. No dia do encontro, foi encontrá-lo acompanhado de Gratiel e Priscila.

O delegado pediu que o grupo entrasse, recepcionando-o de forma altiva:

— A que devo a honra de visitas tão ilustres?

Após os cumprimentos, Gratiel explanou a situação, como se padre Albertino fizesse parte da história.

À primeira menção de Jader, Otacílio Miranda não disfarçou seu desconforto, ouvindo o resto da história a contragosto.

Para que Otacílio não se sentisse intimidado, combinaram previamente de não revelar ao delegado como Joana obtivera as informações sobre Cássia e que sabiam que ele era o proprietário do Recanto Taberna e que ele se envolvera em uma extorsão, quando foi aliciado por Jader.

Concluído o relato, Gratiel passou a palavra para Priscila:

— Procuramos o senhor com um único objetivo: encontrar a criança gerada por Cássia, considerando que ela seja minha meia-irmã.

Incomodado com a situação, pois não imaginara que tais revelações pudessem vir à tona, o delegado tentou fazer Priscila mudar de opinião com irreverência:

— Minha filha, de onde você tirou a ideia de que essa criança pode ser sua irmã? Acha mesmo confiável acreditar na palavra de uma prostituta? Estou acostu-mado a lidar com essa gente e posso garantir-lhe que essas pessoas são capazes de qualquer coisa para conseguirem o que querem, ainda mais quando encon-tram um "peixe grande" como seu pai.

Serenamente, padre Albertino manifestou-se expondo algumas parábolas evangélicas, a história de Maria Madalena e pequenos relatos sobre as recomen-dações de Jesus a respeito dos julgamentos, a que o delegado fingiu ouvir com paciência e interesse, quando sua vontade era de expulsar todos da sala.

No auge do discurso, quando já não suportava ouvir o padre, o delegado o interrompeu e declarou:

— Sim, respeitável padre, todos nós procuramos ser melhores para não devermos a Deus, mas queiram me desculpar, pois tenho alguns despachos a fazer. Não vejo em que possa ser útil num caso como esse. E, se a senhorita Priscila me permite dar uma sugestão, acredito que seria melhor deixar a situação como está, pois não fará diferença, considerando a infelicidade do falecimento de seu pai...

A questão estava prevista nos planos, e foi a vez de Gratiel manifestar-se:

— Acreditamos que somente um homem influente e competente como o senhor poderá nos ajudar, pois, na época, tramitou o processo, agindo com muita sensatez e conduzindo Cássia à internação. Afinal, já imaginou se assim não tivesse procedido? O que teria feito Cássia com um bebê indefeso? Realmente, parabéns pela decisão digna de nota.

O delegado sentiu-se mais à vontade, supondo que os interlocutores desconheciam até que ponto ele estava envolvido no caso. No entanto, ainda tentou esquivar-se:

— Está aí outro motivo para vocês não prosseguirem com isso: já imaginaram a repercussão que tomaria esse caso, sendo sua família renomada na sociedade? Esposa, filhos, enfim, toda a família, vítima de um escândalo? E tudo por causa de um caso de um pai de família envolvido com prostitutas?

As amigas também previram aquele ponto. Foi a vez, então, de Priscila elogiar o delegado com um longo discurso, utilizando-se de argumentos relacionados ao cargo que ocupava:

— Não será preciso preocupar-se com isso, senhor delegado! Obtivemos o apoio de toda a família para investigar a fundo essa história. E, caso não consigamos encontrar a criança, recorreremos à divulgação televisiva, pois meu avô já fez contatos com eminentes repórteres, que se interessaram pelo caso e se colocaram à nossa disposição, o que será muito útil para o doutor delegado divulgar o bom trabalho que fez. Resolvemos vir até o senhor, porque o juiz Alfredo Albuquerque o indicou por meio da doutora Gratiel para evitar trâmites que trariam constrangimento e, claro, seu envolvimento na mídia. Até o doutor Norberto Lins, que é o proprietário do escritório de advocacia em que trabalho, o conhece e recomendou que viéssemos conversar pessoalmente com o senhor para evitarmos maiores esforços...

Neste instante, enquanto Priscila falava, os anjos reunidos infundiram no campo mental do delegado cenas hipotéticas, fazendo-o imaginar o Recanto Taberna invadido por repórteres ávidos por sensacionalismo, revelando sua atuação escusa, sua foto impressa nos jornais, manifestações de ativistas na porta da delegacia, entre outras contrariedades, que Otacílio decidiu evitar.

Como quem tem uma explosão de alegria, o delegado deu um soco na mesa, correspondendo à exposição de Priscila, e exclamou:

— Farei valer toda essa confiança da qual sou depositário do meritíssimo juiz, da Igreja e da sociedade civil! Um de vocês volte aqui daqui a dois dias e terei a localização da criança.

Sem deixar que algo mais fosse dito, Otacílio Miranda apertou as mãos dos três visitantes, abriu a porta para que saíssem, dando a entender que se ocuparia do assunto imediatamente.

Antes de atravessar a porta, Gratiel anunciou:

— Registrarei este fato para futuras indicações políticas que possam beneficiá-lo.

Padre Albertino complementou:

— Deus o abençoe, delegado!

Priscila simulou emoção agradecendo:

— Obrigada por permitir que este caso não se torne um escândalo nacional!

Fingindo-se de envaidecido, o delegado disse antes de fechar a porta:

— Não há o que agradecer, moça! Estou cumprindo meu dever com a sociedade e com Deus!

Do lado de fora, padre Albertino chamou a atenção de Gratiel e Priscila, que pulavam abraçadas comemorando:

— Meninas, estão comemorando muito cedo. Melhor não fazerem barulho, senão o delegado pode ouvi-las e mudar de ideia.

Na sala do delegado, permaneceram os anjos Natanael e Osório, sendo criticados por três entidades, duas masculinas e uma feminina, que estavam ali com objetivos diferentes:

— É muita ousadia dos santões estarem aqui querendo "mandar" em nosso pedaço! — disse um deles, seguido pelo outro:

— Desde quando um "anjinho do senhor" infunde tragédias na cabeça dos outros, para conseguir o que quer?

Natanael respondeu serenamente:

— Nem sempre o bem se manifesta apenas com ideias de figuras angelicais...

— Vocês se acham "os tais", julgam-se melhores, essa é a verdade! — retornou o primeiro, recebendo, desta vez, a resposta de Osório:

— Não estamos aqui para medir forças. Vocês também podem sentir a alegria de trabalhar no bem, desejando o bem, em vez de obsidiarem.

Apontando Otacílio Miranda, a entidade feminina indagou:

— Vocês acreditam que seja possível sentir alegria numa pessoa como esta? A única alegria que vejo é fazendo-o escorregar.

— Qualquer ação no bem nos faz bem, mas se fizer o mal, terá de responder também — respondeu Natanael. — A vontade de praticar o bem não se preocupa com resultados. Quanto ao mal... A decisão é íntima para resultados íntimos.

Notando a introspecção da entidade feminina, anjo Osório convidou:

— Vejo que você se sente em um ambiente hostil. Aceita conhecer uma realidade diferente desta a que se dedica e que não lhe traz paz, Amélia?

— Você sabe meu nome! Realmente, minha vida tem estado sem sentido. Gostaria sim...

Uma das entidades ironizou com despeito:

— Pronto! A Amélia vai para o céu. Essa é boa!

— Caso seja do interesse de vocês dois nos acompanharem também, estejam à vontade — convidou Natanael, obtendo a seguinte resposta escarnecedora:

— Não! Obrigado! Ficaremos aqui fazendo "o bem" que acreditamos ser o "bem-bom" de se praticar, oh! Divino mestre!

E Amélia seguiu Osório e Natanael.

Capítulo 28

Enquanto Jader cavava um enorme buraco, Ezequiel perguntou a Abelardo:

— O que Jader está fazendo?

— Está preocupado de faltar lugar para estocar provisões — Abelardo informou.

— Ainda está em estado psicótico?

— Não. A mente dele apenas alimenta as ilusões de ambição e poder, mesmo onde não há utilidade, como é o caso.

— Está enjoado de não ter o que fazer.

— Sim, Jader está atravessando o estágio em que já não suporta a inação, por isso ocupa-se de atividades sem fundamento.

Afastado dali, após horas cavando o buraco, Jader esboçou um desenho no chão com um pedaço de pau. Desenhou as mesmas proporções de área, começando a cavar outro buraco com um instrumento rudimentar.

Abelardo orientou Ezequiel:

— Permaneça invisível para Jader. Tentarei ajudá-lo.

Abelardo transfigurou-se em um maltrapilho e aproximou-se de Jader:

— Moço, moço, por favor, será que pode me ajudar?

Apontando o instrumento que utilizava para cavar, Jader ficou irado e ameaçou o maltrapilho:

— Afaste-se daqui senão irá levar na cabeça!

— Calma, moço! Venho em paz para pedir-lhe ajuda...

— Saia daqui, porco imundo! Não percebe que estamos num mundo em que cada um está por si? Desapareça de minha frente. Não dividirei nada com você! Vire-se!

— Moço... Por favor, então me diga onde posso conseguir alimento e água. Estou necessitado.

— Siga na direção da cidade destruída. Pode ser que, mesmo depois de sete dias do desastre, ainda encontre alguma coisa. Deve ter comida enlatada... Mas não volte mais aqui, estou avisando!

Abelardo retirou-se cabisbaixo, afastando-se ao encontro de Ezequiel. Desfazendo-se da camuflagem, foi recepcionado com decepção:

— É lamentável a que ponto um espírito chega quando o egoísmo domina o ser.

— Não se lamente, Ezequiel. Esta é uma fase pela qual a maioria de nós passa em algum momento da existência para valorizar a realidade da vida.

— Jader contabiliza sete dias, quando já se passaram mais de dois anos... Desculpe-me, Abelardo, mas não há como não lamentar por isso.

— Entendo... É que sei que chegará o dia em que nosso irmãozinho Jader irá revelar solicitude em quaisquer circunstâncias... Enquanto isso não acontece, ficará satisfeito na ilusão de cavar buracos para guardar provimentos, precavendo-se do que acredita vir a faltar.

204

Gratiel obteve do delegado Otacílio Miranda a localização da filha de Cássia.

Apenas um dia se passou, e Gratiel conseguiu marcar uma visita para conhecer a menina. Em um orfanato católico, aguardava a vez para conhecer a criança na companhia de Priscila:

— Priscila, tenha calma! Andando para lá e para cá desse jeito, você vai furar o chão.

— Eu e mamãe não conseguimos comer nem dormir direito devido à ansiedade. Coitada da mamãe. Não quis vir por medo de prejudicar a menina, pois sabia que não conseguiria conter o pranto.

— Por falar nisso, procure controlar-se para não assustar a menina, pois ela tem pouco menos de dois anos de idade e não entenderia o porquê de tanta emoção. Ela pode pensar que você não está gostando de alguma coisa.

— Pode deixar que me preparei para isso. Maria Vitória! Quem diria que conseguiríamos? Sinto-me realizada!

Uma freira despontou no fim do corredor de mãos dadas com a pequena Maria Vitória, que, assim que foi informada pela freira sobre a visita, abriu os braços para Priscila, que se ajoelhou para acolhê-la.

Ao olhar Maria Vitória de perto, Priscila não conseguiu dominar a emoção:

— Você é linda demais... Parece comigo...

A freira mostrou-se preocupada com o choro incontrolável de Priscila, fez menção de intervir, mas Gratiel tomou a frente delicadamente, fazendo a amiga afastar-se. Depois, pegou Maria Vitória no colo e fez as apresentações:

— Essa chorona, que está se debulhando em lágrimas por tê-la achado linda, é a tia Priscila. E eu sou a tia Gratiel.

Depois de conversarem e brincarem por mais de uma hora com Maria Vitória, a freira levou a menina, pois o horário de visita encerrara-se.

— Gratiel, levarei essa menina comigo, nem que precise sequestrá-la!

— Não diga bobagem, Pri! — repreendeu Gratiel.

— Vamos conversar com a madre superiora agora mesmo. Desta vez, diremos a verdade, mas não demonstre emoção, senão pode pôr tudo a perder. Se quiser, posso falar a sós com ela.

— De maneira alguma! Cheguei até aqui, vou até o fim. Fique tranquila, saberei me comportar como fiz com o delegado.

Na sala da madre superiora, Gratiel expôs todos os fatos desde o início, concluindo:

— A senhora percebe a situação delicada em que nos encontramos, madre Rita de Cássia? Por um lado, os avós, o tio e o irmão discordam; por outro, a mãe e a filha descobriram tudo o que lhe contamos e pretendem assumir Maria Vitória. O que podemos fazer, madre? A senhora tem alguma sugestão a fazer com sua experiência?

Madre Rita de Cássia franziu a testa para responder:

— Difícil... Um processo de adoção num caso assim demandaria anos e não seria realizado. Você é advogada e não preciso lhe dizer como é complicado, ainda mais se tratando da guarda de uma criança indesejada por parte da família.

Priscila pediu:

— Madre, sofri muito com a perda de meu pai e com a descoberta do que se passou com Maria Vitória.

Estou aflita para ter a menina ao meu lado, não por obrigação, mas pelo real sentimento de irmã que tenho a ela. A senhora me ajudará?

— Olhe, moça, preciso lhe contar uma coisa: essa criaturinha de Deus estar aqui é realmente um milagre Dele... Existem fatos que vocês desconhecem...

— Por favor, Madre, conte-nos o que sabe — pediu Gratiel.

A madre olhou para Priscila com desconfiança.

— Madre, não se preocupe comigo, pois sei que meu pai não agiu corretamente. Gostaria de saber toda verdade, se a senhora não se incomoda em nos contar.

— Soubemos de uma criança prematura de sete meses, que ficou entre a vida e a morte na incubadora por mais de um mês, situação ocasionada por constantes tentativas de aborto e pelo uso de drogas por parte da mãe. Não pretendo instigar a revolta em você, mas devo lhe contar que uma noviça de nossa congregação ficou penalizada devido a um fato aterrador que ocorreu na maternidade. Pouco tempo após o nascimento da menina, certo homem visitou o berçário, interessado em obter notícias sobre a situação da criança. Pois a noviça flagrou este mesmo homem, que era Jader, seu pai, aliciando uma das enfermeiras para deixar a recém-nascida morrer. Chegou a oferecer-lhe dinheiro, alegando que a bebezinha fora concebida por uma prostituta. Ao tomar conhecimento do fato, tomei a frente nos esforços de vigilância e nossa menina sobreviveu, com a graça de Deus. A trouxemos para cá e a batizamos com o nome da mãe de Jesus, porque foi uma vitória de Deus superar tantas adversidades neste mundo obsceno.

Chorando, Priscila pediu:

— Que Deus perdoe meu pai... Madre, eu lhe imploro: permita-me reverter esta situação. Deixe-me dar o amor que meu pai negou à minha irmãzinha...

Comovida, madre Rita de Cássia pensou por alguns instantes, dizendo:

— Minha filha, no momento, a única alternativa que vejo é permitir que continue visitando Maria Vitória.

A caminho de casa, Priscila ficou em silêncio, que logo foi quebrado por Gratiel:

— Pri, a vida continua... Devemos agradecer por encontrar Maria Vitória saudável e feliz depois de sabermos de tudo pelo que ela passou.

— Eu sei. Agradeço a Deus e a você pela força que está me dando num momento tão difícil.

— Imagine, querida... Adorei Maria Vitória e, se eu fosse casada, com certeza a adotaria.

— Não pretende se casar?

— Não sei. Está difícil, porque, apesar de ter trinta e um anos, percebo que hoje em dia os homens fogem de mulheres seguras e independentes, quando não se aproximam para se aproveitar, buscando facilidades financeiras. Faço o possível para não acabar amargurada como algumas que vejo por aí.

— E aquele cara por quem foi apaixonada? Qual é o nome dele mesmo?

— Noel... É estranho que, mesmo me envolvendo com outros homens, nunca o esqueci. Sinto que, até hoje, é um assunto não resolvido. Mas ele tem família, por isso evito pensar nele.

— Se eu tiver que baixar a cabeça a tudo como fez minha mãe e faz minha avó, prefiro ficar sozinha! Acho uma grande besteira alguém se casar só para satisfazer as convenções sociais. Não sou objeto para me colocar à disposição de um homem.

— As coisas estão mudando, Pri. A tendência é que a cabeça dos homens mudem para melhor. E, com certeza, você encontrará um rapaz que mereça uma mulher com seu potencial e dedicação.

— O que direi à mamãe?

— Não magoe Joana com as novidades que descobriu sobre seu pai, pois ela já teve tristezas demais. Estes fatos sobre o atentado à vida de Maria Vitória em nada acrescentarão. Mostre apenas a felicidade por ter conhecido sua irmãzinha.

— E quanto a Maria Vitória? Não me conformarei em apenas visitá-la de vez em quando.

— Marcarei uma conversa com padre Albertino, que foi de grande utilidade na conversa com o delegado. Confio muito nos conselhos dele. O que acha?

— Boa ideia! Também gostei muito dele.

Capítulo 29

Padre Albertino terminava a celebração de uma missa de sétimo dia, quando Gratiel e Priscila chegaram à sacristia.

Depois de relatarem as novidades sobre Maria Vitória, o padre vibrou de alegria:

— Que bênção essa menina ter sobrevivido!

Gratiel continuou:

— Viemos novamente pedir seus conselhos, padre. Queremos adotar Maria Vitória, mas, como sabe, os obstáculos são enormes. O que o senhor acha de procurarmos um casal que seja próximo de nós e que nos permita acesso diário à menina? Um casal que a adotasse para participarmos mais de sua vida?

Padre Albertino ajeitou-se na poltrona para responder:

— Situação complicada... Se eu entendi direito, vocês estão falando de adoção indireta. É difícil imaginar que possam encontrar alguém que concorde com tamanha interferência na educação de uma criança.

Priscila demonstrou preocupação:

— Nós nos preocupamos tanto com a parte do amor, que nos esquecemos deste detalhe, que certamente será outro obstáculo.

Dirigindo-se a Gratiel, padre Albertino fez uma indicação:

— Estou me lembrando de uma pessoa suficientemente amorosa para cuidar de muitas crianças... Lembra-se de dona Ana?

— Nossa! Como não pensei nela, meu Deus?

— Quem é dona Ana? — perguntou Priscila entusiasmada.

— Uma senhora que perdeu dois filhos em desastres de automóvel. Levei dona Ana para Uberaba, em Minas Gerais, para conhecer o Chico Xavier. Ele psicografou uma mensagem do filho dela e, depois daquele dia, a vida de dona Ana se modificou tanto que ela deixou de ser católica para tornar-se espírita. Abriu um centro, onde realiza um lindo trabalho assistencial na creche, que funciona como extensão de sua casa.

— E o senhor não ficou chateado, padre? — perguntou Priscila.

— De maneira alguma, filha! Decerto que dona Ana era muito atuante em nossa igreja, mas continua sua obra cristã em benefício da comunidade, contribuindo com muitas famílias que deixam seus filhos com ela, porque não têm condições de pagar uma creche. Além disso, somos amigos até hoje.

Gratiel disse eufórica:

— Está vendo porque sou apaixonada por este padre lindo, Priscila? Não sei como o Vaticano ainda não o nomeou Papa!

— Minhas filhas, não sejam afobadas! Quero lembrar-lhe, Gratiel, que o nome do esposo de Ana é Jonas. Ela não pode tomar uma decisão sozinha.

No mesmo dia, por volta das oito da noite, Gratiel e Priscila estavam em frente à casa de Ana, tocando a campainha, e foram atendidas por um rapaz:

— Viemos conversar com dona Ana. Ela está? — perguntou Gratiel.

— Sim, mas não pode atendê-las no momento. As senhoras desejam aguardar?

— Se pudermos, agradecemos. Isto é, se não for inconveniente — respondeu Gratiel.

— De forma alguma... Peço apenas que não conversem em um tom alto de voz para não atrapalhar o trabalho.

— Que trabalho? — perguntou Priscila.

— O trabalho de socorro aos espíritos, no qual dona Ana é dirigente.

— Ah! Sim, pode deixar. Ficaremos em silêncio e somos agradecidas... Desculpe-me, qual é seu nome? — perguntou Priscila.

— Desculpem-me por ter esquecido de me apresentar. Meu nome é Laércio — estendeu a mão para cumprimentá-las.

— Eu sou Priscila e ela Gratiel. Prazer em conhecê-lo. Obrigada.

Assim que Laércio fechou a porta, Priscila cochichou para Gratiel:

— Nossa! Que "pão"! Que educação e que charme, você viu?

— Sim, vi, mas não vi como você, senhorita Priscila! Acho que a Igreja perderá mais uma católica, isto sim!

Na sala ao lado, acontecia o trabalho, mobilizando esforços do plano invisível.

O anjo de Ana dirigiu-se a Natanael, anjo de Priscila:

— A oportunidade é propícia para acionar Abelardo e trazer seu tutelado para tentar despertá-lo.

No umbral de Jader, Natanael anunciou a Abelardo a presença de Priscila na sala ao lado, onde se processava o trabalho de orientação a espíritos na casa de Ana. Ele respondeu:

— Pode ser muito bom para auxiliar o despertar de Jader, mas terei de hipnotizá-lo para que acredite que está sonhando. Caso contrário, o choque com a realidade o colocará em uma situação delicada.

Com a assistência do estagiário Ezequiel, Abelardo encaminhou Jader hipnotizado para a sala de orientação na casa de Ana, onde aguardaram a vez no atendimento.

O espírito Eleutério, dirigente do trabalho, orientou Abelardo:

— Eurídes, anjo de Ana, já me informou sobre os fatos. Jader dará comunicação por meio do médium Roberto, porque tem mais afinidade vibratória, enquanto o espírito Euzébio fará com que Jader pense estar falando por si mesmo. O espírito Raul providenciará que os nomes mencionados por Jader sejam ocultados, filtrando as informações que forem transmitidas ao médium Roberto. Falarei através de Ana para vocês saberem o momento de retornarem Jader, assim que verificarmos o final da conexão entre o médium e ele.

Em determinado momento, Ana observou Roberto dar passividade, assim que anjo Abelardo tirou Jader do estado hipnótico, dando início à manifestação:

— Onde estou? Quem são vocês?

— Seja bem-vindo, irmão. Somos amigos e estamos aqui para saber em que podemos ser úteis — disse Ana.

— Serem úteis? E quem disse que preciso de ajuda? Aqui é cada um por si! Se vieram roubar minhas coisas, sugiro que saiam daqui agora mesmo!

— Você foi conduzido até aqui. Não estamos interessados em tirar nada de você; ao contrário, estamos aqui para doar.

— Doar o quê, minha senhora? Que lugar esquisito é este? Parece que não foi destruído... Está tudo arrumado e vocês estão bem-vestidos...

— Este é um núcleo de ajuda espiritual, no qual doamos amor e consolação através da prece.

— Núcleo de ajuda espiritual... Que história é essa? Vocês são mortos, é isso?

Ana deduziu que o espírito manifestante desconhecia sua condição e conduziu o diálogo de forma a orientá-lo:

— Em que situação o irmão se encontra?

— Pare de me chamar de irmão! Não sou seu irmão.

— Desculpe-me. Em que situação o senhor se encontra?

— Ora, minha senhora... Está se fazendo de rogada? Estou na mesma situação em que todos estão: no fim do mundo. Nós somos os sobreviventes... E, aliás, onde conseguiram essas roupas limpas?

— Senhor, por favor, escute com atenção: às vezes não nos damos conta da nossa verdadeira condição e não aceitamos algumas situações difíceis. Olhe à sua volta e veja o que os amigos do plano espiritual lhe mostrarão... Olhe à sua volta...

Jader percorreu o olhar pelo lugar, visualizando Priscila através da parede, exaltando-se:

— Minha filha está ali sentada com aquela mulher! Preciso falar com ela.

O espírito Raul fez com que o nome de Priscila fosse interpretado pelo médium Roberto apenas como "minha filha", enquanto Abelardo controlava Jader magneticamente para que ficasse preso no lugar em que estava:

— Não consigo me mover! Por favor, preciso falar com minha filha. Soltem-me! Por que ela não me ouve?

Priscila! Priscila! — outra vez o espírito Raul agiu na omissão do nome.

Ana prosseguiu na orientação, verbalizando desta vez inspirada pelo dirigente espiritual Eleutério:

— Tenha calma e pondere sobre sua situação, amigo... Não tenha medo de que Deus dirija nossas vidas para que o melhor aconteça. Quando Ele permite o fim de nossa permanência na matéria, é porque continuamos na vida espiritual. Fique em paz e siga com os benfeitores que o assistem...

Jader desesperou-se dizendo que não estava morto, mas essas palavras foram impedidas de chegarem ao médium Roberto pelo espírito Raul. Abelardo, então, colocou seu tutelado novamente em transe hipnótico, conduzindo-o à casa mental nas zonas umbralinas, promovendo seu despertar logo em seguida.

Jader pensou que despertava de um sonho. Assustado, ficou imaginando como poderia um sonho parecer tão real, pois tinha certeza de ter visto Priscila.

A última frase que ouviu, fixou-lhe a dúvida sobre sua condição:

— Será que estou morto e não sei? Não pode ser... Posso sentir, tocar, respirar... As colocações daquela senhora não tinham cabimento.

Ezequiel disse para Abelardo:

— Não tenho dúvida de que a operação foi um sucesso.

— Foi sim. Esperamos que estimule e direcione o raciocínio de Jader à realidade.

— A visualização de Priscila não teria sido igualmente produtiva se tivesse acontecido na casa de sua família, com a esposa e filho presentes?

— Poderia, mas, assim que descobrisse que não está mais encarnado, ele cairia em desespero e teríamos de hipnotizá-lo constantemente. Além disso, não teríamos à disposição a aparelhagem que utilizamos no centro espírita de Ana nem os trabalhadores encarnados e desencarnados, para coordenarem os trabalhos tão perfeitamente como aconteceu.

Capítulo 30

Findo o trabalho de orientação e socorro aos espíritos, Ana atendeu com entusiasmo às inesperadas visitantes:

— Que saudade, Gratiel!

Depois dos abraços e da apresentação de Priscila, Gratiel colocou Ana a par do assunto que foram tratar com ela. E, enquanto lhes servia um chá, Ana ponderou reticente:

— Agradeço a confiança em indicar-me, mas não sei se, após tantos anos, teria capacidade de adotar uma criança... Jonas, meu marido, até pensou nessa possibilidade pouco depois que Sara se foi, no entanto, não sei se hoje teríamos pique para tal empreitada.

Gratiel retrucou sorrindo:

— A senhora cuida de um monte de crianças e acha que pode faltar "pique"?

— As crianças chegam aqui de manhã, e os pais as buscam à tarde, Gratiel. A adoção de uma criança implica em uma responsabilidade muito maior, não só pela profundidade dos laços, mas também em sustento, atenção, educação e muito mais...

Aflita, Priscila interveio:

— Dona Ana, não medirei esforços para ajudá-la financeiramente e emocionalmente no que for preciso.

Depois de rirem do entusiasmo de Priscila, Ana prestou seu apoio, dirigindo-se à jovem:

— Tenha calma, filha. Deus está sempre do nosso lado, ainda mais nas decisões que tomamos por amor. Com certeza, Ele dará a melhor resolução. O importante agora é não deixar de rezar pelo seu pai, para que ele mereça ajuda e perdão.

— Para mim, perdoar meu pai não é difícil, embora tenha ficado decepcionada, mas quanto à minha mãe... Tenho esperança de que ela pare de sofrer por isso, pois percebo que a mágoa está lhe fazendo mal.

— Por mais orientada que seja uma pessoa, o perdão na prática deve partir das profundezas do ser. Na maioria das vezes, isto acontece com o tempo e, claro, com as circunstâncias futuras.

— A que circunstâncias a senhora se refere, dona Ana? — perguntou Priscila curiosa.

— Refiro-me aos fatos que virão e que, certamente, estão reservados à sua mãe. Quando agimos no bem, não há mal que nos atinja por tempo indefinido, principalmente quando temos fé de sermos merecedores da felicidade.

Gratiel interferiu:

— Voltando ao que conversávamos, o que a senhora acha que podemos fazer em relação à Maria Vitória?

— Hoje está tarde, mas amanhã conversarei com Jonas a respeito e lhes transmitirei nossas impressões.

Antes de sair, Priscila comentou:

— Dona Ana, soube que faz um lindo trabalho com as crianças em sua creche, além do trabalho espiritual que desenvolve. Tenho curiosidade de conhecer o espiritismo, mas confesso que morro de medo de ver espíritos.

Sorrindo da forma amedrontada de Priscila falar, Ana retirou um livro da estante e entregou à jovem:

— Tome, Priscila. Quando puder e quiser, leia este livro e irá compreender que não há o que temer.

Com receio, Priscila segurou o livro e leu o título:

— *O Livro dos Espíritos*, de Allan Kardec... Nossa! Já estou com medo, mas, se vem da senhora, tentarei ler. Obrigada, dona Ana.

— Depois que terminar, poderia me emprestá-lo, Pri? Fiquei curiosa — disse Gratiel.

Quando as amigas estavam à porta, Priscila perguntou:

— Dona Ana, a senhora me levará a mal se lhe perguntar uma coisa?

— É sobre Laércio?

— Como a senhora sabe? Foi com sua vidência?

— Não mistifique, menina linda... — respondeu carinhosamente Ana. — Não foi difícil notar os olhares que vocês trocaram. Notei que Laércio mal conseguia se concentrar depois de atendê-las.

— Verdade, dona Ana? Ele ficou assim mesmo?

— Sim. Ao terminar o trabalho, vi um monte de estrelinhas coloridas rodeando a cabeça dos dois, quando se despediram rapidamente.

— Vixi, dona Ana! Fui tão escandalosa desse jeito, que nem consegui disfarçar?

Rindo muito, Gratiel aproveitou para emendar:

— Claro que disfarçou, Pri... O problema é que o Laércio deve ter estranhado como você consegue flutuar no banco de espera sem perceber.

— Estou perdida... Duas contra uma — disse Priscila.

Ana a deixou mais à vontade:

219

— Laércio é um bom moço, querida. Pode sonhar com ele, porque, pelo visto, vocês formam um lindo casal.

As amigas estavam dentro do carro e, antes de partirem, Ana teve um repente de memória, perguntando a Gratiel:

— Tem notícias de Noel?

— Não soube de mais nada desde que se casou nem procurei saber para não sofrer. Tomara que esteja feliz com a escolha que fez.

— Senti um pouco de tristeza em sua resposta, ou foi apenas impressão?

— Confesso que, em vez de tristeza, me senti despeitada, admito. Mas escolhi respeitar a escolha que Noel fez, pois de início sofri muito.

Priscila e Ana entreolharam-se compartilhando reticências. Gratiel, então, deu a partida lançando um beijo e partiu.

Antes de dormirem, o casal Ana e Jonas conversava no quarto:

— Ana, compreendo sua intenção, mas adotar uma criança? Não acha que passamos da idade?

— Nós não somos velhos. Somos velhos quando acreditamos ser.

— Quando Sara se foi, tinha em mente adotar uma menina, mas era mais pensando em você, porque achei que não sobreviveria à perda de mais um filho. Mas, graças a Deus, teve a inspiração de abrir essa creche...

Acariciando a mão de Jonas, Ana falou:

— E eu que pensava que você sofria em silêncio a dor da perda de nossos filhos, mas me enganei. Você sofria muito, mas sabia aceitar mais que eu... Tenho muita sorte de ter um marido com tanta fé como você...

— Sendo sincero, eu me ocupo mais com as coisas da Terra... Mas, Ana, adotar uma criança... Desculpe-me, mas isso não está me cheirando bem.

— Ora, Jonas, nem estou mais falando disso... Acho mesmo é que devemos querer sossego. Qual é a sua desconfiança?

— Por mais apoio que suas amigas tenham oferecido, a criança vai crescer, ter ideias próprias... Apesar da educação que daríamos a ela, a geração de hoje está mudada. Não temos mais paciência para administrar tendências...

— Não temos pressa de informar nossa decisão — disse Ana. — A decisão está pendendo mais para o não do que para o sim. E acredito que todos respeitarão o que decidirmos. Se não for para ser, não será.

— Mas você não disse que essas moças estavam com pressa para obterem uma resposta?

— A pressa não é nossa, Jonas!

— Se fosse você, adiantaria para elas que não alimentem esperanças, pois não quero vê-la atormentada.

— Fique tranquilo. Saberei lidar com a ansiedade que, repito, é delas, não nossa.

Na prece que habitualmente fazia antes de dormir, Ana pediu:

— Peço que os anjos guardiões, especialmente os da menina Maria Vitória, intercedam por ela e que você, meu querido anjo, ilumine minha mente para saber como conduzir a situação para que Gratiel e Priscila não fiquem magoadas com a nossa decisão de não adotar a menina.

Naquela noite, após seguirem as orientações do Conselho Tutelar do plano espiritual, Agostinho, anjo protetor de Jonas, o encaminhou para uma antessala, onde ele ficou aguardando.

Sara também foi conduzida por seu anjo Dalva, colocando-a a par do que se sucederia:

— Colocamos você na posse da memória espiritual para informá-la que, infelizmente, Jader não poderá embalá-la como filha na Terra. Jader desencarnou e, no momento, está em zonas do umbral.

— Jader sucumbiu... E quanto à Cássia, minha mãe nesta encarnação?

— Cássia também está impossibilitada de assumi--la como filha, portanto, você não poderá expressar desta vez o amor que guarda por ela, intuitivamente, na alma.

— E o que será da menina que sou hoje?

— A solução encontrada pelo Conselho Tutelar foi a de retorná-la ao ninho da encarnação anterior, pois Ana e Jonas foram eleitos e têm condições de conduzi-la ao seu plano de reabilitar-se com Jader.

— Não compreendo... Como poderei me reabilitar com Jader, se ele desencarnou?

— Compreenderá no momento certo. Por ora, é preciso investir nesta etapa.

— O que preciso fazer?

— Jonas a aguarda na outra sala. Informe a ele qual é a intenção do destino traçado pelo Conselho Tutelar. Tem autorização de revelar-lhe que hoje você é Maria Vitória. Quando Jonas retornar ao corpo físico, guardará a intuição sobre os fatos, mas não fixaremos em sua memória física o encontro que teve com você.

— Deus me ajude, pois nem sei como dizer isso ao papai...

— Em posse de sua memória espiritual temporária, certamente saberá o que fazer. E seu coração sabe o que você precisa dizer para alcançar o êxito nesta tarefa.

Sara dirigiu-se à sala onde Jonas estava, o beijou e abraçou.

— Minha filha! Que saudade, minha querida! — emocionou-se Jonas.

— Eu também, pai... Que maravilhoso Deus ter permitido que o abraçasse...

— Sara, sua mãe iria ficar tão feliz em vê-la!

— Sim, pai, mamãe não ficará só feliz em me ver. Ficará feliz em ter-me de volta ao colo com você.

— Do que está falando, filha?

— Sou a menina que surgiu para vocês adotarem. Sou Maria Vitória, pai...

— Não estou compreendendo, filha. Como isto pode acontecer?

— É que, após minha estada no mundo dos espíritos, reencarnei no corpinho dessa menina que pretende dedicar todo amor a vocês.

Jonas pensou por instantes, ponderando as palavras de Sara, e manifestou:

— Mesmo não compreendendo direito como isto pode acontecer, acredito em você, minha querida filha... Sinto tanta vontade de tê-la de volta... — Jonas abraçou Sara efusivamente, fazendo-a chorar de emoção.

— Pai, o senhor ainda não compreende claramente, mas tive a permissão de encontrar o senhor para contar esta boa nova. E, quem sabe, compartilharemos novamente a vida na Terra.

— Aceito este presente como tudo o que há de mais sagrado.

— Então retorne e lembre-se sempre de que o amo muito.

— Também a amo muito, filha.

Agostinho conduziu Jonas para o corpo físico, enquanto Dalva se preparava para fazer o mesmo com Sara.

— Antes de retornar, posso saber se eu também não me lembrarei dessa passagem?

— Como você ainda é uma criança, se lembrará mais do que Jonas, embora não integralmente. Porém, a intuição a guiará aos propósitos que precisamos alcançar.

— Não tão rápido, querido santo anjo do Senhor... Deixe-me fazer uma coisa...

Sara beijou carinhosamente o rosto de Dalva, que retribuiu:

— Tenha fé, que tudo dará certo. Agora se concentre para apagarmos sua memória espiritual. Quero apenas que guarde bem o que lhe direi: lembre-se sempre de que a amo muito...

Dalva aproveitou a atenção de Sara e magnetizou-a para retornar ao corpo físico no orfanato.

Capítulo 31

Ainda deitado na manhã seguinte, Jonas comentou com a esposa:

— Sonhei com Sara.

— Como foi?

— Estávamos em uma ampla sala com outras pessoas. Lembro que havia uma mulher acompanhando-a. Abraçamo-nos, conversamos não lembro sobre o quê, nos despedimos e voltei.

— Que maravilhoso!

— Estive pensando... Haveria possibilidade de aquelas moças, que a procuraram, nos deixarem apenas fazer uma visita à criança?

— Posso perguntar a elas... Mas o que lhe despertou interesse?

— Sei lá! Para aliviar a consciência, talvez... Mas, caso seja possível, gostaria que não nos acompanhassem, pois sei que tentarão convencê-la a adotar a menina. De minha parte, sei que consigo contornar facilmente a situação, mas não quero saber de vê-la sendo pressionada por elas.

— Conversarei com Gratiel e Priscila ao telefone hoje mesmo. Pelo que sei, elas têm autorização de visitar a menina algumas vezes por semana. Pedirei, então, um dia só para nós.

No meio da semana, Ana e Jonas estavam no orfanato, recebendo orientações da madre Rita de Cássia:

— Não estranhem por eu ter de estar presente durante a visita. Doutora Gratiel informou que vocês são prováveis interessados na adoção de Maria Vitória, mas, lamento informá-los, ontem à tarde recebemos a visita de um casal interessado em adotá-la, cujo perfil satisfaz às necessidades. Eles, inclusive, já entregaram os documentos, que seguiram para análise.

— Compreendemos, madre — disse Jonas. É como essa moça, a Gratiel, disse... Somos "prováveis" interessados, mas confesso que fiquei mais tranquilo ao saber que a menina já está encaminhada. O motivo de nossa visita é apenas para desonerar a consciência. Desta forma, ninguém poderá dizer que não nos comovemos. A senhora entende...

— Claro que entendo e digo até que acho melhor um casal desconhecido dessas moças adotar Maria Vitória, pois o apego dessa menina com elas está me deixando preocupada. E, já que é assim, acredito que nem precisam vê-la — rematou madre Rita de Cássia.

Jonas olhou para Ana para aderir à sugestão, mas ela discordou:

— Já que estamos aqui, eu gostaria de conhecer Maria Vitória. Não custa nada. A senhora se importaria, madre?

— De maneira alguma. Venham, por favor.

Ao chegarem à porta da sala onde as crianças brincavam, madre Rita de Cássia observou:

— Como será uma visita rápida, os apresentarei de forma abrangente, sem ser especificamente para Maria Vitória. Concordam?

— Sim, madre. Acho melhor assim, pois, desta maneira, não se criam vínculos — respondeu Jonas.

Madre Rita de Cássia abriu a porta da sala, onde as crianças brincavam espalhadas em meio aos brinquedos, e anunciou:

— Olá, minhas lindas criaturinhas de Deus! A Mãe Madre chegou! — as crianças vieram, todas de uma vez, ao seu encontro para abraçá-la, fazendo festa.

Os visitantes sorriram com o momento de alegria, mas o coração de Jonas palpitou ao observar uma em especial. Cochichando para Ana, apontou uma criança com o olhar:

— Aquela deve ser Maria Vitória.

Surpresa, Ana respondeu em baixo tom de voz:

— Você não é disso, Jonas. Está me assustando...

Madre Rita de Cássia começou as apresentações:

— Trouxe o tio Jonas e a tia Ana para mostrar como vocês são lindos e lindas! Tio Jonas e tia Ana, esta é Olinda, esta é Carolina, este é o Renato, o Evandro, Raquel, esta aqui é a...

Antes que a madre citasse o nome, Jonas adiantou-se:

— Maria Vitória...

Madre Rita de Cássia e Ana entreolharam-se disfarçando a surpresa. A madre prosseguiu:

— Maria Vitória... Este é o Agostinho, esta é Olinda, o Reinaldo e finalmente a Sofia.

Concluída a apresentação, as crianças carinhosamente dirigiram-se ao casal:

"Oi, tio", "oi, tia", todos diziam alegres, exceto Maria Vitória, que permaneceu afastada, segurando uma boneca. Dalva, seu anjo, magnetizava-lhe a fronte, promovendo lucidez à sua alma.

Maria Vitória correu para Jonas, abraçando sua perna:

— Me leva com você!

Instintivamente, Jonas ajoelhou-se abraçando Maria Vitória, encantado com a espontaneidade da menina, e disse com emoção:

— Como você lembra minha Sarinha quando era pequena...

Madre Rita de Cássia lançou um olhar indagador a Ana, que, emocionada, aproximou-se da freira para comentar:

— Também não compreendo o que se passa com meu marido, madre...

Tentando desfazer a situação, que se tornara embaraçosa, a madre convocou as crianças:

— Pronto, crianças! Chegou a hora do lanchinho! Tia Ana e tio Jonas têm de voltar para a casinha deles. Vamos juntos dar um "tchau" bem gostoso para nossos amigos?! Um... dois... três...

As crianças gritaram em coro:

— Tchaaaaaaaau...

Maria Vitória puxou novamente a calça de Jonas, que mal se refizera da emoção, pedindo:

— Me leva pra sua casinha?

Percebendo a interdição na fala de Jonas, acostumada a lidar com crianças, Ana respondeu por ele:

— Sim, querida Maria Vitória. Depois veremos com a madre Rita de Cássia se podemos levá-la um dia para brincar em nossa casinha. Mas, por enquanto, vá fazer um lanchinho gostoso e agradeça ao papai do céu por ser tão linda.

Encaminhados ao lado de fora da sala, madre Rita de Cássia, educadamente, advertiu Jonas:

— Senhor Jonas, não me entenda mal, mas não esperava a reação que teve...

— Nem eu, madre. Desculpe-me... Não consegui me conter.

— Como sabia que era Maria Vitória? — questionou intrigada a madre.

Notando o embaraço do marido, Ana tomou-lhe a frente:

— Jonas deve ter visto uma foto da menina com Gratiel e Priscila, madre.

— Aqui não é permitido tirar fotos das crianças. Por isso, como medida de segurança, as bolsas são revistadas na portaria, para evitarmos, inclusive, a entrada de câmeras fotográficas.

Jonas optou pela resposta sincera:

— Madre, existem coisas que não sabemos explicar, não é mesmo?

— Muito bem então... Obrigada pela visita — madre Rita de Cássia desconversou fazendo menção de dirigi-los à porta de saída.

Jonas aduziu:

— Decidi solicitar a adoção da menina Maria Vitória. Como fazemos para dar entrada no pedido?

Ana tentou disfarçar a surpresa, ouvindo a reticente resposta de madre Rita de Cássia:

— Estranho... Quando o senhor chegou aqui parecia a parte menos interessada na adoção. Disse até que veio para desonerar-se da consciência, falou em não "criar vínculos" e agora diz o inverso... Poderia me explicar o que tem em mente, senhor Jonas?

— Tentarei... Quando olhei pela primeira vez minha esposa, tive a convicção sobre meu futuro com ela. A senhora não teve este sentimento quando resolveu ser madre? Pois então... Com Maria Vitória aconteceu assim também.

— Muito interessante... Mas, como informei ao senhor e à senhora, um casal trouxe a documentação, que já está sendo analisada, e tem preferência na adoção por terem chegado primeiro. Para inscrevê-los, teremos de aguardar.

Jonas acenou positivamente agitando a cabeça e colocou em tom sereno:

— Compreendemos e agradecemos sua atenção, madre, mas caso a senhora compreenda que Deus fala com nós, seres humanos, através de sentimentos, por favor, nos informe se mudar de ideia.

E Jonas despediu-se com Ana.

Pouco antes do jantar, madre Rita de Cássia aproximou-se sinuosamente de Maria Vitória:

— Querida filhinha Maria Vitória, conte para sua Mãe Madre por que gostou tanto daquele senhor que veio nos ver hoje? Conte para a Mãe Madre...

Com as mãos na cintura, Maria Vitória disse como se a resposta fosse óbvia:

— Ué, Mãe Madre... Foi o anjinho quem mandou!

Depois de muito conversarem a respeito da visita, Ana disse a Jonas:

— Gratiel e Priscila ficarão felizes ao saberem de nossa decisão, mas ficarão decepcionadas quando souberem que há um casal interessado na adoção. Maria Vitória tocou seu coração e tocou o meu também. Como pode?

— Ora, Ana! Não é você quem vive dizendo que nada acontece por acaso, que somos afins com algumas pessoas e com outras não?

— É verdade. Ela é tão linda, tão doce. Você disse bem... também me lembrei de Sara quando era bebê. Sabe, Jonas, no início, minha vontade era de adotar essa menina pensando no bem que poderia praticar, mas, depois que a conheci e vi como seus olhos brilharam, lembrei-me de sua reação quando soube de minha gravidez.

— Tive a mesma emoção. Naquela época, fiquei assustado devido à responsabilidade, mas hoje estou ficando mais "mole", mais emotivo, sei lá...

— Talvez esteja assim porque sabe que, se Rodrigo e Sara estivessem aqui, poderiam nos dar netinhos. Não é verdade?

— Xiii... Não queira começar a chorar... Já basta o papelão que fiz diante da madre. Quer me contagiar?

Capítulo 32

Passados dois anos e oito meses, Jader fazia contas em um calendário que ele mesmo produzira:

— Passaram-se doze dias da catástrofe e consegui ficar ileso...

Remoendo constantemente hipóteses sobre o que teria acontecido, Jader admitiu pela primeira vez que poderia estar vivenciando uma ilusão.

"Como poderia a mata não ter insetos? As árvores não balançam porque não há vento...", pensava.

Vasculhando a memória, Jader lembrou-se da resposta de Janete, conhecida do Recanto Taberna, chamando-lhe a atenção para o céu, e do suposto sonho que tivera com a mulher que tentava orientá-lo sobre sua real situação. Quanto mais tentava encontrar respostas, perturbava-se cada vez mais.

Por alguns instantes, Jader afastou-se dos próprios interesses, penetrando em questões religiosas:

— Nunca rezei... Estaria Deus me castigando pelos pecados?

Jader penetrava a consciência ao questionar-se sobre seu casamento por interesse com Joana, a ausência de atenção com seus pais, o caso amoroso com

Sara até o dia do acidente. Por fim, o que mais pesou em sua reflexão foram as tentativas de assassinar a criança recém-nascida de Cássia.

Por fim, explodiu em um grito:

— Fui sempre um mentiroso e egoísta!

Abelardo, anjo de Jader, e Ezequiel, o estagiário, observavam tudo o que Jader representava na tela mental, mas uma cena, em especial, chamou a atenção de ambos: o dia de sua primeira comunhão.

Jader lembrou-se, com clareza, de diversas frases do sermão do padre naquele dia: "Não há pecado que cometamos que fique oculto aos olhos de Deus", "Se nos arrependermos de coração e nos confessarmos, o Senhor Deus perdoará nossos pecados", "Não adianta só pedir perdão, é preciso perseverar para não errar mais".

Jader atormentava-se:

— Nunca pratiquei nada do que aprendi no catecismo nem tive fé verdadeira. Fui só um mentiroso achando que tudo era mentira. Um Deus em que nunca acreditei pode realmente estar me castigando...

Enquanto Jader emaranhava-se em questionamentos, Abelardo disse a Ezequiel:

— Estamos presenciando o momento em que a crisálida está prestes a livrar-se do casulo.

— Além de reconhecer as faltas, percebo que está em vias de pedir perdão. Estará Jader perto de libertar-se? — perguntou Ezequiel.

— Sim. Veja com atenção o que está à volta do campo mental. O que vê?

Atendendo ao convite, Ezequiel aguçou a percepção, revelando-se preocupado:

— Mas Jader está abrindo o portal dimensional da matéria, não do mundo espiritual!

233

— Isso mesmo. A luz que Jader vislumbrará pode estar apenas na mente, não através do espírito. Neste caso, as possibilidades de localização no tempo e espaço são imprevisíveis. Ele pode se instalar em outra ilusão em qualquer uma das encarnações que teve. Daqui em diante, do ponto onde se lançar na matéria, o subconsciente revelará onde causou maior trauma a si mesmo. Acredito que pode ser na última encarnação.

— Jader está penetrando um terreno perigoso... Temos condições de controlar a aleatoriedade?

— Jader pode ser comparado a um navio à deriva que se lançou à tempestade... Caso resista ao naufrágio, aportará no lugar onde sua consciência julgar que merece ficar. Podemos relacionar os ventos, que direcionam o navio, ao destino, e a consciência ao peso que carrega.

— Esta é a hora de entrarmos em ação?

— Quando o portal dimensional estiver quase totalmente aberto, faremos nossa parte. E, pelo que se mostra, acredito que você também já sabe para onde Jader irá — finalizou Abelardo colocando-se atento aos acontecimentos seguintes.

Fragilizado, Jader dirigiu-se a uma igreja em ruínas, franqueando a tristeza e prostrando-se, por fim, de joelhos diante do altar:

— Senhor Deus, reconheço que pequei... Peço--lhe perdão...

Abelardo orientou Ezequiel:

— Permaneça invisível para Jader e siga-me através das vibrações para prestar-me suporte.

Chorando, Jader levantou-se e, erguendo as mãos para o alto, suplicou:

— Deus, entrego-me ao Senhor! Leve-me daqui, por favor! Sei que não mereço nada de Ti, mas suplico--lhe: mostre-me o caminho!

As formas-pensamento criadas por Jader começaram a se desfazer. O solo movimentaram-se, a cúpula da nave derreteu e as paredes moveram-se como uma pintura que escorria em um quadro.

Abelardo surgiu envolto em luz para Jader, que indagou vacilante:

— O senhor é Deus?

— Não sou Deus, Jader. Sou um protetor, que Deus enviou para ajudá-lo.

— É tudo mentira esse negócio de fim do mundo, não é?

— Depende daquilo em que você acredita, Jader. Diga-me: em que você acredita?

— Não sei em que acreditar... Nunca acreditei em nada... Mas por que estou vendo tudo distorcido? Por que tudo está se desfazendo?

— Você está penetrando a realidade espiritual, desfazendo-se da ilusão que criou mentalmente.

— Se for mesmo um protetor, responda minhas perguntas de maneira que eu possa entender!

— Tentarei, mas preciso saber se está preparado para arrostar a verdade sobre sua situação.

— Tenho medo, mas não tenho nada a perder. Já perdi tudo, eu sei... Estou com um horrível pressentimento, mas, se for para descobrir que morri, é melhor saber do que viver nesta solidão!

As lágrimas correram pelo rosto de Jader, que cobriu os olhos com as mãos. Quando as tirou do rosto, se viu diante de uma lápide.

Sem entender o que se passava, reconheceu que se tratava da lápide de sua família. Jader, então, começou a ler vagarosamente as inscrições nas placas de bronze:

— Eulália Nogueira Salles, minha mãe. Adolfo Salles, meu pai. Jader Salles? Não pode ser... 1935, meu nascimento, e... 1979. Cruz indica morte! Morri com quarenta e quatro anos, é isso?

A questão foi dirigida a Abelardo, que notou que o despertar de seu protegido atraíra a atenção de outras entidades que estavam próximas, iniciando uma série de insinuações:

— Olhe só, a "Bela Adormecida" despertou... — uma das entidades ironizou.

— Não! A múmia saiu do sarcófago?

— Sim! Saiu! E está cheia de remelas gosmentas!

Cada entidade que escarnecia, ria em frenesi, dando intervalo para outra continuar:

— Como foi que ele falou? "Vamos aproveitar para fazer sexo..."

— Não foi assim, foi desse jeito: "Joana, Priscila, Murilo, onde estão?".

— É... mas agora há pouco achei engraçado. A "Bela Adormecida" estava implorando: "Deus, perdoe-me. Estou com um pressentimento horrível...".

Em meio às risadas, micagens e comentários capciosos, Jader novamente dirigiu-se a Abelardo procurando esclarecimentos:

— Como eles sabem de tudo isso que falei? Estou num cemitério em frente à minha lápide. Como pode ser?

— Sim, Jader, você está penetrando a realidade das coisas. Acabou de sair da ilusão mental que criou por certo período.

— Como pode? Ainda ontem olhei anotações de doze dias da catástrofe! Então não aconteceu catástrofe alguma... Foi tudo ilusão... Estou morto há doze dias!

Sereno, Abelardo respondeu:

— Você desencarnou faz pouco mais de dois anos e meio. Aqui na Terra, estamos no ano de 1981.

Jader ligava os fatos, incomodado com a zombaria das entidades ao redor, que não paravam de rir, remedando as frases das questões feitas por ele, intensificando sua perturbação, até que, não suportando mais a pressão, gritou:

— Calem a boca, desgraçados!

A exclamação instigou a sanha das entidades, que ficaram sedentas por revidar:

— Ora, ora... A "Bela Adormecida" ficou irritada — disse uma entidade seguida de outra:

— Não respeita mais aqueles que sugaram o que restou do seu corpinho podre, naquele caixão onde só há ossos agora, pois os vermes vorazes já comeram o que restou?

Uma entidade de rosto deformado quase avançou sobre Jader para dizer-lhe:

— Escute, seu vagabundo, está cantando de galo porque tem esse holofote luminoso? — A entidade referiu-se à presença de Abelardo, mas ameaçou: — Saia de perto desse protetor de meia-tigela e venha um pouco para cá, que lhe mostrarei o que farei com você!

Entendendo que estava sendo protegido por Abelardo, Jader pediu:

— Não me deixe nas mãos dessas criaturas infernais, por favor...

As vibrações de medo despendidas por Jader atraíram entidades que estavam mais afastadas no cemitério, impregnando a atmosfera. Abelardo irradiava proteção magnética, impedindo que se aproximassem demais, mas a sobrecarga de energia com a raiva e o ódio emitidos pelas criaturas que dominavam o perímetro aumentou:

— Ah! Coitadinho dele... "Não me deixe nas mãos dessas criaturas infernais... Por favorzinho".

Ezequiel surgiu avisando:

— Precisamos nos afastar. Observei diversas falanges próximas daqui.

Abelardo orientou Jader:

— Levaremos você para um ambiente seguro. Confie em nós.

Jader entregou-se de braços abertos aos protetores, que o levaram ouvindo à distância os xingamentos dos que tentavam alcançá-los.

Chegando em um posto de socorro na Terra, Abelardo deixou Jader por poucos instantes aos cuidados de Ezequiel e, quando retornou, recomendou a seu protegido:

— Jader, você precisa manter o equilíbrio de seus pensamentos. Controle os impulsos, por favor. Estamos aguardando o dirigente do departamento de recepção para nos atender.

— Que lugar é este?

— É um posto de socorro e encaminhamento.

— Encaminhamento para onde?

— Descobriremos assim que formos atendidos.

Em pouco tempo, Abelardo foi convidado a entrar em uma sala anexa e sentou-se ao lado de Jader diante do entrevistador, que se apresentou:

— Sejam bem-vindos. Sou Cláudio. Por gentileza, Abelardo, exponha o caso de nosso amigo Jader.

Após uma breve exposição, Cláudio perguntou para Jader:

— Entendeu sua situação, amigo?

— Confesso que estou um tanto decepcionado...

— É natural — disse Cláudio. — Mas devo lhe dizer que constitui grande vantagem estar ciente do que aconteceu, pois, caso contrário, não poderia estar aqui diante de nós.

— Vantagem? Fiquei mais de dois anos e meio "ligado" ao corpo e minha conquista foi vir parar aqui? E agora, o que me resta fazer?

— Dependerá de você — continuou Cláudio.

— Você como espírito irá se preparar para o encaminhamento a uma de nossas colônias fora da Terra.

— Como funciona essa preparação?

— Você desenvolverá o desprendimento completo da matéria, para resgatar parte da memória espiritual que está adormecida.

— De que maneira farei isso?

— Com calma, tempo e perseverança.

— Posso ver minha família?

— Por enquanto, não. Muitas coisas mudaram desde que você desencarnou, por isso não é recomendado vê-los. Ainda não está preparado para observar as realidades às quais você já não faz mais parte.

— E se eu quiser ir, mesmo que vocês acreditem que não seja recomendável?

— Não poderemos impedi-lo, mas precisamos alertá-lo que, de acordo com sua situação vibratória, poderá atrair entidades semelhantes às que encontrou quando despertou.

— Então não tenho opção! Devo submeter-me.

— Tenha paciência, pois conquistará muitas coisas se souber aguardar a hora certa para fazer o que deseja.

Cláudio finalizou desejando sorte a Jader e encaminhando-o para a triagem, acompanhado por Abelardo.

Capítulo 33

Gratiel visitava padre Albertino para desabafar. Madre Rita de Cássia limitara as visitas a ela e a Priscila, justificando o surgimento de um casal interessado na adoção de Maria Vitória.

— Entre outras palavras, a madre diz que não só a idade de dona Ana e seu Jonas, mas também o fato de serem espíritas contribuem negativamente para uma possível decisão.

— Ela disse isso?

— Não entendi sua surpresa, padre. Poucos religiosos são como o senhor. O preconceito é grande! E ainda disse que só permitirá nossas visitas a Maria Vitória porque ela pergunta de nós, mas que, se a menina for adotada, devemos esquecê-la. Priscila está arrasada.

— Minha filha, neste caso, então, só nos resta rezar e ter fé de que a vontade de Deus prevaleça.

No dia seguinte, madre Rita de Cássia recebeu o anúncio de uma das noviças:

— Com licença, madre. Tem um padre querendo falar com a senhora. Pediu-me para não lhe revelar o nome, porque diz ser um amigo seu de muito tempo e quer lhe fazer uma surpresa. Por isso, ele não telefonou antes para avisá-la.

— Com certeza deve ser o padre Vincenzo da Paróquia Nossa Senhora do Rosário. Pode deixar entrar.

Madre Rita de Cássia aguardou o visitante em pé com um sorriso no rosto, mas, quando o visitante entrou, ela desabou boquiaberta na poltrona:

— José Alberto... É você?

A noviça que conduziu o visitante estranhou a reação da madre:

— Está tudo bem, madre?

— Sim, tudo bem, irmã... Por favor, feche a porta — respondeu a madre.

A sós, padre Albertino aproximou-se com um leve sorriso, dizendo com emoção:

— Sim, Rita. José Alberto, ou padre Albertino, como sou conhecido. É o nome que adotei quando recomecei a vida.

— Mas José... Você desistiu de ser padre no dia de sua ordenação! Lembro-me bem...

— Sim, Rita. Desisti e fugi. Vaguei pelo mundo afora para me reencontrar.

— José, ou melhor, padre Albertino, não esperava vê-lo novamente um dia e confesso que estou sem ação. O que o trouxe até aqui?

— Algumas "coincidências" que aconteceram nesta fase da vida.

— Do que está falando? Desculpe-me! Nem o convidei a sentar-se. Sente-se, por favor.

— Obrigado. — O padre sentou-se e, mais à vontade, prosseguiu com o diálogo: — Lembra-se de nossa vida antes de ingressarmos na vida eclesiástica?

— Claro que me lembro, afinal são coisas que fazem parte de nossa história de vida.

— Naquela época, éramos um casal feliz. Planejávamos nos casar, até eu ter a revelação que me fez seguir para o seminário.

— Como esquecer? Éramos adolescentes... Quando você partiu para o seminário, fiquei doente durante dois meses... Não aceitava aquela repentina decisão, que mudou minha vida da água para o vinho...

— Fui autorizado a visitá-la quando ficou doente. Lembra-se do que disse a você?

— Sim, me lembro, mas não me peça para repetir integralmente, porque faz muitos anos...

— Disse-lhe que, em posse do conhecimento que havia adquirido nos estudos no seminário, tinha certeza de que nos encontraríamos em outra vida, porque a amava.

— Sim... Lembro-me bem disso, mas confesso que senti vergonha de lhe dizer...

— Você foi à minha ordenação. Tantas dúvidas pairavam em minha mente, que desisti na última hora. Quando estive afastado, meditei muito sobre a desistência e os planos que tinha feito com você. Disso você não sabia.

— Não, José... Disso eu não sabia... Você sumiu. É a única coisa de que me lembro.

— Fui para outro seminário, onde retomei a decisão de me tornar padre, mas a ordenação ocorreu a meu pedido, sem convites, sem mesmo para meus familiares.

— Por que está vindo me contar isto agora, José? Quais as coincidências?

— Duas moças me procuraram para auxiliá-las em um caso de uma menina de seu orfanato.

— Só pode ser Priscila e doutora Gratiel! Elas não desistem! Agora sei que o padre de que falavam era você...

— Isso mesmo. Quando essas jovens disseram seu nome, fiquei surpreso. Você não soube de mim, mas eu procurei saber de você e tenho acompanhado seu progresso desde que se tornou freira... Porém um fato preocupou-me.

— O que o preocupou?

— Ontem, doutora Gratiel foi à igreja e me disse que você reprova o fato de Ana e Jonas serem espíritas. Disse também que alega a idade como um fator impeditivo, mas sabemos que não são tão velhos a ponto de não poderem adotar uma criança. Por que usou um argumento como esse, Rita?

— É, José... Agora sou eu que contarei o que você não sabe... — Madre Rita não conseguiu continuar, pois começou a chorar.

Respeitando o tempo para a madre recompor-se, padre Albertino esperou paciente a revelação:

— Logo que você partiu para o seminário, senti-me abandonada, no entanto, resignei-me à decisão. Exatamente no dia de sua ordenação, você fugiu e tive esperanças de que retornaria para se casar comigo, mas não voltou... Naquela visita que me fez quando estive doente, algo martelou minha cabeça por muito tempo: "Mesmo distantes, nos encontraremos em outra vida, porque eu a amo". Depois de um tempo, sem notícias suas, decidi dedicar-me à vida religiosa. Quando soube que o casal interessado na adoção de Maria Vitória era espírita, esta frase veio à minha cabeça, porque peguei aversão a qualquer religião que pregue a reencarnação.

Comovido com a revelação, padre Albertino juntou suas mãos às de madre Rita de Cássia e falou:

— Oh! Rita... Se você soubesse o que este casal representa para várias famílias com poucos recursos, que confiam seus filhos a eles para poderem ganhar o pão de cada dia... Ambos arrecadam alimentos com muito sacrifício, e Ana, que já pertenceu à nossa paróquia, ainda doa o que sobra para nossa comunidade...

— As moças me contaram que esse casal perdeu dois filhos jovens em acidentes de automóvel.

— Isso mesmo. Tenhamos olhos para ver a grandeza da misericórdia de Deus. Em vez de lamentar a perda dos filhos, o casal é feliz proporcionando felicidade aos filhos que adotaram de coração, para que os pais possam trabalhar para criá-los com melhores condições.

— É verdade...

— Rita, você também sente felicidade em dedicar-se aos tantos filhos órfãos que estão sob seus cuidados. Ana e Jonas não são diferentes de você neste aspecto. A única diferença entre vocês é que os filhos de que eles cuidam não são órfãos. Porém, o que seriam das crianças em ambos os casos, se não fosse seu amor e o amor desse casal?

— Quando o senhor Jonas veio visitar Maria Vitória com dona Ana, inicialmente, ele não demonstrou interesse pela menina. Mas, quando a viu, deduziu quem ela era, antes que eu dissesse seu nome. Não sei como, mas a menininha agarrou-se a ele pedindo que a levasse para casa...

— Quem sabe os anjos da guarda não os tenham inspirado para uni-los?

— Interessante ouvi-lo dizer isso, pois, quando perguntei à Maria Vitória o porquê de ela ter pedido para ir para a casa com eles, a menina respondeu que um anjinho havia sugerido isso a ela.

— Realmente, Rita, todos os dias Deus nos dá sinais de Sua misericórdia, mostrando-nos que somos instrumentos de Seu amor.

— Permita-me a liberdade de lhe fazer uma pergunta pessoal, José?

— Claro que sim. Pergunte-me o que quiser.

— Você é feliz com a escolha que fez?

— Sim, sou. E você?

Madre Rita sorriu para responder:

— Eu também sou muito feliz, porque tenho certeza de que você não conseguiria me dar esse monte de filhos que tenho hoje.

Padre Albertino levantou-se novamente e, unindo suas mãos às de madre Rita de Cássia, disse:

— Nós nos amamos incondicionalmente e, por isso, Deus nos deu tantos filhos para amar. Continuo acreditando que nos encontraremos em outra vida, porque, apesar do que professamos, tenho fé de que Deus não condenaria um amor puro.

O abraço de agradecimento recíproco surgiu espontâneo entre eles, sem que notassem a comunhão de seus anjos, que contemplavam o momento sublime de realização e os sentimentos que alcançam outras esferas, irradiando a luz que emana através dos corações.

Capítulo 34

No posto de socorro onde Jader estava, Cláudio recebeu uma informação por meio de um de seus assistentes:

— O interno Jader saiu em disparada de seus aposentos. Mas, como o senhor nos disse para não impedi-lo caso ele decidisse sair, o deixamos ir. Devemos buscá-lo?

— Deixe-o. Jader precisa se encontrar, não ser encontrado. Sabemos para onde ele foi, mas mantenha o monitoramento acionado com um histórico de localização. Deixe-o por conta de seu protetor, que saberá o que fazer.

Era madrugada quando entrou na casa onde residira antes de desencarnar.

Observou os móveis da sala, notando que já não eram mais os mesmos de sua época.

Envolvido pelo saudosismo, Jader lembrou-se dos filhos quando crianças brincando no tapete da sala. E, nutrindo-se das recordações enquanto esteve no umbral, lamentou o tempo perdido, dirigindo-se para o quarto, sendo observado pelo anjo Dionísio, que se manteve imperceptível.

Joana dormia e, notando a vibração emitida pela presença de Jader, entrou em desdobramento.

Com grande alegria, Jader observou o corpo de Joana manter-se em repouso, enquanto seu espírito levantava-se:

— Jader, é você?

— Sim, Joana, sou eu. Quanta saudade!

Jader tentou abraçá-la, mas ela afastou-se com repúdio:

— O que faz aqui? Este não é mais seu lugar!

— Ora, Joana! É assim que me recepciona depois de tanto tempo? Esta é minha casa também!

— Esta "foi" sua casa, não é mais — retrucou severa.

Contemplando o rosto de Joana, Jader mostrou-se arrependido:

— Sei que não fui um bom marido, mas, se me for permitido consertar o que deixei de fazer, o farei. Deus permitiu que eu chegasse até você para ficarmos juntos... Você está mais magra, remoçou... — Jader, novamente, tentou aproximar-se para abraçá-la, mas Joana foi terminante:

— Afaste-se, Jader! Não quero nada com você, a não ser distância!

— Joana, estou modificado, confie em mim. Veja, posso tocá-la, senti-la e conversar... Você também pode.

Demonstrando-se incomodada com a insistente investida, Joana debatia-se para mantê-lo distante, obrigando Dionísio, que permanecia invisível para Jader, a promover o despertar de sua tutelada.

Retomando o corpo físico, Joana acordou assustada, crendo que saíra de um pesadelo:

— Nossa! Que pesadelo horrível eu tive! Sonhei que Jader estava querendo me agarrar! Cruzes! Quanto mais rezo, mais fantasma me aparece!

247

Joana levantou-se e dirigiu-se à cozinha para tomar água, sendo seguida por Jader, que ainda não compreendia integralmente o que acontecia, tentando inutilmente forçá-la a abraçá-lo. Por fim, desabafou inconformado:

— Joana, por favor, me escute. Eu mudei e estou arrependido. Não me despreze desse jeito! Joana! Joana! Estou falando com você...

Comovido com a tristeza de Jader pela frustração de não ser ouvido, Dionísio tornou-se visível para ele:

— Quase três anos não foram suficientes para compreender sua situação, Jader?

Decepcionado e contrariado, Jader virou-se para responder:

— Isto é um disparate! Como invade minha casa enquanto tento conversar com minha mulher? Quem você pensa que é?

Dionísio estendeu a mão para cumprimentá-lo:

— Meu nome é Dionísio.

Comportando-se com arrogância, Jader não correspondeu ao cumprimento:

— Seu nome é Dionísio e você já sabe o meu. Posso saber o que faz em minha casa?

— Pode sim, Jader. Neste momento, estou protegendo Joana da ação de espíritos que estão com dificuldade de se desligar da matéria e acreditam que ainda estão vivos na carne — respondeu serenamente Dionísio.

Jader continuou:

— Isto não é um açougue para falarmos de carne! Esta é minha casa! Sou marido de Joana e o chefe desta família. O senhor "protetor" sabe disso?

— Sei algumas coisas. E o que você sabe?

— Sei que você não tem respeito! Invadiu minha casa, viu minha mulher de camisola, enquanto eu, que sou o marido de Joana, tento me reconciliar com ela. E agora vamos lá: o que mais o senhor "protetor" Dionísio sabe?

Mantendo a mesma disposição calma, Dionísio sentou-se em uma cadeira próxima:

— Bem, Jader... Começarei dizendo que você é um espírito assim como eu sou. Sei também que saiu do posto de socorro para onde nossos companheiros Abelardo e Ezequiel o levaram antes que se tornasse presa de algumas entidades, quando você despertou ao lado de seu túmulo, depois de retornar do umbral, no qual esteve por quase três anos... Sei também da gravidez de Cássia, de seu caso com Sara...

— Pare com isso! Por acaso estamos em algum tribunal inquisitório?

— Não, Jader. O único que está se torturando aqui é você. Diferente de antes, alguns espíritos estarão cientes de tudo o que você pensar. E devo alertá-lo de que, se cair nas mãos de espíritos malfeitores, nada adianta usar de artifícios para fazer-se de vítima.

— Mas o que é isso? Saí de um inferno para entrar em outro? Neste inferno não posso sequer pensar em paz, pois todos ficam sabendo?

— Jader... Você precisa voltar para onde Abelardo o levou para tratar-se. Quer que o leve para lá? Fique despreocupado, pois ninguém vai culpá-lo de ter saído...

— Não voltarei para aquele lugar que chamam de posto de socorro, porque não preciso de tratamento algum! Meu lugar é aqui e é aqui que ficarei!

— Não posso interferir em sua decisão, mas devo informá-lo de que as coisas mudaram e de que as novidades poderão constituir uma tortura para você.

— O senhor "protetor" não me causa medo! É minha a missão de proteger minha esposa e meus filhos, não sua. Sei que não fui grande coisa até hoje, mas não sairei daqui, pois meu lugar é ao lado de Joana, Priscila e Murilo.

Jader permaneceu vigiando Dionísio até a manhã seguinte, sem trocar uma palavra com o anjo, até que, por volta das nove horas, a campainha da casa tocou. Joana pulou da cama e seguiu até a porta para recepcionar um visitante com um beijo e um abraço apaixonados, provocando a revolta de Jader:

— Joana está de camisola, beijando e abraçando... Alex, meu analista?

Jader partiu aos socos e pontapés para cima de Alex, indignando-se com a inutilidade de sua ação. O casal dirigiu-se ao quarto, dando continuidade aos carinhos que se intensificaram.

Sem suportar ser espectador das cenas que se sucederam, Jader retirou-se para a sala, encolhendo-se no sofá:

— Deus está mesmo me castigando... Meu analista está se deitando com minha mulher, na minha cama, e nada posso fazer...

Após um intervalo, Jader, torturado pelo ciúme, tapou os ouvidos com as mãos e gritou:

— Joana não gemia desse jeito mesmo no começo do nosso casamento! Pare de gemer, mulher traidora! Alex, seu safado, vou encontrar um jeito de matá-lo!

Seminu, o casal saiu sorridente do quarto em direção à cozinha, onde Joana iniciou o preparo da mesa de café para Alex, que se sentou iniciando um diálogo:

— Ainda bem que Priscila e Murilo deram um tempo para nós, não é, querida?

— Priscila dormiu na casa de Gratiel para visitar Maria Vitória, mas estou preocupada com Murilo, que novamente dormiu fora de casa sem me avisar e nem disse que iria direto para o trabalho.

Intensificando sua ira, Jader ouvia e observava Joana indo e vindo à mesa, beijando o novo namorado todas as vezes. Enquanto isso, Alex continuava:

— Murilo não quer aceitar nossa relação... Tentei conversar com ele antes de ontem, mas seu filho deu a entender que não se importa com nosso relacionamento, mas não consegue esconder sua contrariedade.

— É um carcamano como o avô e machista como o falecido pai, de quem herdou a hipocrisia... Mas, um dia, ele vai entender. Mereço ser feliz! E, a propósito, por falar no "falecido", você acredita que tive um pesadelo horrível com o dito-cujo esta noite?

— Querida, conte-me como foi o pesadelo.

— Eca! Fico arrepiada só de me lembrar! Jader queria me forçar a fazer alguma coisa, tentava me agarrar, e eu me debatia desesperada...

Joana sentou-se no colo de Alex e, beijando-o carinhosamente, ironizou:

— Ai, Alex... Preciso ir ao analista do meu falecido marido para saber o que significa sonhar com zumbis tentando me pegar...

— Provavelmente, o "analista" lhe perguntará se você gostou de ser perseguida. E, se confirmar que sim, eu mesmo direi que está precisando de mim.

— Responderei que é mais gostoso com o analista, porque eu amo meu analista... — Joana finalizou intensificando os beijos, fazendo Jader retirar-se cabisbaixo, sentindo-se vencido pelas circunstâncias.

Sentando-se no sofá em frente a Dionísio, Jader quebrou o silêncio:

— Não lhe dá náuseas ver e ouvir uma sem-vergonhice dessas?

— Não. Isso lhe causa náuseas, porque você queria estar no lugar de Alex.

— Mas Joana não era "atirada" assim comigo! Se ela agisse assim comigo, talvez eu não tivesse a necessidade de procurar prostíbulos.

— Desculpe-me, Jader, mas isso não é verdade. Preciso tornar a lhe dizer que, no plano em que estamos, tudo fica descoberto.

— Por que está me dizendo isso, Felício? Como pode afirmar que o que digo não é verdade?

— É Dionísio, não Felício. Afirmo que sei que não é verdade. Testemunhei diversas situações em que você evitou Joana quando ela o procurou no leito.

— Mas, se Deus for realmente justo, esses dois terão o mesmo fim que eu tive. Quero assistir de camarote ao castigo que esses infelizes receberão.

— Por que Deus os castigaria, Jader? Estão fazendo algo errado?

— Qual é a diferença entre o que estão fazendo e o que eu fazia com as prostitutas?

— A diferença primordial é que eles fazem isso por amor, enquanto você fazia apenas por prazer. Sexo é algo sagrado, não pecaminoso. Na troca de energias sexuais, a intenção de amor é o que determina a licitude.

— Papo-furado! Se nem esse psicólogo de meia-tigela conseguiu me fazer entender por que eu não conseguia ter vontade de fazer sexo com Joana, por que você acha que pode me dar lição de moral?

— Jader, sei que, na ânsia de querer estar certo em tudo, você omitiu do doutor Alex que mantinha casos com prostitutas e que usava os horários das consultas como um pretexto para enganar Joana. Entenda que não o estou julgando, mas as respostas para suas questões íntimas estavam em você mesmo. No entanto, sua visão nunca ultrapassou o espelho.

— Ah! É? Pois bem, "senhor analista do além", se "no plano em que estamos tudo fica descoberto", responda, então, às minhas íntimas questões!

— Você não sentia prazer só pelo sexo que fazia com as prostitutas. Sentia prazer em trair sua esposa. Diga sem reservas se isto não é verdade.

— Sim, não, quer dizer... Eu... Muito bem, Anísio, digamos que eu sentia prazer em trair Joana, mas onde está a lógica disso?

— Não é Anísio, é Dionísio. A lógica está em admitir que você não teve humildade de assumir o quanto foi egoísta, privando sua esposa de uma coisa que considerava prazerosa para você, mas que julga ser libidinosa para ela.

— Você está distorcendo os fatos! Por acaso sabe o quanto fui humilde até constituir patrimônio quando me casei? Sabe dos sofrimentos que vivi passando fome, vendo meu pai alcoólatra dar surras intermináveis em minha mãe, que eu flagrei, com meus próprios olhos, sair com outros homens? Sabe que vi meus pais morrerem na miséria, sem recursos para se tratarem de doenças, inclusive de doenças sexualmente transmissíveis? Sabe de tudo isso?

— Sim, tenho conhecimento, mas o fato de você acreditar que já sabe o suficiente o impede de saber mais.

— Se meu problema é a falta de conhecimento, diga-me, então, o que não sei sobre mim mesmo!

— Respeitarei seus limites, Jader, mas você crê que está preparado para reconhecer o que já sabe? Reconhecer o que já sabe, mas não aceita nem admite para si mesmo?

— Seu nome pelo menos eu não errarei mais, Dionísio. Diga logo, porque quero saber.

Dionísio refletiu sobre a importância daquele momento e, em comunhão com Abelardo, que se mantinha oculto, disse:

— Sua infância atribulada, assim como a turbulenta convivência com seus pais, vêm de encarnações passadas. Você, no entanto, ainda não tem condições de se lembrar disso no momento. O fato de Joana ter vindo rica nesta encarnação e você ter vindo pobre emergiu como interpretação de seu subconsciente, refletindo ao consciente e observando a possibilidade de vingar seu pai pelo adultério praticado por sua mãe. Daí o prazer que sentia em trair Joana e privá-la do prazer, como se pudesse infligir-lhe um castigo. Em resumo, você refletia em sua esposa a figura de sua mãe.

Tais revelações deixaram Jader paralisado por longos instantes. Ele, então, assumiu uma postura diferente e respondeu com respeito:

— Devo admitir que isso que acabou de me dizer me tocou muito... Na realidade, nunca pensei nisso... Mas agora estou compreendendo melhor que algo se justifica.

— Explica o motivo de suas ações por ignorância, mas não justifica suas ações egoístas, pois você não se esforçou para impedir que as más tendências influenciassem seu relacionamento com as pessoas.

— Sinto-me incomodado, como se esta casa realmente não me pertencesse mais. Quero voltar para o posto de socorro. Mas... posso esperar meus filhos? Gostaria de vê-los uma última vez antes de seguir meu destino.

— Você que sabe. Tem certeza de que não prefere evitar mais descontentamentos?

— Mesmo que sofra, quero ter a certeza de que não há mais o que fazer aqui.

Observando Alex despedir-se de Joana, Jader lamentou:

— E muitos pensam que, quando morremos, quem fica é quem perde... Agora que sei que morri, vejo que nada perdi, porque, na verdade, nunca conquistei aquilo de que mais precisava.

Capítulo 35

Quando chegou a sua casa, Murilo, revelando cansaço, jogou-se no sofá e permaneceu ali pensativo.

Joana havia saído à tarde para fazer compras, e Priscila ainda não havia retornado do trabalho, antes de seguir para a universidade.

Jader aguardava ansioso pela chegada do filho e dirigiu-se ao jovem abraçando-o:

— Como você está bonito, meu filho. Está um pouco magro, porque deve estar trabalhando muito! Meu menino tornou-se um homem!

Em silêncio, Dionísio observava o entusiasmo de Jader, que perguntou:

— Tenho conhecimento de que Murilo ignora que estou aqui, mas será que ele sente prazer com minha presença?

Dionísio não chegou a responder à pergunta de Jader. Murilo levantou-se depressa procurando um telefone e reclamando para si:

— Nossa! Não estava me sentindo tão mal antes de chegar aqui. Se não for "uruca", peguei uma gripe!

— Isto responde à sua pergunta? — indagou Souza, anjo de Murilo, que se tornou visível a Jader.

— Mas o que é isso? Outro "protetor", Dionísio?

— Sim. Este é Souza, protetor de Murilo. Agora preste atenção à conversa de seu filho ao telefone — recomendou Dionísio.

— E aí, Dudu, seu pachorrento? Vamos fumar um charuto hoje?

— Charuto? Sempre orientei Murilo para não ter vícios — disse Jader a Dionísio. A conversa de Murilo prosseguiu:

— Vou sim! E pode preparar umas três carreiras do pó mágico, porque já estou ficando com síndrome de abstinência... Escute, Dudu, vou só esperar a safada da minha mãe chegar, para não ficar atrás de mim que nem urubu na carniça. Fique sossegado. Só vou tomar banho e me "arrancar"... Está bem, tchau, brother. E, a propósito, não se esqueça de chamar suas vizinhas pervertidas, pois vou bancar todas elas.

Enquanto Murilo dirigia-se ao banheiro, Jader indagou Dionísio:

— Que falta de respeito é essa! Como pode se referir à própria mãe dessa maneira? "Três carreiras do pó mágico..." Isso é cocaína pelo que sei! Mas não é possível que Murilo esteja envolvido com drogas. Deve ser alguma gíria nova. Você sabe o que quer dizer... Qual é seu nome mesmo?

— Pode me chamar de Souza. Informaram-no de que as coisas mudaram por aqui e aconselharam-no a voltar para o posto de socorro para não ter mais desgostos?

— Não seria mais fácil se tivessem me contado logo de uma vez o que se passa aqui? — lançou Jader, sendo severamente repreendido por Dionísio:

— Nossa tarefa não é cicerone á-lo, entenda isso! Também não é colocá-lo a par dos fatos. Estar aqui foi uma decisão sua, portanto, deixemos claro uma coisa:

não iremos interferir em sua vontade e você não deverá interferir em nossa tarefa. Considera justo?

— Pois bem, "senhores tarefeiros"! Não preciso de vocês! Podem ir embora de minha casa e deixem minha família em paz.

Dionísio e Souza foram até a porta de saída, simulando retirarem-se, mas tornaram-se invisíveis para Jader. Abelardo, então, disse a Dionísio:

— Ainda bem que você desviou a atenção de Jader para o fato de Murilo estar fazendo uso de drogas, senão ele não iria querer sair daqui.

Jader resmungou preocupado:

— Era só o que me faltava... Como se não bastasse ver Alex deitando-se com minha mulher, esses metidos a anjos ainda se intrometem na vida de minha família. Mas... E se eles estiverem certos?

Joana entrou em casa carregada de sacolas e, ao saber que Murilo havia chegado, chamou-o para ajudá--la a tirar as compras do carro:

— Murilo! Poderia, por favor, me ajudar a trazer as compras do carro?

Murilo saiu do quarto, demonstrando má vontade:

— Que saco! Precisa mesmo comprar tanta coisa, mãe? Ah! Sim, me desculpe... Esqueci que pessoas fúteis só sabem fazer coisas fúteis...

— Daria para você fazer algo sem reclamar e parar de ser tão ofensivo? — retrucou Joana.

— Fique tranquila, "dona Joana". Estou só esperando o velhinho do seu pai bater as botas para pegar a minha parte da grana e dar tchau. Daí, não reclamarei mais de nada...

— Se seu avô soubesse de sua ingratidão e seu procedimento para comigo, lhe garanto que não veria um centavo!

— E por acaso você irá contar para ele?

— Murilo, meu filho... O que se passa com você? Raramente dorme em casa, não se senta mais à mesa comigo e com Priscila... Sente-se. Vamos conversar, por favor.

— Não me venha com esse papo de psicólogo, velha! Quem gosta de dormir com psicólogos é você!

— Não pode continuar levando essa vida... Volte aqui, Murilo...

O jovem saiu batendo a porta, seguido por Jader, que inutilmente o repreendia:

— Murilo, você não pode falar assim com sua mãe, seu moleque! Onde está o respeito que lhe ensinei?

Ao ganharem a rua, Priscila chegava exatamente naquele momento. Antes de Murilo entrar no carro, a jovem foi ter com ele. Enquanto isso, Jader defrontava-se com duas entidades, que, ao vê-lo, ironizavam:

— Nélio, veja só quem chegou: nosso antigo "chefinho".

— Puxa vida! É ele mesmo! Pedro, não dá para acreditar... Estou emocionado! Quanta saudade, chefinho... Você está bem? Bem morto?

Ambos aproximaram-se de Jader, abraçando-o. Ele, então, repudiou a atitude visivelmente sarcástica:

— Saiam de perto de mim! Quem são vocês? Nunca os vi na vida!

— Pedro, ele diz não se lembrar de nós! Pode? Quanta desconsideração!

— Jader, chefinho, você não pode fazer isso conosco — disse Pedro dissimulando comoção. — Deitávamos na cama com você antes de nos abandonar, deixando o substituto.

— Como assim? Eram meus funcionários? Não me lembro de vocês.

— Este é seu substituto — disse Pedro, aproximando-se de Murilo com Nélio.

Murilo discutia com Priscila, sem suspeitar que Pedro e Nélio alisavam-lhe as nádegas, fazendo gestos obscenos, lambendo-lhe o rosto, só para provocar Jader, que explodiu de raiva, desferindo socos às entidades.

Pedro e Nélio fingiam estar apanhando e sofrendo com a violência, implorando:

— Por favor, pare de nos bater, por favor... Não faça isso... — disse Pedro.

Imaginando que protegia os filhos, Jader cansava-se de tanto bater enquanto ameaçava:

— Calem-se, malditos! Nunca trataria com safados como vocês! Irei deixá-los viver, mas, se voltarem, juro que matarei os dois!

Ainda deitado, Nélio começou a gargalhar, atiçando ainda mais a fúria do suposto defensor dos filhos:

— Pare com isso, por favor... Sempre que vejo Joana gemendo com o Alex, penso no tamanho imenso do seu chifre!

Rolando pelo chão, Nélio e Pedro entregavam-se às gargalhadas, enquanto Jader ficava exausto pela constante e inútil ação. As duas entidades provocavam-no para aumentar a raiva de Jader e, assim, conseguir extrair as energias advindas dele, como estavam habituados a fazer.

Jader caiu de joelhos, e as criaturas vampirescas tomaram formas grotescas, sem conseguirem controlar as gargalhadas de prazer. Contemplavam Jader, que, imóvel no solo, sentia dificuldade de respirar.

Segurando-o pelo cabelo, Pedro levantou a cabeça de Jader, forçando seus olhos abrirem e dizendo indiretamente para Nélio:

— Veja o que faremos com seu "filhão". Olhe como Nélio o arrocha bem...

Angustiado e imobilizado, Jader observava Nélio abusar de Murilo, que entrou agressivo no carro deixando Priscila a falar sozinha.

Os vampiros cessaram imediatamente a subjugação, largando Jader como um trapo, e seguiram em disparada, acompanhando Murilo.

— Com licença, "ex-chefinho". Ao banquete! — disse Pedro ofegante, retirando-se.

Contrariada, Priscila entrou em casa para juntar--se à Joana, ignorando passar por cima de Jader, que, estirado, contorcido e imóvel, tentava pronunciar "socorro" à filha.

Encarnados e desencarnados iam e vinham na calçada. Cinco minutos depois, um grupo de quatro desencarnados que passava parou para observar Jader. Um dos membros aproximou-se dizendo:

— Acho que ainda não terminaram o serviço neste aqui... Vou lhes mostrar como fazer para retirar a "última gota".

Os anjos Dionísio, Souza, Abelardo e o estagiário Ezequiel surgiram.

— Não percam tempo! Se vierem conosco, poderemos ensinar-lhes como produzir a própria energia — Ezequiel interveio.

Um dos membros gritou:

— Lucificados! — e o grupo retirou-se em disparada, enquanto dois assistentes colocavam Jader em uma maca, conduzindo-o ao posto de socorro.

Abelardo aproximou-se do ouvido de Jader e disse:

— Sei que consegue me escutar com dificuldade. Não pude fazer nada por você, porque não me ofereceu condição alguma. Fique tranquilo, porque irá se recuperar.

Priscila tentava chegar a um acordo com Joana:

— Mamãe, não temos alternativa! Precisamos internar Murilo!

— Não, Priscila! É uma medida muito drástica!

— Depois será difícil, mãe... Murilo acabará sendo morto. Se não for por overdose, será por tráfico. Doutor Alex pode nos ajudar.

— Murilo odiaria ainda mais o Alex por isso. Tenho rezado muito e sei que Deus vai nos ajudar.

— Pare de se enganar. Deus é bom e justo, mas precisamos agir antes que seja tarde. Pense que um dia Murilo sairá da internação livre das drogas.

Depois de Joana prorromper em pranto, Priscila a consolou, mudando de assunto:

— Tenho uma boa notícia para você, mamãe. O processo de adoção de Maria Vitória está quase concluído.

— Descobriram o que fez a madre durona mudar de ideia?

— Gratiel disse que o casal que estava interessado na adoção da menina desistiu, mas não acredito que tenha sido só isso. Pensei que o padre Albertino inter-vira a nosso favor, mas Gratiel conversou com ele, que se mostrou interessado em conhecer a madre Rita de Cássia para agradecê-la...

— Que bênção ter a Gratiel ao nosso lado, não é, Priscila?

— Gratiel está sendo mais mãe de Maria Vitória do que nós... Confesso que, às vezes, fico até com ciúme, porque a menina agarrou-se a ela de um jeito que vai ser difícil desgrudar.

— Coitada, dessa moça... Tão dedicada, amorosa e determinada, mas tão infeliz no amor...

Priscila divagou longamente, despertando a curio-sidade de Joana:

— Está pensando em quê, Priscila?

— Estou pensando se, um dia, esse cara por quem a Gratiel foi tão apaixonada sentiu o mesmo por ela...

— Nunca saberemos. E, pelo que sabemos, o sujeito é casado e tem um filho.

— Mas será que ele é feliz? Tudo pode mudar, mãe...

— Gratiel ainda tem contato com ele?

— Não, mas estou pensando seriamente em pesquisar esse cara...

— Não quero saber de você tentando fazer Gratiel feliz em prejuízo da outra família! Não queira ser cupido, forçando uma situação.

— Até parece, mãe! Eu não faria isso. Pretendia apenas saber o paradeiro desse cara e descobrir como ele está, sem que desconfie de minhas intenções. Se estiver feliz com a esposa, tudo bem, mas se estiver separado?

— Priscila, Priscila... Pelo pouco que conhecemos Gratiel, se ela souber que você está mexendo os pauzinhos, ficará uma fera com você apesar de suas intenções. Já percebi que, apesar de ser um poço de bondade, Gratiel é da pá-virada...

— E eu não sei? Gratiel é terrível quando quer. Quando me tornei amiga dela, pensei que ia ser devorada. Mas estou feliz por termos essa ideia. Devemos muito a Gratiel.

— Tire-me de seus planos e mude o texto. Diga: "Eu tive essa ideia". Não estou disposta a enfrentar Gratiel furiosa, quando ela descobrir que você está vasculhando a vida desse amor impossível. Além disso, devido aos desgostos que tive com seu pai, fiquei mais medrosa. Uma das coisas que aprendi é que não devemos nos meter na vida dos outros.

— Pode deixar, mãe. Gratiel nem suspeitará disso.

263

Capítulo 36

1982

No posto de socorro espiritual Jader despertava:

— Onde estou?

— No posto de socorro — respondeu o enfermeiro.

— É aqui onde fica o entrevistador Cláudio? Posso falar com ele?

— Farei seu pedido, no entanto, convém não se esforçar, senhor Jader. Permaneça em repouso para seu bem.

— Ficarei. Já percebi que não estou em condições de questionar. Obrigado.

Duas horas depois, Cláudio entrou:

— Saudações, Jader. Estamos contentes com sua recuperação.

— Há quanto tempo estou assim?

— Pouco mais de quatro meses.

— Minha Nossa! O que aconteceu? Conseguiram livrar meu filho daqueles crápulas?

— Infelizmente, não.

Jader levantou-se repentinamente:

— Preciso ir avisá-lo.

— Fique à vontade — disse Cláudio abrindo-
-lhe caminho.

Notando que não haveria resistência e sentindo-se impotente, Jader solicitou:

— Vocês poderiam acompanhar-me para livrar meu filho daquelas criaturas?

— Não nos ocupamos de quem não quer ser ajudado.

— Está sugerindo que Murilo está com aquelas criaturas porque quer?

— Você também fez suas escolhas quando esteve reencarnado. Viveu com eles por muito tempo.

Dominado pela tontura que sentia, Jader retornou ao leito lamentando:

— Estou entendendo agora por que disseram que eu era o "ex-chefe" e Murilo o "substituto"...

Após uma breve pausa, Jader revoltou-se:

— Que mundo é este? Onde está Deus nesta história? Como deixam criaturas como aquelas fazerem o que fazem sem notarmos! Nem aquele Abelardo, que disse ser meu protetor, fez algo para me proteger!

Pacientemente, Cláudio explicou:

— Lembra-se do que Abelardo lhe disse antes de trazê-lo de volta?

— Disse que não podia fazer nada, porque eu não dei condições. Mas como ele queria que eu tivesse condições, se nem Abelardo teve?

— Você não entendeu. Não tinha nada "em você", porque sua sintonia era de agressão e suas vibrações eram de ódio.

— E daí? Queria que eu tivesse "vibrações" de amor vendo um vampiro arrochando meu filho?

— Em primeiro lugar, você não deveria estar ali e foi avisado. Em segundo lugar, energias do mal não podem ser neutralizadas com energias do mal.

— Então, por que não usaram as energias do bem?

— Por que não podemos intervir em seu livre-arbítrio. Só você poderia livrar-se do problema, mas não oferecia energias para que fossem manipuladas a seu favor.

— Existe algo que cesse a ação dessas criaturas em relação a Murilo?

— Claro que sim! A vontade de seu filho de mudar de atitude e o esforço para efetivar essas mudanças. Assim, Pedro e Nélio não terão mais o que fazer com seu filho. Irão insistir por algum tempo, mas, se Murilo resistir, eles desistirão e irão embora.

— Em pensar que alimentei essas criaturas dentro de minha própria casa por tanto tempo...

— Dentro de sua casa não, porque Joana cultiva a oração e as ações no bem. Seu lar tem uma atmosfera benigna. Assim como faziam com você, Pedro e Nélio esperam Murilo sair de casa para satisfazerem-se.

— Preciso mudar... Não tenho nada nem forças para proteger meus filhos...

— Esforce-se para vencer as tendências que o inseriram na situação que se desenrolou. Ajunte o "preciso mudar" ao "quero mudar". Trate-se primeiramente para ter condições de ajudar os outros.

— Começarei agora mesmo. Por favor, posso falar com Dionísio e com o protetor de meu filho? Pode chamá-los?

— Você pode! Chame-os.

— Como?

— Mentalmente.

Jader pensou em Dionísio e Souza. Eles surgiram.

— Olá, Jader. Viemos porque você nos chamou — disse Souza.

— Eu sei que vocês já deviam estar aqui... Afinal, "neste plano nada é oculto", não é, Dionísio?

Jader levantou-se e abraçou Dionísio:

— Perdoe-me a cegueira, protetor... Perdoe-me o desrespeito motivado pela minha ignorância! Perdoe-me por não ter guardado seus nomes direito... Por favor, perdoe-me...

— Sossegue, querido irmão... — correspondeu Dionísio. — Sabíamos que um dia veríamos sua mudança e cremos que consolidará novas oportunidades.

— Diz isso porque sairei daqui?

Souza interveio:

— Acreditamos nisso, porque você reconhece que não há muito a fazer na Terra, não é, Jader?

— Será difícil, sabendo a situação de Murilo... Para onde irei?

— Para uma das colônias fora da Terra.

— Por favor, cuidem de minha família. Vocês podem ir me ver de vez em quando para me darem notícias?

— Claro, Jader! Você não se livrará de nós tão cedo. Pode ficar sossegado — disse Dionísio.

— Eu queria pedir mais uma coisa...

— Peça, Jader — disse Cláudio.

— Na verdade, direi para todos ouvirem... Abelardo, sei que está aqui e estou com vergonha... Você pode aparecer para mim?

Abelardo surgiu para Jader:

— Vergonha de seu anjo protetor? Ora, Jader! Vergonha de quê? Estou orgulhoso de suas intenções de agora em diante.

— Lembrei-me de minha mãe, que sempre dizia que cada um de nós possui um anjo da guarda... Certa vez, fiquei impressionado quando me revelou que o anjo da guarda era alto, rosto delineado, cabelos encaracolados, com grandes asas, uma auréola, com vestimenta azul até o chão...

— Decepcionado, Jader? Posso me transfigurar se quiser.

— É... Agora sei que pode até ficar invisível se precisar... Mas você esteve comigo desde que nasci?

— Acompanho-o há muitas encarnações... Neste momento, não consegue lembrar-se, porque não está de posse da memória espiritual, mas creia que, em breve, teremos muitas coisas a compartilhar de suas lembranças.

— Incrível...

— Jader, lembra-se de que, quando era ainda uma criança, um cão bravo do vizinho escapou da corrente e avançou sobre você?

— Claro que me lembro! Não tinha a menor noção do perigo, tanto que levantei a varinha que acreditava ser mágica e gritei: "Sou Shazan e o ordeno que pare!". E o cachorro, então, deu meia-volta. Nem o dono do animal acreditou que ele não me havia mordido, porque, segundo ele, o cão detestava crianças... Então... você estava lá, Abelardo...

— Sim, estava. Mas, se desejar, pode me chamar de "Shazan"...

Os anjos riram, enquanto Jader mantinha-se pensativo. Por fim, ele continuou:

— Pode me dizer o que fez para o cão não me morder?

— Sim. Obtive sucesso solicitando auxílio dos Elementais, espíritos que habitam os quatro elementos e podem exercer influência sobre os seres vivos. Eles emitiram um som irritante, perceptível apenas para o animal, o que o fez afastar-se, desistindo de atacá-lo. Não tivemos obstáculos. Pelo contrário! Contei com sua inocência infantil em não reconhecer o perigo. Se tivesse sentido medo, teria sido mais difícil. Você teve fé que conseguiria paralisar o cão, então me apropriei das energias que despendeu e foi possível realizar a proteção.

— Compreendo... Agora, compreendo... Posso dizer que será um prazer me "lembrar" de você? — disse Jader, recebendo uma pronta observação de Abelardo:

— Pensando assim, você se ilumina e sua postura me permite revertê-la em graças...

Estendendo os braços, Abelardo convidou Jader a acompanhá-lo. Cláudio disse:

— Está preparado para seguir seu caminho, Jader. Pode ir com seu anjo.

Sem conter as lágrimas, Jader encontrou uma oportunidade de fazer graça:

— E o anjo da guarda me levará de carona em suas asas? Aliás, por que os anjos são sempre representados assim?

Correspondendo com alegria ao protegido, Abelardo respondeu:

— Se você fosse um artista da antiguidade, e eminentes religiosos lhe encomendassem a representação de seres angelicais esvoaçando, como conceberia a inspiração em uma obra de pintura?

— Seres alados...

Jader agradeceu a todos que o contemplaram seguir com Abelardo rumo a uma nova vida, com esperança de renovação, para poder retornar um dia...

Capítulo 37

1983

Era dia de alegria e festa na creche Meimei, que comemorava a chegada de Maria Vitória.

Ana e Jonas comemoravam a adoção da menina com a presença da madre Rita de Cássia, que prestigiou o casal em um momento tão importante e desejado. Emocionando-se juntamente a Priscila, Joana e Gratiel, o grupo observava a menina correr curiosa para conhecer os cômodos do novo lar.

Ana serviu um almoço especial com a participação das crianças da creche, que se amontoavam junto à madre Rita de Cássia, admiradas com sua vestimenta, que, para elas, era novidade, provocando ciúmes em Maria Vitória.

— Ela é "minha" Mãe Madre! — disse orgulhosa a garotinha.

Após o almoço, Jonas aproximou-se reservadamente da madre:

— Madre Rita de Cássia, obrigado por trazer mais luz para nossa casa!

— Não há o que agradecer, senhor Jonas! Eu que lhes agradeço por darem um lar à nossa querida Maria

Vitória, que também considero como uma filhinha do coração. Com a graça do Senhor, vocês serão felizes ao lado dela e por isso estou feliz também.

— A senhora se importaria se eu lhe fizesse uma pergunta, madre?

— Claro que não. Pergunte.

— Por que a senhora mudou de ideia sobre a adoção de Maria Vitória?

— Digamos que eu tenha compreendido que Deus fala conosco através dos sentimentos de amor, como o senhor mesmo mencionou no primeiro dia em que nos visitou...

— Se a senhora quiser, posso levar Maria Vitória para visitá-la sempre que quiser. E não precisamos seguir à risca o acordo de uma vez por mês, conforme foi estabelecido.

— Tenho certeza de que Maria Vitória não poderia estar em lugar melhor, senhor Jonas... Não é preciso se incomodar. Leve-a somente se notar essa necessidade da parte dela, se a menina sentir saudades da Mãe Madre e dos amiguinhos...

Assim, Maria Vitória iniciou sua nova vida, haurindo a atmosfera de outrora quando viveu como Sara, retornando ao seu antigo lar.

Na casa de Gratiel, Priscila planejava:

— Agora que conseguimos, finalmente, a guarda de Maria Vitória para dona Ana e seu Jonas, darei entrada ao processo para tirar Cássia do Instituto Juqueri, conforme prometi.

— Pri... Estive pensando... Não será arriscado agir de boa-fé com Cássia, retirando-a do sanatório?

271

— Acha que pode usar de chantagem conosco pelo fato de ser a mãe de Maria Vitória?

— Pelo que disse a você naquela visita, me parece uma pessoa capaz de tudo. E isso me preocupa...

— Pode ser, Gratiel, mas acredito que ela não se atreverá a fazer nada conosco, pois se arriscaria a ser internada novamente. Isto é... Isso se efetivamente conseguirmos tirá-la de lá.

— Você está certa, Pri. Promessa é dívida! Além disso, devemos reconhecer a contribuição de Cássia nas informações que nos levaram ao delegado Otacílio Miranda.

— Exatamente! E sem esquecermos o que mais devemos considerar: Cássia é mãe de Maria Vitória. Farei minha parte, porque, se um dia a filha quiser conhecer a mãe, não carregarei a culpa de dizer que Cássia morreu num sanatório sem termos feito nada para ajudá-la.

A menção e o pensamento de Priscila atraíram o espírito desencarnado de Cássia, que surgiu, na companhia de Janete, presenciando parte da conversa:

— Quem são "essazinhas" aí? — indagou Janete.

— A mais nova é Priscila, filha de Jader, e a outra é sua amiga, uma advogada chamada Gratiel. Ambas são pessoas boas, pois me ajudaram a consertar a burrada que fiz, encaminhando a menina a que dei à luz. Agora, elas estão pensando em cumprir a promessa que me fizeram de tirar-me do sanatório, ignorando que eu "já era".

— Ótima oportunidade de iniciar uma vingança contra Jader! Temos aqui a filha do canalha! — sugeriu Janete.

— Não, Janete. Ela tem a merecida proteção de um anjo. Além disso, essa moça, a Priscila, sem saber, me fez reconhecer as besteiras que fiz quando conversou comigo. Mesmo contrariada por eu não dar a mínima importância à menina que pari, ela não me julgou e ainda quer me ajudar, pois não sabe que morri. Meu negócio é com aquele delegado... É com ele que tenho contas a acertar — disse Cássia.

— Então não temos nada a fazer aqui. Precisamos nos infiltrar no bando que acompanha aquele maldito delegado — finalizou Janete, retirando-se com Cássia.

Murilo estava com sua namorada Roberta:

— Desconfio de que minha mãe e minha irmã estão tramando contra mim...

— Você anda muito desconfiado, amor. Nós nos conhecemos há pouco tempo e só o vejo agitado, com olheiras profundas. O que realmente se passa, Murilo? Conte-me o que sua mãe e irmã poderiam querer contra você?

— Ando muito cansado, Roberta... Trabalhando demais. Quanto à minha mãe e irmã, acho que elas estão querendo me prejudicar, porque sabem que meu avô está quase no fim da vida e que a maior parte de sua herança virá para mim.

— Nossa! Que coisa ruim, amor! Nessas horas, eu acho bom mesmo não ser rica, pois ninguém fica me marcando por causa do dinheiro nem me tratando bem só por isso... Meus pais, minha irmã e meu cunhado são tão unidos a mim... Aliás, por falar em família, estamos juntos há dois meses e não conhecemos a família um do outro. Não acha que está na hora de assumirmos? Não acho certo namorarmos escondido.

— Por enquanto não, amor... Tem uns lances que preciso resolver, e o clima lá em casa não está bom.

— Às vezes penso que você não me leva a sério... Tenho tanta vontade de apresentar o homem que amo à minha família...

— Você me ama tanto assim, Roberta?

— Quando saí da igreja e o vi pela primeira vez, compreendi que as histórias de príncipe encantado não são mentira, porque me apaixonei como nunca imaginei que pudesse...

— Nunca me esquecerei... Eu saía de um bar e você da igreja...

— Você me conquistou quando saiu do bar para ajudar aquela senhora a levantar-se de um tombo.

— Amor! Então sou péssimo em conquistas! Pensei que tivesse bom papo!

— Bobo! Pare de brincar... Se bem que, se não tivéssemos atravessado a rua juntos, a conversa nem começaria.

Ambos estavam sendo sinceros em relação aos sentimentos que partilhavam, mas Murilo mentia sobre Joana e Priscila para fazer-se de vítima, temendo que Roberta soubesse de seu comportamento hostil com os familiares.

Roberta era uma moça inexperiente, criada com princípios rígidos pelos pais, Gildo e Neide, mas ignorava o envolvimento de Murilo com as drogas e a vida devassa que o consumia.

Em um dia em que Joana estava fora de casa e Priscila no trabalho, Murilo simulou que levaria Roberta para conhecer sua família, mas sua intenção era outra.

— Puxa vida! Será que minha mãe não se lembrou de que a traria aqui para conhecê-la?

— Não tem importância, amor, a gente espera.

— Preciso lhe contar uma coisa: acho que vou sair de casa.

— Não faça isso, amor. Por quê?

— Contei para minha mãe e minha irmã sobre você, e elas ficaram com ciúme... Você é a pessoa mais importante de minha vida. Não aceitarei essa afronta.

— Murilo, isso não é motivo para pensar em sair de casa. É comum que mães e irmãs sintam ciúmes do homem, mas tenho certeza de que, quando nos conhecermos, seremos grandes amigas.

— Abomino todos que ousarem querer me separar de você.

— Nós nos amamos. Não pode se preocupar com coisas assim...

— Se me ama mesmo, prove... — disse Murilo aproximando-se mais ousado.

— Meu amor, não faça isso... Quero me casar virgem... — resistia Roberta, envolvida pelos beijos e abraços do namorado.

— Minha amada, não sabe o que é viver como estou vivendo... Esperar pela hora de vê-la é um martírio... Você é a única pessoa que se importa comigo e é por isso também que a amo...

— Murilo, por favor, não...

— Não estamos fazendo nada de errado, meu amor... Somos um pelo outro...

— Murilo, não... Murilo, você irá se casar comigo? — hesitava Roberta quase entregando-se.

— E que outra mulher haveria neste mundo para eu me casar, se não você? Você é o amor de minha vida... Você é a mulher de minha vida...

Inebriada, Roberta não criou mais resistência, deixando que Murilo lhe tirasse a roupa com agressividade.

275

Sentindo o momento, Roberta ficou de olhos fechados, com a expressão de quem cede um tesouro com prazer.

A movimentação no plano espiritual intensificou-se no vozerio entre Pedro e Nélio, que disputavam o momento:

— Nélio, eu fico com a safadinha e você com o patrão poltrão!

— Nada disso, Pedro! É minha vez de partilhar a dama! Só porque é virgem, quer me tomar a vez?

— Não discutiremos isso agora. Já estão quase lá. Preciso sorver este momento que há muito não tinha...

— Não! A vez de tirar da mulher é minha! — insistiu Nélio.

— Lembre-se de que fui eu quem lhe ensinou como fazer. Haverá outras vezes em que o patrão poltrão pegará essa fulana. Deixo você tirar dela nas próximas três vezes seguidas. Fechado? — ofereceu Pedro com imperiosidade.

Notando que a inflexibilidade de Pedro poderia provocar uma briga, Nélio cedeu, dando a entender que ficara satisfeito com a oferta:

— Ah, bom... Assim está melhor... Mas estou curioso para chegar minha vez e descobrir o que viu de tão bom nessa safada para querê-la tanto assim!

Os vampiros tomaram posição para iniciar a conexão com o ato iniciado entre o casal, quando surgiu Souza, anjo de Murilo, e Belizário, anjo de Amanda, irmã de Roberta.

Já com a voz transmudada pela metamorfose, Pedro zombou ao ver os anjos:

— Veja só, Nélio, teremos um padreco e um coroinha como espectadores...

Nélio questionou Pedro:

— Estou estranhando essa fulaninha não ter proteção... Note se encontrará alguma dificuldade no contato.

Pedro não teve tempo de responder. Zélia, o anjo de Roberta, surgiu revelando-se para a decepção de Pedro:

— Pedro reviverá tempos áureos de quando encontrou pela primeira vez sua amada...

Ao contato com Roberta, Pedro pulou para trás, retraindo-se em choque:

— Pare, Nélio! É uma armadilha!

Nélio afastou-se decepcionado, questionando:

— Mas, Pedro... Não encontrei nenhuma resistência no patrão poltrão... Continuarei — Nélio fez menção de conectar-se a Murilo, mas Pedro exclamou com ferocidade:

— Eu disse para você parar, seu idiota!

— Por que devemos parar? — Nélio retrucou indignado. E a resposta partiu de Zélia, anjo de Roberta:

— Não fique contrariado, irmão Nélio. A resistência de seu "sócio" não está em Roberta, está nele mesmo...

— Pedro, o que a "irmãzinha" quer dizer com isso? Por que você está parado assistindo a esses dois dispensarem prazer enquanto estamos famintos a olhar?

Nélio pedia explicações ao companheiro, que permanecia acuado em silêncio. Desta vez, Belizário, anjo de Amanda, irmã de Roberta, manifestou-se:

— É que Pedro reconheceu Roberta como uma velha conhecida. Não fique chateado, Nélio. É que ainda resta uma flama de amor no coração de seu amigo, por isso ele compreendeu que seu procedimento poderá lhe trazer sofrimento em vez de prazer...

— Que história é essa, Pedro? O que tem essa fulaninha? Aproveitarei minha vez! — Nélio avançou sobre Murilo, mas foi impedido por Pedro, que despendeu uma intensa carga vibratória, arremessando o comparsa à distância.

— Ficou louco, Pedro? Não estamos aqui para despender energias! Estamos aqui para tirar energia dos outros! Não deixarei esta oportunidade passar!

Nélio repetiu a tentativa de unir-se a Murilo, sendo novamente impedido por Pedro. Desta vez, no entanto, Nélio revidou, iniciando uma troca de agressões vibratórias, que foram sentidas pelo casal:

— Amor... Não convém esperar? Estou com uma estranha sensação... — informou Roberta.

— O amor não espera. Nunca amei ninguém e nunca vou deixá-la... Eu juro — disse Murilo continuando a relação, sem suspeitar que algo acontecia no plano invisível.

Os vampiros ficaram exaustos na peleja, e Nélio, por fim, resolveu desistir do intento com protestos e ameaças e retirou-se:

— Isto não ficará assim! Se você resolveu se converter a beato, o problema é seu, mas quero ver se terá energias quando eu trouxer os companheiros que você mesmo dispensou!

Enquanto Murilo e Roberta alcançavam o clímax do amor, Pedro dirigiu um ferino olhar aos anjos presentes, desferindo observações carregadas de raiva:

— Se pensam que mudarei porque encontrei minha mãe, vocês estão enganados! Não estou nem aí! Se fizeram Soraia reencarnar na pele de uma ovelha, para ser usada por este drogado, azar o dela! Continuarei sendo quem sou, com qualquer outra presa disposta a "doar".

Souza, anjo de Murilo, retrucou:

— A decisão de Soraia, sua mãe, de encarnar foi dela mesma, com o propósito de estar perto de você.

Naquele momento, quatro fachos de luz instalaram-se no local, anunciando a chegada de quatro entidades, que se aproximaram de Roberta, diligenciando cuidados na região genésica:

— Aproveitemos que a cabeça está recostada enquanto está deitada — disse uma das entidades.

— Instale o miniaturizador perispíritico deste lado — instruiu outra entidade manuseando um delicado aparelho, enquanto outras duas delineavam procedimentos magnéticos no útero de Roberta.

Percebendo a presença dos espíritos construtores, novamente Pedro dirigiu-se aos anjos, forçando um sorriso:

— Além de tudo, ainda permitirão que essa infeliz engravide do viciado na primeira relação sexual... É realmente interessante o que chamam de "justiça divina"...

— A justiça divina é infalível, Pedro... — ajuntou Zélia, anjo de Roberta. — Dê boas-vindas a Ermínia e Rubens, que estão chegando como filhos gêmeos do casal que os concebe, trazendo luz para este mundo de criaturas como você, que insistem em permanecer nas trevas.

Naquelas palavras, Pedro compreendeu que Roberta, que fora Soraia, sua mãe no passado, estava concebendo sua amada Ermínia, juntamente a Rubens, que fora filho do casal naquela encarnação.

Sem conter a expressão de choque, Pedro assustou-se. Enquanto isso, surgiu o anjo Meire, que permaneceu em silêncio.

Pedro sabia de quem o anjo era protetor e reclamou:

— Envolveram Ágata nesta trama maluca?

— Não — respondeu o anjo Meire. — Minha tutelada já é encarnada. É uma mocinha linda de dez anos de idade, que é sobrinha de Roberta. O nome de Ágata hoje é Heloísa.

Com esta informação, Pedro convulsionou, mas não se rendeu, retirando-se em disparada.

A partir daquele dia, Murilo arrependeu-se da vida que levava, e teve início um novo ciclo que o motivaria a modificar-se.

Capítulo 38

Noel guardou para si a mágoa que sentia ao descobrir, por vias indiretas, que Caio Henrique não era seu filho biológico.

Por Caio Henrique, valia a pena sorrir, pois a alegria e as demonstrações de afeto do garotinho representavam as compensações de conviver com Carla, que considerava sua maior frustração, responsável pela maior decepção que teve na vida.

Sem ter com quem compartilhar sua tristeza e envergonhado de julgar-se traído, Noel encontrou na bebida uma válvula de escape, imaginando que tinha o controle da situação.

O alcoolismo refletiu em Carla, aumentando seu desequilíbrio. A mulher passou, então, a agredir Caio Henrique não só fisicamente, como psicologicamente.

Caio Henrique tornou-se uma criança triste e, vez ou outra, adoecia.

Insistentemente, o menino pedia ao pai que o levasse à casa dos avós Oto e Clotilde, intensificando a ira de Carla, que ficava com ciúmes pelo fato de o filho não dispensar o mesmo sentimento aos avós maternos:

— Vá lá... Quero ver se a vovó "Tide" suportará a criança chata que você é! — Carla expunha o que sentia.

Carla desconhecia que a vontade de Caio Henrique de ficar na casa da avó tinha a ver com a necessidade de viver em uma atmosfera saudável, diferente do seu lar, onde se sentia sufocado.

Certo dia, para a surpresa de Carla, Clotilde fez uma visita para conversar, aproveitando a ausência de Caio Henrique, que estava na escola, e de Noel, que estava no trabalho:

— Carla, vim em paz. Fique à vontade para me dizer se guarda mágoas de mim ou de alguém de minha casa. Você não acompanha Noel e Caio Henrique nas visitas à nossa casa. Fizemos algo a você?

— De maneira alguma, dona Clotilde. Não tenho raiva nem mágoa de ninguém, mas Noel também não me acompanha nas visitas à casa de meus pais.

Compreendendo o temperamento de Carla, Clotilde tomou cuidado com as palavras:

— Sabe, Carla, notei que Noel anda triste e que Caio Henrique está ainda mais carente... Percebi que os dois se ressentem por você não acompanhá-los, por isso vim conversar.

Assumindo uma postura defensiva, Carla retrucou:

— De que adianta eles quererem que eu os acompanhe, se não me sinto bem num ambiente onde sou hostilizada?

— Carla, alguma vez a hostilizamos em nossa casa?

— Não diretamente, mas percebo que vocês não gostam de mim. Há como negar isso?

Clotilde não se alterou:

— Interessando-me pela felicidade de meu filho e meu neto, não teria sentido desejar sua infelicidade...

Não será que você acha que está sendo hostilizada? O que realmente pesa para você sentir-se assim conosco?

Clotilde não suspeitava que o motivo da agressão voluntária de Carla era a inveja da estabilidade emocional que não tinha, somando-se à dor de consciência pelo fato de saber que Noel não era o pai biológico de Caio Henrique.

Sem encontrar argumentos que a colocassem no patamar de vencedora da discussão, Carla buscou motivos para transferir a culpa que sentia:

— A senhora também notou que Noel se tornou um alcoólatra?

— Não notei, porque, quando está conosco, ele não deixa transparecer, mas acredito em você, que é a esposa dele, e proponho nossa união para ajudá-lo. Vamos nos unir, Carla?

A oferta vinda do fundo do coração deixou Carla sem alternativa senão concordar. Visando apenas não perder a razão, ela disse:

— Sim, podemos nos unir. E aí, quem sabe, vocês veem que não sou tão louca quanto pareço...

— Não achamos que seja louca, Carla. É você quem está dizendo isso. Não me interessam os motivos pelos quais Noel se tornou alcoólatra. Estou pedindo a você, como mãe, para me deixar ajudá-la a recuperá-lo, pois ambas sabemos que, embora Noel não seja perfeito, é um homem honesto, trabalhador e de bom coração. Além do mais importante: Noel é pai do seu filho...

A afirmação de paternidade doeu no íntimo de Carla, que fingiu equilíbrio:

— Pois bem, dona Clotilde, frequentarei mais sua casa e fique à vontade para frequentar a nossa. Será bom para vocês observarem a vida que levo...

— Obrigada, Carla. E lembre-se: se tiver alguma impressão sobre mim, trataremos a questão entre nós. Estamos combinadas? Está casada com meu filho e é mãe do meu neto, por isso a considero muito.

Carla correspondeu retribuindo o sorriso de Clotilde, mas, ao abrir-lhe a porta para despedir-se da sogra, pensou: "Acha que me engana com esse sorrisinho amarelo... Consideração que nada! Sentiu-se obrigada a me engolir! Isso sim!".

Envolvido pelo carinho e novo brilho que Roberta emanava, Murilo decidiu encerrar a vida desregrada que levava, encontrando motivos para mudar o caminho que trilhava antes de conhecê-la, reconhecendo que tudo era uma ilusão. No entanto, o rapaz sabia que era preciso desfazer-se das malhas nas quais havia se emaranhado.

A dependência química, somada aos débitos financeiros para adquirir a droga, constituía um imenso obstáculo que Murilo precisaria vencer sozinho, pois considerava fora de cogitação permitir que Roberta, tão pura de sentimentos, suspeitasse dos fatos.

Murilo consumia vagarosamente e em poucas quantidades a droga que tinha, mas chegou o dia em que o estoque acabou.

Apesar de firmar consigo mesmo o compromisso de cessar com o vício assim que a droga acabasse, Murilo não contava com estrutura física e psicológica para cumprir sua determinação, caindo em desespero, retornando ao seu fornecedor:

— Por favor, Dudu, veja minha situação! Ajude-me, por favor!

— Ajudo, assim que me pagar o que deve! Sumiu, não aparece mais para os bacanais, não atende telefone... Se passasse mais um dia, iria cobrar sua mãe. Por acaso ela lhe deu meus recados?

— Dudu, faltei no trabalho para vir aqui... Por favor, me venda algumas doses para dar até o final desta semana. Prometo que, no sábado, quitarei toda minha dívida, nem que tenha de vender o carro.

— Que garantia eu terei de que você pagará? Está me enrolando há meses e nem sei se seu carro será suficiente.

— Faça as contas e me informe! Fique com os documentos do carro como garantia.

Apanhando os documentos com desconfiança, Dudu guardou-os no bolso e retirou-se por alguns instantes. Depois, retornou com a droga nas mãos.

Sedento, Murilo avançou sobre Dudu, que segurou a droga na outra mão, agarrando o rapaz pelos colarinhos e falando-lhe ao ouvido quase a gritar:

— Oh, meu... Se você não cumprir o trato, não o cobrarei mais! Mandarei acabar com sua raça. Entendeu?

Dudu arremessou Murilo ao chão, jogando-lhe os papelotes da droga. O rapaz, por sua vez, tateou sofregamente o solo, abriu um dos papelotes, sorvendo seu conteúdo a longos haustos pela narina, enquanto recolhia os demais embrulhos espalhados.

— Hei, trouxa, desse jeito vai parar de tremer como vara verde e ficará duro como defunto! Vá devagar, cara, senão não terá tempo nem de me pagar, porque morrerá antes! — repreendeu Dudu.

Esperando Murilo parar de tremer, Dudu perguntou:

— Está melhor?

— Sim estou.

— Então me responda. Quanto vale seu carro?

285

Desanimado, Murilo disse qual era o valor do carro, e Dudu avisou:

— Pois então esteja preparado: fiz as contas e falta uma bagatela para pagar o que me deve.

— O quê? Quanto falta ainda?

Depois que Dudu disse o valor, Murilo discordou:

— Não consumi tudo isso! Está fazendo de propósito para me ferrar só porque não o procurei mais!

— Cara... Se não me pagar até terça-feira da próxima semana, vou ferrar você!

— Ficou louco, Dudu? Como saberei se conseguirei vender o carro até semana que vem?

Dudu apontou para Murilo um revólver que tinha escondido atrás das costas, ordenando:

— Traga-me o documento de transferência do carro amanhã sem falta e o carro ficará aqui a partir de agora. Dê-me a chave!

Contrariado, mas com muito medo, Murilo entregou as chaves apressado:

— Não esperava isso de você, Dudu. Nunca soube desse lado bandido que está me mostrando...

— Você não viu nada! Verá o que farei com você e sua família se não aparecer com o resto do dinheiro!

— Do salário, receberei menos de um quarto do que falta e não tenho como pagar o restante que pediu até terça-feira...

Ainda com a arma apontada para a cabeça de Murilo, Dudu gritou:

— Então me devolva esses papelotes agora mesmo!

— Não devolvo! Posso pagar o restante com outra coisa?

— Depende! Que coisa?

— Sei lá... Uma joia de minha mãe talvez...

— Traga a joia para que eu possa avaliar, mas lembre-se: se sua mãe ou aquela sua irmã lindinha chegarem até mim porque você não soube fechar a boca, o caixão delas estará ao lado do seu no velório. Fui claro?

— Fique tranquilo, porque, depois de tudo acabado, não quero mais ver sua cara, Dudu!

— Duvido! Isto é o que todos falam, mas quero ver você arrumar outro fornecedor paciente e bondoso como eu. Agora suma da minha frente. Fora!

Capítulo 39

No ônibus, a caminho de casa, Murilo pensava em como seria bom livrar-se daqueles canalhas que se diziam seus amigos apenas nos momentos de conveniência. Medos e dúvidas pairavam em sua mente. O que faria quando a droga acabasse?.

Murilo não imaginava que era tão difícil deixar as drogas, pois, até aquele dia, não havia experimentado a abstinência nem conhecia o grau de sua dependência química.

Pedir ajuda financeira à sua família estava fora de cogitação. Devia livrar-se daquelas pessoas e ir para um hospital, caso tivesse novas crises como aquela.

Chegando a sua casa, Murilo deparou-se com Joana:

— Não foi trabalhar hoje? Está tudo bem com você, filho?

— Tudo bem, mãe... Senti uma indisposição e resolvi voltar para casa, só isso.

— Não ouvi aquele ronco estrondoso do escapamento do seu carro. — Joana olhou através da janela e perguntou: — Onde está seu carro?

— Pare de fazer perguntas, mãe! Que coisa chata! Isso me irrita! Está com problemas mecânicos e deixei na oficina para que o consertassem.

— O carro é novo! O que quebrou?

— Você não entende nada de mecânica e, se lhe disser qual é o problema, não entenderá — Murilo trancou-se no quarto.

Priscila chegou, e Joana a informou sobre a chegada de Murilo.

— Mas onde está o carro dele, mãe?

— Disse que quebrou e o deixou no mecânico para consertar.

Priscila ficou introspectiva.

— Está pensando em quê, Priscila?

— Mãe, espere um minutinho — Priscila apanhou o telefone, consultou a agenda e fez uma ligação: — Boa noite. Meu carro está com um probleminha no freio. Posso levá-lo para você dar uma olhadinha?

Depois de receber a resposta, Priscila continuou:

— Ok, combinado. Mas caso não consiga ter tempo amanhã, irei outro dia... O Murilo também estava com um problema no carro novo. Ele deixou o carro aí para consertar?

Priscila despediu-se do mecânico e colocou o telefone no gancho:

— Mãe, o Murilo está mentindo. Ele não deixou o carro no mecânico.

— O carro pode estar na concessionária para revisão ou até no eletricista... Priscila, você está com muita marcação em relação ao Murilo e isto está me incomodando...

— Dona Joana, já lhe disse para parar de amarrar cachorros com linguiça! Murilo anda metido com gente que não presta... Esse tal de Dudu, que atendi outro dia, deixou um recado dizendo que estava uma fera, porque Murilo não retornava suas ligações. Ele tem ligado quase todos os dias! E, a propósito, esse sujeito ligou hoje?

— Não que eu saiba... No que está pensando?

— Não sei, mãe... Murilo pode ter usado o carro para pagar alguma dívida...

— Imagine, Priscila! Murilo seria capaz de tudo, mas não se desfaria do carro que é seu xodó, ainda mais que se trata de um presente do avô! Ele não faria essa desfeita com medo de desagradar o todo-poderoso Celso Norton.

— Mãe, isso não está me cheirando bem...

Priscila encerrou o assunto para não desagradar Joana, mas tinha motivos para desconfiar, pois descobrira, por meio de conhecidos, que Murilo estava consumindo drogas.

Durante mais de um mês, Murilo protelou o restante da dívida com Dudu e continuou a receber ameaças.

Determinado a vencer o vício, o rapaz recorria aos papelotes disponíveis apenas em momentos cruciais, em um esforço desmedido que excedia os limites da resistência. Dizia para si mesmo que o sacrifício era por Roberta, com quem levaria uma vida normal.

Embora os documentos de transferência do carro tivessem sido entregues um dia após a ameaça de Dudu, Murilo já não suportava a pressão de Joana, que dizia que contaria a Celso Norton sobre o sumiço do carro. Murilo havia mentido para a mãe, dizendo-lhe que teria usado o dinheiro da venda do veículo para o pagamento de dívidas de jogos de azar.

Roberta passou a demonstrar tristeza, colocando em dúvida a seriedade do relacionamento que mantinha com Murilo, devido aos constantes adiamentos das apresentações familiares.

Após um telefonema que Murilo atendeu sem vontade, Dudu ameaçou o rapaz de outra forma. Durante a conversa, listou detalhes sobre o trajeto que Priscila fazia para o trabalho e sobre sua rotina, dando a entender que já a havia seguido.

Não encontrando saída, Murilo combinou um encontro com Dudu para entregar-lhe a joia que subtrairia de Joana.

No quarto da mãe, Murilo apanhou um anel de ouro circundado por brilhantes, lembrando-se do dia em que seu pai dera a joia de presente para Joana.

Em um misto de saudade e revolta, Murilo levou o anel para seu quarto, sentou-se na cama e pôs-se a chorar dizendo:

— Desculpe-me pelo que farei, pai... Entregarei este anel, que não me pertence, a Dudu para continuar vivendo em paz... O que fiz de minha vida?

Prevendo os acontecimentos, Souza, anjo protetor de Murilo, pediu em pensamento a presença de Dionísio, anjo de Joana, que surgiu dizendo:

— Não convém submeter Joana à cena que virá. Melhor envolver Priscila. Fique aqui com Murilo, que tratarei o assunto com Natanael, protetor de Priscila.

Na miscelânea de sentimentos de decepção em que se envolvera, Murilo apanhou os papelotes que sobraram, olhou para eles com raiva, e os consumiu de uma só vez.

No escritório, Priscila solicitou uma dispensa logo após o almoço:

— Desculpe-me, doutor Norberto, preciso ir ao médico.

— Quer que peça para alguém a acompanhar?

— Não, doutor. Posso ir sozinha. Obrigada por sua preocupação.

— O que você tem, Priscila?

— Estou com dores no abdome e uma forte dor de cabeça.

A caminho do hospital, Priscila procurou na bolsa a carteira do convênio médico e disse contrariada:

— Droga! Esqueci a carteirinha no criado-mudo. Mas, já que é caminho, passarei em casa para pegar.

Chegando a sua casa, Priscila vasculhou as gavetas de seu quarto, mas não encontrou a carteira do convênio médico.

Sentiu-se incomodada:

— Não estou entendendo... Agora não sinto dor alguma... De qualquer maneira, preciso ir ao médico para pegar um atestado, senão é capaz do doutor Norberto pensar que eu estava mentindo.

Natanael, anjo de Priscila, promoveu na mente da jovem lembranças de sua infância, quando ela disputava com Murilo a atenção dos convidados no dia de aniversário de casamento de Jader e Joana, suspirando:

— Ah! Murilo... Quanta saudade de quando éramos crianças... Você era meu adorável concorrente...

O apontamento carinhoso a fez lembrar-se do medo que o irmão sentia de dormir sozinho e a ter um impulso de abrir a porta do quarto de Murilo para reforçar a lembrança. Ao entrar no cômodo, Priscila deparou-se com uma terrível cena:

— Murilo, você está aí? Murilo! O que você fez, Murilo?

Atônita, Priscila contemplou o irmão revirando os olhos, convulsionando e afogando-se em sua própria saliva.

Instintivamente, a jovem posicionou o corpo do irmão como julgou adequado, deduzindo que se tratava de uma overdose. Em seguida, acionou o socorro.

No pronto-socorro onde Murilo recebia atendimento, enquanto a equipe médica procedia a uma lavagem estomacal, Souza, o anjo do rapaz, Dionísio, o anjo de Joana, e Natanael, anjo de Priscila, permaneciam reunidos:

— No estado em que está, Murilo não sairá do embotamento — disse Souza, seguido de Natanael:

— Não conseguiremos mantê-lo no corpo em coma por muito tempo.

— Já entendi o que pretende, Souza — disse Dionísio retirando-se.

Em segundos, Dionísio encontrava-se na presença de Abelardo, juntamente a seu protegido, Jader, na colônia de recuperação:

— Infelizmente, venho lhe trazer más notícias sobre Murilo...

Após Dionísio revelar o que se passava, Jader começou a chorar:

— Pobre Murilo... Falhei como pai...

Abelardo perguntou a Jader:

— Observamos que há a possibilidade de você nos auxiliar a trazer Murilo de volta ao estado de consciência, mas precisamos saber se está disposto a colaborar.

— Por que não ajudaria meu filho?

Abelardo continuou:

— Sua intervenção não será tão simples, Jader. Murilo encontra-se em estado catatônico. Sua intenção de ajudá-lo é válida, mas não sabemos se terá capacidade para suportar o que precisa fazer.

— Eu lhes suplico: digam o que preciso fazer!

Dionísio tomou a palavra:

— A última lembrança impregnada de bons sentimentos que Murilo teve antes de abrir o portal das trevas foi com você, Jader. Temos esperança de poder encaminhá-lo novamente ao plano material a partir da restituição dessa memória, porque o sentimento entre vocês pode ser o gatilho para despertá-lo do estado em que se encontra.

Abelardo continuou:

— Levaremos você à presença de Murilo, que, de início, pode ignorar sua presença. Você deverá, então, dialogar com o rapaz sobre os fatos das últimas lembranças que teve.

— É só isso? — perguntou Jader.

— Preste muita atenção, Jader... Se você demonstrar a Murilo qualquer emoção, será inevitável inseri-lo em uma situação pior do que o quadro em que ele se encontra.

— Em que situação Murilo está?

Abelardo prosseguiu:

— A culpa extrema que sente, somada à overdose alucinógena, poderá colocá-lo em lugares do plano espiritual onde ficará à mercê de subjugações das entidades que lá habitam.

— Caso isso ocorra, vocês poderão trazê-lo de volta?

— Não sabemos — disse Dionísio. — No estado em que Murilo se encontra, ele não consegue captar nossa presença nem está apto a receber nossas emissões fluídicas. Entenda que, mesmo inconscientemente, é ele mesmo quem quer o que se passa.

— Estão me dizendo que, se eu falhar, contribuirei para que meu filho permaneça perdido por tempo indefinível? Mas como saberei que estou fazendo a coisa certa?

Abelardo orientou:

— Estarei ao seu lado. Olhe para mim e saberá se está agindo corretamente.

Observando Jader angustiado, Dionísio animou-o:

— Vamos, irmão! Ânimo, porque é preciso tentar! Conte conosco e faça sua parte. Você deverá conversar com seu filho tentando controlar a emoção de vê-lo... Quer um exercício melhor que esse para demostrar seu amor?

Capítulo 40

A caminho da Terra, Dionísio repassou a Jader a última lembrança de Murilo, que lamentou:

— A mesma joia que usei para despistar meu sogro, na ocasião do primeiro telefonema em que enganei Sara, é o motivo de eu estar retornando... Pobre Sara... Morreu atropelada por minha causa...

— Foi você quem a empurrou contra o automóvel? Queria a morte dela? — perguntou Dionísio.

— Claro que não! Não teria coragem de fazer isso a ninguém!

Ao chegarem ao hospital, Jader contemplou Murilo apático, sentado em uma cadeira próxima ao lado da cama onde seu corpo físico recebia os cuidados dos médicos.

— Aproxime-se, Jader — convidou Natanael. — Note que Murilo ignora o presente e o passado. Converse com ele calmamente e tente, com muito cuidado, trazê-lo de volta. Fará isso discorrendo sobre o evento referente a este anel que segura com firmeza. Mas lembre-se de que qualquer emoção negativa de sua parte pesará sobre nossos planos. Pense firme no que disser, tendo o propósito de fixar-lhe somente o sentimento de paternidade, para que Murilo se lembre apenas de que você é o pai dele.

Agentes espirituais entraram à procura de Souza, que se retirou por alguns instantes, solicitando a Jader que aguardasse em silêncio ali mesmo.

Logo em seguida, Souza retornou ao quarto na companhia de Pedro e Efésio, seu anjo, provocando susto em Jader:

— Abelardo, o que este vampiro está fazendo aqui?

— Calma, Jader — tranquilizou Abelardo. — Pedro contribuirá conosco para trazermos Murilo de volta.

— Irá fazer o quê? Sugar minhas energias minhas ou as de Murilo?

Pedro não resistiu e respondeu:

— Olá, ex-patrãozinho... Você salvará os seus e eu entregarei minhas queridinhas e meu filhote aos lobos...

Pedro referia-se ao interesse na manutenção da vida de Murilo na Terra, para conviver com seus entes queridos, que viriam ao mundo através do rapaz. Jader, no entanto, não compreendeu o comentário de Pedro, por desconhecer os fatos envolvidos. Efésio repreendeu a ambos:

— Jader e Pedro, por favor, agora não é hora para discussões.

Natanael reforçou para Jader, que se exasperava:

— Silêncio, Jader. Saiba que Pedro pode contribuir muito para que esta tarefa dê certo.

Souza, anjo de Murilo, posicionou Jader e Abelardo de maneira a promover a conexão energética, enquanto Dionísio e Natanael sobrepunham as mãos por trás de Murilo, dando sustentação fluídica.

— Comece a conversar com seu filho, Jader — autorizou Souza.

— Olá, Murilo... Sou eu, Jader, seu pai... Pode me ouvir, filho?

Murilo direcionou um olhar vago a Jader, sem demonstrar, por meio de sua expressão, que o reconhecia.

Com o olhar, Jader buscou Abelardo, que sinalizou para que ele continuasse:

— Lembro-me da festa de aniversário de meu casamento com Joana, sua mãe... Você e sua irmãzinha Priscila corriam pela casa... Este anel que está segurando foi meu presente para sua mãe... Lembra-se?

Murilo abriu a mão observando o anel, que, na verdade, era a projeção mental de sua consciência, e fixou sua atenção no objeto por alguns minutos.

Novamente, Jader buscou o olhar de Abelardo, que sinalizou que ele continuasse a pensar com firmeza no que narrava para Murilo.

Sem alterar-se, Jader continuou:

— Lembro-me também de que você e Priscila brigavam por um brinquedo, um robozinho... Tive de intervir ameaçando-os de que pegaria os brinquedos de volta, caso continuassem a briga... Lembra-se disso, filho?

Aos prantos, Murilo fixou o olhar em Jader, atirando-se a ele à procura de um abraço:

— Papai, eu ia dar seu anel... Tire-me daqui, por favor... Estão me perseguindo...

Jader correspondeu ao abraço do filho, mantendo-se impassível e atendendo às recomendações anteriores.

Ao entrar em contato com o espírito de Murilo, Jader teve um lampejo, vendo Murilo sair de um local em que várias criaturas disformes estendiam os braços tentando agarrá-lo. Um lugar sem luz e pantanoso, que logo se desfez em sua mente.

Enquanto Jader aguardava o olhar de Abelardo, Souza examinava Murilo. Então, Dionísio convidou:

— Pode abraçar seu filho, Jader. Murilo está de volta.

Agarrado a Murilo, Jader liberou a emoção contida, desabando em um pranto:

— Quero ir com você, pai!

— Estaremos juntos um dia, filho... Quero que prometa que sairá das drogas...

— Já decidi, pai. Casarei com Roberta e darei seu nome para um de meus filhos...

— Essa não! Rubens terá o nome do ex-patrão e o sobrenome do ex-patrão poltrão... — balbuciou Pedro com ironia sob o olhar severo de Efésio.

Souza magnetizou Murilo, promovendo seu retorno ao corpo físico, e Abelardo afastou Jader, permitindo que o jovem despertasse vomitando e tossindo no leito.

Um dos médicos acionou uma das enfermeiras, solicitando que limpasse o local, e deu orientações sobre os procedimentos a serem administrados dali para frente.

Mesmo cambaleando e recebendo auxílio magnético de Efésio, Pedro não deixou de ironizar Jader. Rindo, disse:

— Estou tão emocionado que quase chorei, patrãozinho...

— O que houve com ele? — perguntou Jader para Abelardo.

— Perdeu muitas energias, que Souza carreou em um passado recente com a ajuda de Efésio, protetor de Pedro. Tais energias foram restituídas a Murilo, contribuindo para o sucesso da ação que acabamos de testemunhar...

Souza, o anjo de Murilo, dirigiu-se a Pedro:

— Obrigado, Pedro. Já era tempo de tomar essa feliz decisão. Parabéns!

Antes de sair com Abelardo, Jader virou-se para Pedro:

— Não entendo direito o que aconteceu aqui, mas agradeço a ajuda que deu ao meu filho.

— De nada, "ex-patrãozinho". Nos veremos por aí...

Sem que Jader e Pedro soubessem, todos os anjos presentes entreolharam-se e responderam mentalmente em uníssono:

— Com certeza, se verão!

Roberta ajudava Helena a guardar a louça do almoço.

— Roberta, você anda estranha ultimamente. O que está acontecendo?

— Faz uma semana que Murilo não me telefona nem dá sinal de vida.

— Então ligue para ele!

— Estou com medo.

— Medo de quê?

— Na verdade, não estou só com medo... Estou apavorada...

— Desembucha logo, menina! O que Murilo aprontou?

— A pergunta deveria ser: o que "nós" aprontamos...

— Está grávida?

— É normal menstruação atrasar mais de dois meses, dona Helena?

— Vamos à farmácia comprar um teste agora mesmo. Parabenizações, só depois de ter certeza!

Roberta fez o teste, passando às mãos de Helena, que verificou o resultado e abraçou a jovem em seguida:

— Você está grávida, Roberta.

— Está comemorando, dona Helena? O que mamãe e papai farão quando souberem? Meu pai vai querer matar Murilo e minha mãe terá um infarto...

— Primeiramente, farão aquela cara de pânico só para não perder o costume, mas depois se acostumarão.

— Dona Helena... estou com medo. E se Murilo me enganou? E se ele não quiser assumir o filho?

— Minha filha, não sofra por antecipação. Acostume-se com a ideia de que, daqui para frente, as coisas mudarão para você e para quem estiver em sua vida. Não queira, desde já, condenar-se.

— Ainda bem que tenho a senhora. Poderia ajudar-me a contar sobre a gravidez para mamãe e papai?

— Se quiser, poderei estar presente, mas você mesma terá que contar tudo. Filha, está na hora de encarar a vida. Não dê a notícia com essa cara de Madalena arrependida. Seu jeitinho angelical é encantador, mas, diante da situação, terá de mudar, apresentando-se com firmeza aos seus pais.

— Quem devo avisar primeiro? Murilo ou minha família?

— Se me permite uma sugestão, avise primeiro quem fez essa coisinha maravilhosa, que será um menino ou menina, com você. Acho que será uma menina!

— E Murilo nunca me levou para conhecer a família dele...

— Roberta, o que irá enfrentar não será tão importante se comparado à grandeza do sentimento que você e seu bebê representarão para todos.

Roberta desconhecia os fatos ocorridos com Murilo, que há dois dias fora transferido do hospital para uma clínica de recuperação para dependentes químicos. Estava completamente isolado e incomunicável, requisito básico na fase terapêutica a qual se submetera.

Ao lado de Helena, Roberta telefonou para casa de Murilo. Priscila atendeu a ligação:

— Murilo não está. Quem deseja falar com ele?

— Meu nome é Roberta. Posso deixar um recado?

— Murilo está viajando e vai demorar a voltar.

— Viajou para onde? Ele não me avisou que viajaria...

— Desculpe-me perguntar. Você é amiga de Murilo?

Roberta silenciou por alguns instantes, encheu-se de coragem e respondeu:

— Sou namorada de Murilo.

— Namorada? Murilo não me falou nada sobre você.

— Imagino que não tenha falado mesmo. Ele não quis que eu contasse sobre nós à minha família. Estou estranhando não ter me informado sobre essa viagem...

Priscila achou conveniente não dar a notícia sobre os acontecimentos por telefone e convidou:

— Desculpe-me por não ter me apresentado. Sou Priscila, irmã de Murilo. Seria possível conversarmos pessoalmente?

— Não acha melhor o Murilo estar presente?

— Desculpe, Roberta. Não posso falar sobre Murilo por telefone. Se preferir, proponho-me a ir até sua casa.

— Por favor, me diga o que aconteceu com Murilo... Por que não quer me contar?

— Por telefone, eu não posso lhe contar. Quer que eu vá até sua casa?

— Prefiro ir até sua casa. Não quero envolver meus pais nessa história por enquanto.

— Envolver seus pais em quê, Roberta?

— Conversaremos. Não posso lhe contar por telefone.

Roberta combinou de ir com Helena, no mesmo dia, até a casa de Priscila.

Capítulo 41

Priscila atendeu Roberta e Helena, e a simpatia entre elas foi instantânea:

— Como você é linda! Parece um anjo... Murilo foi muito egoísta de não me apresentá-la antes — disse Priscila.

— Bondade sua. Você também é muito bonita — retribuiu Roberta. — Estou angustiada. Por favor, conte-me o que não pode me revelar por telefone. Onde está Murilo?

Priscila convidou-as a entrar, apresentando-lhes Joana. E, com a segurança que Roberta e Helena transmitiram, revelou-lhes os fatos ocorridos com Murilo, fazendo a namorada do rapaz chorar:

— Por isso Murilo estava com olheiras profundas e magrinho daquele jeito... Ele havia dito para mim que mudou depois que me conheceu, mas pensei que estivesse se referindo a seu temperamento. Não imaginei que se tratava disso...

— Antes de ser internado na clínica para dependentes, Murilo realmente nos contou que havia tentado parar sozinho com as drogas e que tinha encontrado um motivo especial para viver — revelou Joana.

— Perguntei qual seria o motivo, mas ele não quis me dizer.

Depois de trocarem impressões, combinaram de visitar Murilo na clínica e de fazer-lhe uma surpresa com a presença de Roberta.

A jovem fez menção de levantar-se para despedir-se, mas Helena a interpelou:

— Não está esquecendo algo, filha?

Priscila e Joana entreolharam-se e ouviram de Roberta:

— Deixe para outro dia, dona Helena. Não acredito que o momento seja oportuno.

— Está acontecendo algo? — perguntou Joana.

— Estou grávida — respondeu Roberta com timidez.

Joana amarelou, e Priscila exclamou:

— Uma irmãzinha ou irmãozinho para Maria Vitória! Um sobrinho ou uma sobrinha!

— Você é muito nova... Como sua família reagiu à notícia? — perguntou Joana.

— Havia decidido contar sobre a gravidez a Murilo antes de falar com minha família.

— Seus pais aceitarão numa boa? — perguntou Priscila.

— Saberei amanhã à noite, quando contar a notícia para eles.

Antes das visitantes se retirarem, Gratiel chegava à casa da amiga e, ao ser apresentada à Helena, falou:

— Estou reconhecendo a senhora de algum lugar...

Helena lembrou-se:

— Lembro-me do seu rosto definido, desses cabelos cacheados... Você é a moça que, no dia do casamento de meu filho, entrou no banheiro chorando!

— Puxa vida! A senhora é a sogra de minha grande amiga Amanda! E você... Robertinha! Não acredito

304

como o tempo passou... Você é linda como Amanda. Lembro-me de você rodeando a gente e pedindo para ir ao parque conosco. Aquela menininha linda com olhos de jabuticaba...

— E você? Reatou com aquele moço que a fez chorar tanto? Qual era mesmo o nome dele? — perguntou Helena.

— Bem que quis reatar, mas não deu certo. Ele se casou com outra... O nome dele é Noel.

— É mesmo! Noel é amigo do Júlio! Sei que eles continuam sendo amigos, mas faz tempo não se veem ou se falam...

Assim que Helena e Roberta saíram, Gratiel também foi embora. O telefone tocou, e Priscila atendeu:

— Por gentileza, o Murilo está?

— Não, não está. Mas, se estou reconhecendo sua voz, você deve ser o Dudu, não é?

— É isso aí, moça. Sou eu mesmo, ao seu dispor. Posso deixar um recado para o Murilo?

— Não, não pode! Estou sabendo que você é o traficante que fornecia a droga que quase levou meu irmão para o buraco. Escute aqui, sujeito, ainda vou botá-lo atrás das grades, ouviu?

Dudu desligou o telefone, e Priscila bateu com raiva o aparelho no gancho. Joana disse preocupada:

— Priscila, o que está fazendo? Essa gente é perigosa!

— Eu sei, mãe, mas preciso descobrir um jeito de afastar essa gente de Murilo. Não queremos saber desse pessoal perseguindo o Murilo quando tiver alta da clínica.

Apoiada por Helena, Roberta estava diante de seus pais, Gildo e Neide, de Amanda, sua irmã, acompanhada do marido Júlio, e de Heloísa, sua sobrinha, colocando-os a par dos acontecimentos:

— Essa não! — exclamou Júlio. — Você foi engravidar justo de um viciado em drogas, Robertinha?

Amanda prosseguiu:

— Não fale assim, Júlio. Segundo Roberta, o rapaz é de boa família. Ele apenas se desviou do caminho, mas está se tratando. Precisamos saber o que será daqui para frente. Ele irá assumir você e o bebê, Roberta?

— Acredito que sim, Amanda. No entanto, terá que sair primeiro da clínica.

Gildo disse:

— Já vi tudo... Esse negócio de "recuperação" é uma caixinha de surpresas. Pode demorar anos. Não acredito que um fedelho desses se recupere...

Notando a angústia de Roberta, Helena interveio:

— Deixem de ser insensíveis! Júlio, quando engravidei de você, eu também era viciada e nem por isso você foi mal criado. Está aí firme e forte.

Júlio respondeu:

— Honrosa menção, mãe, mas eu queria que meu sobrinho não tivesse que passar por metade das coisas que passei por causa disso.

Neide defendeu Helena:

— Não seja grosso com sua mãe, Júlio. Ela tem razão. Não temos direito de julgar o rapaz sem conhecê-lo. Ninguém é perfeito, e todo mundo tem direito à regeneração.

Antes de se retirar irritado para o quarto, Gildo disse:

— Isso mesmo. Você disse bem, Neide! Nem conhecemos o rapaz! Mas quero ouvi-la dizer que não devemos julgar o "coitadinho".

O comentário de Gildo trouxe uma nova preocupação, fazendo Amanda refletir com os demais:

— É mesmo, Roberta... Terei de arrumar um jeito de dona Neide amaciar o coronel Gildo, porque sabemos que ele é primeiramente militar, depois pai...

— Amanda, acha que papai pode fazer algo de ruim a Murilo? Já estou apavorada só de pensar — perguntou Roberta.

— Se fosse em outros tempos, talvez, mas acho que papai está velho demais para isso. Não esperemos o pior, pois papai é militar, mas não é monstro.

— Podem ficar tranquilos! Foi-se o tempo em que os militares faziam o que queriam. Gildo é um homem bom e não faria nada para prejudicar a filha.

Heloísa, que até então não tinha se manifestado, disse:

— Não consigo entender o porquê de tanta preocupação. Fiquei tão feliz com a vinda de um irmãozinho...

— Não será irmãozinho, Heloísa — disse Amanda.
— Será seu primo. Mas também não sabemos se será prima.

Priscila chegou ao Instituto Juqueri para dar continuidade ao acordo que firmara com Cássia e teve uma decepção:

— A senhora é parente da paciente?

— Não. Tenho apenas um compromisso firmado e estou aqui para dar andamento ao acordo que fizemos entre nós.

— Lamento informá-la, mas essa paciente teve alta em 1981. Depois, tivemos notícia de seu óbito no mês seguinte.

— Pobre Cássia... A senhora me informou que, segundo a ficha da paciente, ela teve alta. Mas... para onde Cássia teria ido, se não tinha família?

— Não sabemos. Demorei a atender a senhora, porque a ficha dessa paciente não estava onde deveria e porque eu só havia encontrado o resumo histórico que estou lhe transmitindo.

— Sabe me dizer qual foi o motivo do óbito?

— Junto ao histórico da paciente, vi que há uma anotação de que ela morreu de overdose de drogas.

Intrigada, Priscila encontrou-se com Gratiel logo em seguida:

— Não acha isso estranho, Gratiel? Um mês depois de encontrarmos o delegado Otacílio Miranda, Cássia recebeu alta e morreu em seguida?

— Não duvido que o delegado tenha mandado dar cabo à vida de Cássia. Ele nos deu rapidamente a localização de Maria Vitória e deve ter tratado de fazer uma "queima de arquivo", para não correr riscos de descobrirmos o envolvimento dele com seu pai, devido às possíveis provas e testemunhas que pudessem surgir.

— Como podemos averiguar isso, Gratiel?

— Pri, se esse delegado foi mesmo capaz de fazer o trato que fez com seu pai e se fez com Cássia o que suspeitamos, dá para termos ideia do que ele é capaz... Maria Vitória está bem amparada, feliz e conseguimos o que queríamos. Não cogita mexer nesse vespeiro, não é?

— Gratiel, se esse delegado fez tudo isso, não é justo deixá-lo por aí para fazer mais.

— Já percebi que você, às vezes, não tem noção da hora de parar. Pri, neste caso, não há como descobrirmos. Deixe o doutor Otacílio Miranda quietinho administrando o vespeiro particular dele. Um dia ele encontrará seu ferrão. Não procure sarna para se coçar. Entendeu?

Invisíveis às amigas, Cássia e Janete novamente haviam sido atraídas pelas emissões de pensamento de Priscila:

— Foi ele, Priscila! Foi o canalha do Otacílio Miranda! Ele acabou com minha vida!

— Pare com isso, Cássia! Sabe tanto quanto eu que ela não consegue ouvi-la!

— Não falei, Janete? A filha de Jader é boa menina...

— Deixe de ser boba, Cássia! Essas duas tiveram tudo do bom e do melhor, enquanto para nós restou apenas o pão que o diabo amassou... Acha mesmo que essa filhinha de papai dará continuidade à investigação?

— Eu acho que vai! Cada dia que passa, gosto mais de Priscila.

— Vamos sair logo daqui antes que você vista um hábito de freira e se interne num convento.

Natanael, anjo de Priscila, demonstrou-se satisfeito para Osório, anjo de Gratiel:

— O procedimento de Priscila está operando uma verdadeira revolução em Cássia.

— Não fosse pela companhia de Janete, Cássia talvez já tivesse se emendado — disse Natanael, seguido de Ernesto, anjo de Cássia:

— No momento certo, o coração de Janete será alcançado. As ações de Priscila transformarão Cássia, e ela, por sua vez, transformará Janete.

Capítulo 42

Em um badalado restaurante, Gratiel estava na companhia do juiz Alfredo Albuquerque, depois de aceitar os insistentes convites do magistrado, que se sentia muito atraído por ela.

Gratiel tornara-se uma recomendada advogada, e Alfredo já havia ministrado aulas no curso de pós-graduação.

— Felizmente, a vida não é só trabalho, Gratiel. Nós, que não dispomos de tempo para defender as causas próprias, devemos aproveitar ao máximo esses momentos raros.

— Tem razão, doutor Alfredo.

— Não precisa me chamar assim, Gratiel, pois, fora do tribunal e da universidade e apesar dos títulos, somos amigos.

— É difícil chamá-lo de você, mas tentarei, Alfredo.

— Assim está melhor. Por que não se casou, Gratiel?

— Porque não encontrei a pessoa certa. E você, Alfredo?

— Sou casado e tenho quatro filhos.

Disfarçando o espanto, Gratiel indagou:

— Se é casado, o que faz aqui comigo, Alfredo?

— O fato de ser casado não me impede de sair com outras pessoas, ainda mais quando somos o que somos.

— Não entendi, Alfredo. O que quer dizer com "somos o que somos"?

— Quero dizer que, entre audiências e análises de processos, esforço-me até para me lembrar do nome de minha mulher, de tão pouco que a vejo. Quero dizer também que a pressão a que somos submetidos nos compelem a dispor de prerrogativas perante trivialidades sociais, desonerando-nos delas, o que nos dá o direito de gozar uma vida mais liberal. Se pretender ser juíza, é preciso se familiarizar com essa realidade.

Alfredo procurou colocar a mãos sobre as de Gratiel, mas ela retraiu-se:

— Não sei se concordo com esse tipo de pensamento.

— Pode não concordar agora, mas pode estar a caminho de compreender algumas coisas que são básicas para viver bem.

— Como o quê, por exemplo, Alfredo? — Gratiel tentava disfarçar sua irritação.

— Como estarmos acompanhados e nos sentirmos sós. Podemos estar com pessoas que possam nos proporcionar um pouco mais de prazer, para que possamos nos refazer, acordar melhor e dar continuidade à pilha de processos à nossa espera no dia seguinte.

Gratiel arrependeu-se de ter aceitado o convite e pensou: "Deus! Quanta arrogância! Preciso encontrar uma maneira de me livrar dele... Tenho que conduzir a conversa apenas para ganhar tempo".

— Realmente, nem consigo imaginar como deve ser a vida que você leva... Conte-me como faz para administrar a análise de tantos processos...

— Ah! Isso depende da escabrosidade do que chega às minhas mãos. Outro dia analisei um que...

Enquanto Alfredo discorria longamente sobre si mesmo, Gratiel fingia ouvi-lo com profundo interesse, mas, na verdade, prestava atenção à mesa ao lado, a qual se sentou um casal com três meninos a fazer bagunça.

Gratiel formulava questões lançadas ao acaso sobre o pouco que conseguia assimilar da fala animada de Alfredo, observando o casal que chamava a atenção dos filhos para que se comportassem, revelando--lhe uma estranha felicidade que não possuía.

Uma música ambiente começou a tocar, operando uma tortura no íntimo de Gratiel, remetendo-a ao passado, a uma ocasião em que Noel a convidara para dançar.

Gratiel pediu licença a Alfredo para ir ao toalete, pondo-se a chorar diante do espelho e lamentando o fato de que ali havia alto-falantes instalados, o que a fez intensificar o pranto.

A mãe dos meninos da mesa ao lado entrou no toalete reclamando:

— Esses moleques me deixam louca!

Ao perceber a situação de Gratiel, a mulher perguntou:

— Está passando bem?

Sem conseguir disfarçar, Gratiel simulou que retocava a maquiagem:

— Sim, estou bem. Não há problema.

Carinhosamente, a mulher insistiu:

— Sua dor é de corpo ou de coração machucado?

Gratiel fixou o olhar na mulher e desabou a chorar:

— É um coração estraçalhado...

Ao perceber que Gratiel necessitava extravasar seus sentimentos, a mulher retirou-se do toalete.

Retornando à mesa, Alfredo perguntou:

— Por que seus olhos estão vermelhos?

— Sou alérgica à sombra que usei nos olhos.

— Conheço um motel onde poderemos desfrutar uma noite maravilhosa.

— Infelizmente, estou "naqueles dias" e com uma cólica infernal. Por favor, poderia me levar para casa?

Diante do argumento, Alfredo não encontrou resistência.

Entrando em casa, Gratiel dirigiu-se à porta do quarto do avô para anunciar sua chegada com graça, como sempre fazia:

— A neta da minha avó chegou! Ouviu, velho chato?

Afrânio tinha sono leve e acordava facilmente, mas, como permanecera em silêncio, Gratiel estranhou, repetindo a frase.

A neta aproximou-se do leito do avô anunciando pela terceira vez sua presença e, novamente sem obter resposta, acendeu o abajur observando que o avô estava de olhos e boca entreabertos.

Chacoalhando o corpo sobre a cama, Gratiel sentou--se ao lado do avô abraçando-o e beijando-lhe o rosto. Chorando, disse emocionada:

— Oh! Vovô... Você também me deixou? Agora sim estou sozinha neste mundo...

Ao lado de Gratiel, amigos espirituais auxiliavam Afrânio em seu desligamento, enquanto a avó da moça, desencarnada há muito tempo, apoiava o esposo naquele momento:

— Olhe só, minha velha... Estou com pena de nossa neta. Gratiel ficou mesmo sozinha...

— Não diga isso, Afrânio! Sabe muito bem que nunca estamos sós. E pare de me chamar de velha, porque não gosto disso.

— Gratiel tem bem a quem puxar! Vai ver que é por isso que está sozinha...

— Não sei por que insiste em lamentar-se por Gratiel, pois não sabe o que a espera.

— E o que a espera?

— Acha que viemos a Terra para sofrer, Afrânio? Nossa neta será mais feliz do que já é.

Apesar da consternação, Gratiel encontrou forças para tomar as providências necessárias em relação ao avô.

Compareceram ao enterro de Afrânio alguns de seus companheiros de praça, com os quais se reunia todos os dias para jogar dominó, e alguns amigos de Gratiel, inclusive Priscila, Joana e Alex. A mãe de Gratiel, que chegou de Brasília para se despedir do pai, era a única parente da moça a participar da cerimônia:

— Por que não vem morar comigo em Brasília, Gratiel? Não sei como consegue viver em São Paulo — convidou Celina.

— Dizem que cada um vive no lugar que merece, mãe. Não consigo me imaginar fora de São Paulo.

— Penso que, se tivesse escolhido ir morar comigo, teria se dado melhor na vida, casado, tido filhos...

— Por que será que todo mundo só sabe enxergar felicidade no casamento e em ter filhos?

— Por que não? Parece que sente prazer em me contrariar!

— Só porque não vejo o mundo como você, mãe?

— Não quero que veja o mundo como eu, filha. Aliás, você sempre quer parecer diferente para os outros, está sempre remando contra a maré. O que ganha com isso?

— Ganho a resposta.

— Que resposta?

— Do porquê não vou morar com você em Brasília.

— Você não tem jeito mesmo, não é, filha? Está bem, então venha passar as férias comigo. Prometo que não a obrigo a ficar.

— Estou mesmo precisando de férias. Pode ser que apareça lá, porque estou enjoada dessa monotonia.

No dia seguinte, Gratiel acompanhou a mãe até o aeroporto.

Capítulo 43

Priscila não considerou as recomendações de Gratiel e procurou o detetive Silva para investigar a morte de Cássia.

— Senhor Silva, não quero que ninguém saiba que o estou contratando. Achei seu contato na agenda de minha mãe.

— Diferente de sua mãe, que na época me forneceu algumas informações para iniciar a investigação sobre seu pai, a senhorita só possui informações sobre o Juqueri.

— Não concordo, senhor Silva. O senhor tem nomes e sabe onde procurar as informações. Seu ponto de partida será o Instituto Juqueri. Legalmente, eu não conseguiria, mas certamente o senhor tem mecanismos e competência para fazer esta investigação.

— Pelo envolvimento do delegado em questão, admiro sua coragem, mas devo lhe dizer que o Instituto Juqueri talvez não seja o ponto de partida como supõe. Por experiência, suspeito que Cássia retornou ao Reduto Taberna.

— Daqui em diante, é com o senhor. Se conseguir alguma informação, não ligue para minha casa.

Procure-me no escritório e, caso eu não esteja lá, deixe um recado que retornarei em seguida.

Logo que saiu do escritório do detetive Silva, Priscila encontrou-se com Laércio, seu namorado:

— Oi, amor, que saudade... Dê-me um beijo bem gostoso!

— Ultimamente, minha namorada só tem tempo para visitas relâmpago em meu serviço — reclamou Laércio.

— Amor, tenha certeza de que é por uma boa causa... Ando totalmente enrolada por causa do meu irmão e tenho visitado Gratiel, que acabou de perder o avô. Mas você não tem do que reclamar! Você está no meu coração o tempo todo.

— Onde fui amarrar meu burro, hein, Priscila? Estou completamente apaixonado por uma estudante de Direito do quarto ano, que nem é advogada ainda, mas já se julga a salvadora do mundo. Olhe que ainda arrumo uma substituta para você...

Entre risos, Priscila prometeu:

— Falando sério, amor, prometo que passaremos o final de semana inteirinho juntos. Almoçarei em sua casa, você jantará na minha, levaremos Maria Vitória para passear e depois...

— Deixe-me ver... Acho que dá para começar a negociar... Agora, tenho de entrar, porque minha hora de almoço já se foi...

— Está bem, amor. Estive pensando em assistir aos trabalhos no centro da dona Ana, assim poderei estar mais perto de você. O que acha?

— Se for somente para estar comigo, não sei não, Priscila... O centro não é lugar para namoro.

— Embora morra de medo de espíritos, tenho curiosidade de conhecer...

Natanael, o anjo de Priscila, comentou com Zéfiro, anjo de Laércio:

— Será interessante ver Priscila desenvolver sua mediunidade.

— Realmente. E justo ela que diz ter medo de espíritos. Só espero que os espíritos não tenham medo dela.

À noite, conforme fora combinado por telefone, Helena recebeu Priscila em sua casa.

Após conversarem trivialidades, Priscila disse:

— O que me traz aqui não tem a ver com Roberta, por isso lhe pedi que não comentasse com ninguém. É sobre Gratiel.

— Gratiel?

— Sim. Fiquei feliz em saber que você conhece o "idolatrado" Noel, porque estava buscando um jeito de saber o paradeiro dele.

— Não me diga que Gratiel ainda gosta daquele homem!

— Digo mais: sofre até hoje por ele.

— Nossa! Por isso ela mudou de assunto quando a reconheci em sua casa.

— Pois é, Helena. Você sabe se Noel é feliz?

— Quem tem contato com ele é meu filho, Júlio, mas já o ouvi comentar com Amanda que Noel tem muitos problemas com a esposa. Ela parece não regular bem das ideias, ou algo assim.

— Sabe por que Gratiel chorava no dia do casamento de sua nora?

— Ela nunca lhe contou?

— Ela evita este assunto... Sempre que pergunto alguma coisa sobre isso, ela desconversa.

— Fiquei sabendo depois por Amanda que Gratiel foi quem desmanchou o namoro com Noel, pois achava que o rapaz não era tão dedicado ao relacionamento.

Daí, ela saiu com um amigo de Noel, que espalhou para todo mundo que tinha ido para a cama com Gratiel. Mundo machista! Na época, ele estava namorando a filha da Ana, mas ela morreu atropelada.

— Coitada da Gratiel! Só porque deu um "escorregão", ficou malfalada desse jeito? E desde quando uma mulher deixa de ser honesta só porque cometeu um deslize?

— Está dizendo isso hoje, Priscila, mas, naquela época, se soubessem que uma mulher não era virgem... Minha filha... Ela ficava pra titia. Mas não é só por isso... Gratiel quis reatar com Noel, mas ele havia engravidado uma moça com quem estava namorando.

— Você acha que Noel ainda gosta de Gratiel?

— Não sei... Em minha opinião, homens gostam do que lhes é conveniente. Porém, deixando de lado meu preconceito, pelo que ouvi falar do Noel, ele era uma pessoa muito bacana. O relacionamento com Gratiel não deu certo na época por causa das más línguas, mas eles se gostavam muito.

— Você poderia conseguir o telefone ou o endereço dele para eu tentar descobrir mais algumas informações, Helena?

— Você é bem espevitada, não é, menina? O que pretende fazer?

— Só quero averiguar. Fique tranquila que ninguém saberá que foi você quem me ajudou a encontrar o tal Noel.

Enquanto Helena procurava o telefone de Noel na agenda, Priscila perguntou:

— Você mora com Amanda, Júlio e Heloísa faz tempo?

— Não. São eles que moram comigo. Quando Júlio se casou com Amanda, morou um tempo de aluguel, mas não aguentaram o tranco. Aquele velho remelento do Gildo, pai de Amanda, recebe uma boa aposentadoria, mas ela nunca viu o cheiro. Fui eu que praticamente criei Heloísa, mas ela não puxou nada de mim. Você viu o doce que ela é. O mesmo acontece com Roberta. E, se quer saber, vive mais aqui do que lá. Achei! Aqui está... Noel. Tenho o telefone do serviço e da casa dele, mas não tenho o endereço.

— Não tem problema. Obrigada. Arrumarei um jeito de descobrir o que quero.

Gildo chamou Júlio para uma conversa em particular:
— Não perguntei na frente de todos, mas você sabia do envolvimento de Roberta com um viciado em drogas, Júlio?

— Claro que não, seu Gildo! Acha que, se eu soubesse, não teria tomado alguma atitude?

— O vagabundo está "internadinho" numa clínica de "recuperaçãozinha", comendo do bom e do melhor e nem sabe que Roberta está grávida, porque tem que ser "preservado", senão pode ficar abalado psicologicamente... Isso não lhe soa irônico ou lhe causa revolta, Júlio?

— Roberta nos contou que a família do rapaz é gente honesta e de posses e que o avô dele é dono de uma metalúrgica. Ela também nos contou que combinou com a mãe e irmã do rapaz de visitarem-no. Segundo ela, eles se amam muito e o rapaz certamente assumirá a criança...

— Meu Deus do céu, Júlio! Não me diga que você acredita no que as mulheres dizem! São mulheres, se esqueceu?

— Senhor Gildo, diante dos fatos, há alguma alternativa senão aguardar os acontecimentos?

— É isso que dá! Falam dessa maldita abertura política como se fosse a salvação da pátria! Se fosse há alguns anos, esse moleque já teria sido enterrado como indigente!

— Pode ser, seu Gildo, mas essa não é a realidade atual. Ele é um filhinho de papai, tem advogados, e a irmã dele é quase uma advogada também. Sugere que a solução para tudo seja apenas fazer o que julguemos certo?

— Não seria má ideia, mas já pensei em sugerir a Roberta que tire essa criança.

— Com todo respeito, seu Gildo, mas sua religião aprova esse tipo de procedimento?

— Garanto-lhe que, se o pastor de minha congregação ou o padre de sua igreja não aprovarem essa decisão, é porque não serão eles que assumirão o filho de um viciado ou limparão a mancha que ficará em minha filha!

— Combinamos de não discutirmos religião, seu Gildo, mas, se começarmos, certamente não haverá ganhadores nem perdedores nesta conversa, porque, se o senhor sugerir algo assim para sua família, que está animada com a gravidez de Roberta...

— Chega, Júlio! Está bem... Não há como remediar essa situação. Só não me conformo com isso, ainda mais com a possibilidade de vir um neto homem! Mas temos que resolver essa parada...

— Resolver o quê, seu Gildo? Não adianta ficar inconformado. Temos que aceitar...

— Você disse que irão visitar o fulano, não é? Pois não vão! Eu irei visitá-lo primeiro!

— Senhor Gildo, o moleque está internado e há dias certos para as visitas... Como entrará lá?

— Ainda tenho amigos, Júlio. A pouca-vergonha impera, mas o exército ainda existe.

— Sogro, o que pretende fazer com o pirralho?

— Se tivesse sido militar, saberia que, por trás de um drogado, existe um fornecedor. Quando esse pilantra sair da "colônia de férias" onde está descansando a cabecinha oca, haverá uma legião de fornecedores esperando por ele à porta para cobrar-lhe as dívidas e oferecer-lhe mais drogas. Assim, aproveito para saber qual é a desse sem-vergonha para salvar a honra e a reputação de nossa família. Dane-se que ele é filho de gente rica! Esse rapaz descobrirá que Roberta não é filha de chocadeira!

— Não pretende agir com violência, não é?

— Verei o que vou fazer. Por ora, voltemos com caras felizes para que essas tontas das mulheres não desconfiem de nada. Espere chegar em casa e, quando elas estiverem distraídas falando do enxoval do bebê e escolhendo nomes para a criança, sorrateiramente tente descobrir em qual "colônia de férias" esse filho da mãe está. Mas tem de ser rápido!

— Não sei se dará certo, senhor Gildo. Não estou acostumado a essas estratégias militares...

— Já disse para não se preocupar. Só descubra onde fica a clínica e deixe o resto comigo. Faça sua parte. A menos que queira que os almoços de domingo aconteçam na companhia de sobrinhos acompanhados de traficantes... Ou, quem sabe até, de sobrinhos traficantes?

— Vire essa boca pra lá, seu Gildo!

— Então faça o que eu lhe pedi. Não é muita coisa, mas serve...

Ao voltarem à sala, Neide perguntou:

— Do que falavam em particular?

— Estava dizendo a Júlio que, se o bebê for menino, eu espero que ele resolva ser militar...

Matheus, anjo protetor de Gildo, dirigiu-se aos anjos presentes:

— Nem precisei inspirá-lo. Gildo parece saber o que precisa fazer.

— E nem precisou amparar-lhe o coração — completou Zélia, anjo de Roberta.

— Finalmente, Gildo está aprendendo a agir pelo raciocínio, sem exaltar-se — finalizou Matheus.

Capítulo 44

Carla bem que tentou cumprir a trégua que estabelecera na visita de Clotilde, visitando e sendo visitada pelos familiares do esposo, mas era praticamente impossível apresentar mudanças em seu comportamento.

Quando visitava os pais de Noel, mantinha a postura de vítima, gritava com Caio Henrique e o agredia, gratuitamente, com tapas na frente dos avós, discorrendo indiretas com o intuito de atingir o marido.

Tornara-se uma rotina desgastante para Clotilde acalmar os ânimos de Oto e Noel, pedindo-lhes paciência, na esperança de que a nora mudasse de comportamento.

Quando era visitada, Carla comportava-se como se estivesse recebendo a visita de invasores, intensificando a violência contra Caio Henrique, com o propósito de livrar-se rapidamente do sogro e da sogra, que não conseguiam permanecer por muito tempo a testemunhar a violência empregada ao menino, acompanhada da frase que se tornara o jargão da nora: "Estou em minha casa, faço o que quiser".

Nívea já não fazia questão de estar presente nas visitas ao sobrinho e, quando era visitada, fechava-se em seu quarto com Caio Henrique.

Noel perdeu o ânimo para discutir com a esposa e, aos poucos, também perdia o ânimo para trabalhar, prejudicando a situação financeira da construtora que abriu.

Em função da decadência financeira do marido, Carla exercia incentivos negativos:

— Só me faltava essa! Como se não bastasse a bebedeira, tenho certeza de que tem amantes! E agora tenho também que suportar essa vida miserável que você me dá! Nem posso pensar em ter mais filhos desse jeito!

Naquele dia, Noel não suportou mais manter-se calado:

— Por acaso você tem vontade de ter mais filhos, Carla?

— De que adianta ter vontade, se você não funciona com tanta manguaça na cabeça?

— Como posso querer algo, se você se parece mais com uma égua dando coices do que com uma mulher?

— Mas é claro! A culpa, como sempre, é minha!

— Não suporto mais viver com você.

— Já ouviu aquele velho ditado: "Os incomodados que se mudem"?

— Vamos nos separar?

— Ah! Então é isso! Está vendo isso, Caio Henrique? Seu pai está cheio de amantes, está gastando todo o dinheiro com elas, e agora quer nos deixar!

— Pare com isso, mulher! O coitado do menino está dormindo!

— Não paro! Coitada de mim que terei de suportar o tranco e assumir esse traste que coloquei no mundo, porque fiz a besteira de abrir as pernas para você!

Noel chegou ao seu limite:

— Foi só para mim que você abriu as pernas, Carla?

A interrogação gerou a contundência de um martelo para a consciência de Carla, mas ela não cedeu:

— Como assim? Está colocando minha integridade moral em questão?

— Fiz uma pergunta a você! Responda, Carla!

Atordoada, Carla não encontrou mais argumentos, seguindo para seu quarto a gritar:

— É isso o que dá se casar com bêbados! Sou mesmo uma infeliz!

No dia seguinte, Carla foi ao consultório da suposta vidente Mirian e desabafou:

— Com certeza, a mãe do meu marido entrou em meu lar para desestabilizar minha relação!

Dado o desequilíbrio de Carla e notando que teria problemas, Mirian decidiu livrar-se dela:

— Os trabalhos que fizemos anteriormente para os espíritos surtiram resultado, mas, pelo que vejo aqui, sua sogra não representa um problema para você. O problema é você, Carla. Por favor, tire uma carta de cada um desses montes e vire-as para si.

— Pronto! O que está vendo agora? Perderei meu marido?

— Estou vendo dois caminhos a seguir: em um deles, você tem de mudar seu comportamento e ajustar-se com seu marido; o outro é uma viagem... Vejo outro homem em seu futuro...

— Pelo amor de Deus! Me diga como ele é.

— Ele é alto... Tem olhos escuros... Não consigo ver tudo, as imagens não estão bem definidas...

— Só pode ser o Armando novamente, aquele maldito! — exclamou Carla.

— Quem é esse Armando? — Mirian tentou puxar o fio da conversa.

— Deixe para lá... É um safado sem-vergonha.

— Então é isso. Não é possível ver mais além.

— Não precisarei fazer um trabalho?

— Desta vez não. Confie em seu destino e apenas acenda uma vela de sete dias para seu anjo da guarda, que está "meio" apagadinho.

Carla retirou-se mais desequilibrada do que quando entrou.

Selena, anjo de Mirian, disse a Sálvio, protetor de Carla:

— Pelo menos Mirian farejou o problema em que se envolveria e não continuou iludindo sua protegida.

— Realmente, foi bom Mirian não ter prosseguido com isso, pois falta pouco para Carla explodir a bomba que ela mesma construiu. E... quanto menos atingidos, melhor.

Na semana seguinte em que esteve com Helena, Priscila encontrou uma forma de aproximar-se de Noel:

— Como informei ao senhor, faço parte da divulgação do escritório de advocacia em que trabalho. Tínhamos sua construtora em nosso cadastro, por isso vim pessoalmente falar-lhe.

— O motivo de ter aceitado sua visita é o fato de estar um tanto insatisfeito com meu advogado, pois só tenho perdido as causas trabalhistas. Por isso, resolvi tentar mudar.

— O senhor tem algum processo em andamento?

— Tenho dois e, pelo jeito, irei perder ambos. Os processos já foram julgados, perdemos, o advogado recorreu... Mas não confio na possibilidade de reverter a situação.

— Poderemos dar continuidade a estes processos, se quiser.

O telefone tocou, e Noel pediu licença para atender à ligação.

— Carla, não posso falar agora, porque estou em reunião! Pare de ligar para cá, xingando a recepcionista! Eu que pedi para ela não me interromper.

Assim que terminou a frase, Noel afastou o aparelho do ouvido, pois Carla gritava ao telefone a ponto de Priscila ouvir o que a mulher dizia.

Após suspirar, Noel retornou o aparelho ao ouvido:

— Terminou o "show", Carla? Escute, conversarei pessoalmente com a diretora da escola do Caio Henrique, pois pagarei as mensalidades atrasadas somente semana que vem e...

Carla desligou antes que Noel terminasse de falar.

Ao colocar o telefone no gancho, Noel desabafou discretamente com Priscila:

— Basta ser esposa... Desculpe-me pela inconveniência, doutora.

Priscila quis dar prosseguimento ao assunto e perguntou sorrindo:

— O que quer dizer com "basta ser esposa", senhor Noel?

— Não me processe por isso — sorriu Noel.

— Estou diante de uma feminista?

— De maneira alguma... Das partes, testemunhei que seu ouvido foi o mais prejudicado.

— A doutora é casada?

— Não sou ainda, mas logo pretendo me casar.

— Nunca grite com seu marido dessa forma que testemunhou. Isso é deplorável...

— Em um casamento, quando falta respeito, falta tudo. Se isso acontecer comigo, acho melhor que cada um vá para seu lado.

— Então pense bem antes de ter filhos, porque se engana quem acha que filhos não seguram um casamento.

— Desculpe-me pela sinceridade do comentário que farei, mas cheguei a acompanhar casos em que a separação do casal constituiu em uma bênção para os filhos. Claro que não estou me referindo ao senhor, mas, retornando ao assunto original...

Noel não deixou que o assunto se encerrasse:

— Se não se importa, antes de continuarmos o assunto principal desta reunião, poderia, por favor, me contar um caso em que a separação de um casal constituiu em uma bênção para os filhos?

— Bem, talvez seja melhor contar meu próprio caso. Meus pais, aparentemente, conviviam bem, dentro das convenções sociais, e, embora não nos faltasse nada, eu e meu irmão nos ressentíamos pela falta de amor entre eles. Infelizmente, quando meu pai faleceu, descobrimos a verdade sobre ele e sobre a existência de uma filha que teve em uma relação extraconjugal. Pergunto-lhe, então: se meus pais tivessem se separado antes, será que minha mãe não teria sofrido menos?

— Nossa! Estou pasmo com a segurança e tranquilidade com que me contou... Você deve ter sofrido muito...

— Não acredito que tenha sofrido mais que meu irmão e minha mãe. Minha mãe superou, mas, não sei se isso refletiu diretamente, porque meu irmão está em uma clínica de recuperação para dependentes químicos. Ele era mais apegado ao nosso pai, e eu, à minha mãe.

Comovido com a história de Priscila, Noel se abriu:

— Tenho todos os motivos para me separar de minha esposa. É uma mulher violenta, desequilibrada, que grita o tempo todo e bate em nosso filho todos os dias. Estou pensando se realmente estou fazendo bem a ele mantendo um casamento sob a alegação de preservá-lo ao lado da mãe...

Priscila ponderou as palavras antes de responder a Noel:

— Não posso dizer nada a respeito de seu caso, porque não convivo com vocês, mas posso afirmar que existem muitas formas de a violência se estabelecer em um lar. Não testemunhei em minha casa violência física ou verbal, que pode machucar também, mas testemunhei que, até no silêncio das coisas que ignoramos, as feridas podem ser profundas.

— Doutora Priscila, estou impressionado com sua exposição! Nunca tinha avaliado a situação por esse prisma...

Priscila apanhou o cartão de visitas que havia dado a Noel e anotou seu telefone residencial, complementando:

— Não me atrevo a fazer qualquer julgamento em relação à sua vida, mas aqui está o telefone de minha casa, para o caso de necessitar de assistência, pois, no escritório, só lido com assistência jurídica empresarial.

— Mais do que um cliente, tenha a certeza de que conquistou um amigo, pois você me fez avaliar alguns conceitos sob outro ângulo...

Ao dirigir-se para o estacionamento no subsolo, Priscila estava satisfeita com o resultado da visita que fizera a Noel, sem suspeitar da presença dos anjos.

Odilon, anjo de Caio Henrique, disse para Natanael, anjo de Priscila:

— Será necessária muita disposição para inspirar Noel a procurar Priscila, caso Carla entre em um surto psicótico.

Priscila captou a informação e disse:

— Algo me diz que, quando a esposa de Noel surtar, eu serei chamada por ele e terei de tramitar o processo da guarda do filho...

Diante da satisfação dos anjos, Natanael comentou com os demais:

— Priscila é médium clariaudiente. A mediunidade está se tornando ostensiva, porque ela começou a estudar o assunto com o namorado.

Novamente, Priscila captou a informação e, aproximando-se do automóvel, parou por alguns instantes, falando em voz alta:

— Será mesmo verdade esse negócio de conversar com nosso anjo da guarda a que Laércio e dona Ana se referiram? Vamos ver se eu penso "forte":

"Meu anjo da guarda, você está me ouvindo?", pensou Priscila cerrando os olhos.

— Sim, Priscila, alto e claro — respondeu Natanael.

"Foi você quem me inspirou, ou conduziu minha conversa com Noel?", a moça continuou.

— Sim. Uma parte sim, mas a maior parte da conversa partiu de você mesma.

"Essas respostas que me vem à mente são muito coerentes... Mas como saberei que não são meus próprios pensamentos?", a jovem perguntou mentalmente.

— Basta você analisar se pensaria naquilo que está captando.

"Meu anjo da guarda, haveria possibilidade de provar que é você mesmo que está me respondendo e que não é coisa da minha cabeça?", Priscila indagou em pensamento.

— Como quer que eu lhe prove? Quer que peça para alguém lhe confirmar?

"Sei lá... Faça como quiser. Apenas prove, por favor", a jovem pedia.

Uma senhora que também procurava seu automóvel no estacionamento viu Priscila estática e foi inspirada pelo seu anjo, em comunhão com Natanael, a perguntar:

— Hei, minha filha? Está a conversar com anjos?

— Sim, senhora, eu estava. Foi ele quem pediu para a senhora me perguntar?

— Se continuar de olhos fechados neste estacionamento perigoso, dará mais trabalho para seu anjo da guarda!

A senhora continuou seu caminho, enquanto Priscila permanecia intrigada, a questionar-se, intimamente, se seria aquela a prova que seu anjo da guarda teria dado.

Natanael comentou alegre com os demais:

— A maioria dos nossos queridos se admira das faculdades que possuem, mas nem sempre dispõem da força atrativa da fé.

"Mas eu tenho fé... Talvez precise apenas desenvolver...", respondeu Priscila introspectiva.

Diante da surpresa agradável, Natanael envolveu a moça em um carinhoso abraço, fazendo-a experimentar a sensação de flutuar em êxtase.

Capítulo 45

Era noite. A caminho de casa, Noel parou no bar de costume.

Como o costume tornara-se um vício, Noel atraiu companheiros invisíveis para comungar-lhe as emanações etílicas.

Heitor, anjo de Noel, mantinha-se invisível àquelas entidades e observava a válvula de escape que seu protegido encontrara para afogar as mágoas, quando recebeu a visita de uma entidade superior:

— Difícil não se lamentar, não é, Heitor? E ainda há os que pensam que anjos não sentem tristeza quando seus protegidos se desviam do caminho e desconhecem os motivos...

— Eles desconhecem, mas nós não. Sabemos exatamente o que deixam de contribuir para si e para o coletivo. Mas a que devo a honra de sua presença, arcanjo Rafael?

— Os tutelados são dignos dos anjos, mas os anjos também são dignos de assistência.

Muito feliz, Heitor compreendeu integralmente os pensamentos de Rafael:

— Graças a Deus! O Conselho Tutorial decidiu pela intervenção múltipla!

— Sim. Vim para informá-lo que, baseado em fatos prescientes, o Conselho Tutorial o autoriza a utilizar das atribuições que lhe conferem com intervenção múltipla.

— Agradeço-lhe por esse acréscimo de misericórdia conferido ao meu tutelado, Rafael.

— Seu tutelado se faz digno da oportunidade, Heitor. Apenas faço votos de que ele aproveite a chance, pois, acima de tudo, estão os desígnios do Alto para que se cumpra a Palavra.

Enquanto Heitor aguardava o momento referido, arcanjo Rafael saiu.

Ébrio, Noel levantou-se cambaleando para pagar a conta das doses consumidas e dirigiu-se ao caixa, quando um menino sujo e descalço pediu:

— Tio, dá um dinheiro para comer?

O balconista ouviu e discordou:

— Não dê dinheiro a ele! Sabemos que ele entregará a quantia para a mãe gastar em pinga. Conhecemos a figura.

Penalizado ao observar a desnutrição do menino e seu estado, que denotava falta de cuidados, Noel contabilizou que o garotinho teria menos da idade de Caio Henrique. Por fim, convidou:

— Venha aqui, menino. Sente-se comigo. Vou lhe dar o que comer, mas tem que ser aqui.

— Mas moço... Meus irmãos também estão com fome — emendou com aflição.

— Seus irmãos estão aí fora?

— Não, moço. Estão no barraco onde moro.

— Então faremos assim: faço questão de ter o prazer de sua companhia. Depois, quando terminar de comer, você levará vários lanches gostosos e doces para fazer a alegria de seus irmãos. Venha.

— Tá bom, moço — concordou o menino cabisbaixo.

Notando que o menino comia triste sem dirigir--lhe o olhar, Noel puxou conversa com o garotinho na intenção de deixá-lo à vontade:

— Qual é seu nome, filho?

— Anderson.

— Anderson, o lanchinho não está gostoso? Por que está tão triste?

— Não tô não, moço...

Noel aguardou o menino terminar o lanche, entregou-lhe um pacote com dez lanches e com doces, despedindo-se:

— Tchau, Anderson. Faça bom proveito com seus irmãos.

— Obrigado, moço — Anderson retirou-se timidamente, sendo observado por Noel até que dobrasse a esquina.

Pagando a conta, apesar de comovido, Noel estava satisfeito pela boa ação que pensava ter praticado e ouviu o seguinte comentário do caixa:

— Pensa que fez boa coisa? Esse aí poderá um dia enterrar uma faca em suas costas e estará bem alimentado para isso.

— Se todos pensassem como você, o mundo estaria perdido. Não pensa que poderia ser seu filho a pedir esmolas? — disse Noel contrariado, e o caixa replicou:

— Penso que, se tivesse um filho, mais tarde seria ele a levar a facada nas costas, porque você o alimentou!

Para a conversa não acabar em discussão, Noel preferiu não responder ao caixa e retirou-se rapidamente do bar, arrancando com o carro para sua casa.

335

Ao fazer a curva na primeira esquina, Noel deparou-se com uma mulher surrando o menino que, há pouco, estivera em sua presença e notou que os lanches e doces entregues estavam todos espalhados pelo chão.

A mulher gritava e socava o menino impiedosamente:

— Já te falei que não é assim que se pede, moleque! Já te falei como se faz, mas você não aprende!

Transtornado com a cena deprimente, Noel parou o carro na calçada e caminhou em direção à mulher:

— Está louca? Vai matar o garoto batendo nele desse jeito! Se não parar, chamarei a polícia!

Enlouquecida por ter sido notada, a mulher arrastou o menino pelo braço até um beco próximo. Noel, então, pôs-se a segui-la sem perceber que, perto da viela, havia uma pequena favela.

Notando que a mulher não cessava seu desvario, Noel aproximou-se ainda mais e tirou-lhe o menino à força, livrando-o da contínua ação violenta. De repente, Anderson esvaeceu-se em seus braços.

Furiosa, a mulher passou a gritar repetidas vezes chamando:

— João Fuleiro, João Fuleiro...

Acompanhado de outros dois homens, um indivíduo corpulento surgiu atrás de Noel:

— O que foi, sua tribufu? Por que grita tanto? Só sabe gritar?

— Esse almofadinha aí não está me deixando educar nosso filho! Ele arrancou Anderson de mim e está dizendo que vai nos mandar para a cadeia!

Noel permanecia atônito com o menino nos braços e não teve tempo de defender-se.

O homem puxou um revólver que carregava na cintura e apontou para a cabeça de Noel, apertando o gatilho cinco vezes. Todos os tiros falharam, dando oportunidade a Noel de manifestar-se desesperado:

— Ela estava matando o menino de tanto bater! Tudo isso porque, em vez de lhe dar dinheiro, lhe dei lanches. Olhe o que ela fez... Olhe o estado desse pobre menino! Precisamos levá-lo ao pronto-socorro agora mesmo.

Diante da revelação, o homem aproximou-se e, notando que o menino estava morto, disse:

— O Anderson está morto! Você matou o menino, mulher dos diabos!

A mulher ajoelhou-se dando gargalhadas, sem conseguir parar, e o homem apontou-lhe a arma para a cabeça gritando enraivecido:

— Não aguento mais você, mulher maldita! Encheu a cara de pinga novamente e agora conseguiu matar o Anderson, não foi? Então você não me serve mais para nada!

Diante de todos, o homem apertou o gatilho cinco vezes, mas, dessa vez, todas as balas foram disparadas, para desespero de Noel, que observou a mulher tombar inerte sob o olhar indiferente dos três:

— Você está louco também? Não precisava ter feito isso...

Antes de se retirar decepcionado, o assassino ordenou aos dois companheiros:

— É melhor "apagar" esse almofadinha, senão teremos problemas. Ele viu nossa cara... Podem matá-lo.

Os dois comparsas armaram-se. Um com um bloco de cimento que encontrou, o outro, com uma barra de ferro que estava jogada no chão. Ambos partiram para cima de Noel, que ainda tentou correr. Os agressores, no entanto, aproximaram-se rapidamente para cumprir a ordem.

O homem com a barra de ferro tentou golpear a cabeça de Noel, mas seu anjo Heitor fez com que ele tropeçasse baixando a cabeça. O golpe desferido, então, atingiu o braço do homem que segurava o bloco de cimento, fazendo-o cair gritando de dor:

— O que você fez, Zé do Bode? Quebrou meu braço, seu idiota!

A sirene da polícia soava ao longe levando o outro a ajudar o companheiro ferido a levantar-se, observando:

— Precisamos sair logo daqui, Malaquias. A polícia ouviu os tiros. Deixe esse almofadinha pra lá. Não deve ser mesmo a hora desse cara morrer.

Enquanto os dois fugiam da cena do crime, Noel gritava pela polícia, que chegou observando o triste cenário.

Enquanto Noel era conduzido à viatura, no plano invisível o quadro era entristecedor. Uma legião de entidades disputava o fluido vital que se esvaía da mulher tombada, sob o olhar enternecido de seu anjo, que observava sua protegida debater-se em desespero ainda presa ao corpo, como se estivesse sendo devorada.

Heitor deixou Noel aos cuidados do tutor do menino morto e aproximou-se da mulher, direcionando emissões fluídicas sobre seu corpo, que provocaram ojeriza às entidades, que, ao contato do produto da vampirização, cuspiam enojadas, afastando-se.

Indicando o anjo Heitor, uma das entidades disse para as outras:

— Ele alterou o sangue dela! Por isso este sabor horrível das emanações cadavéricas.

— Ele está só. Vamos dar o troco — disse outra entidade revoltada.

— Não entre nessa — alertou o líder. — Para fazer o que vimos, ele certamente está assistido por arcanjos e lucificados, que devem estar invisíveis para nós. Estou sentindo. Vamos sair daqui antes que nos prendam às malhas magnéticas.

Ao observar a debandada das entidades, os dois benfeitores iniciaram a operação de desligamento do espírito da mulher. O anjo dela dirigiu-se a Heitor:

— Obrigado por estender múltipla intervenção à minha tutelada. Desejo que seu tutelado se faça digno desta intervenção combinada.

Duas horas depois, Priscila estava em casa, assistindo televisão com Joana:

— Priscila, por que está agitada desse jeito? Não consigo assistir a novela direito com você andando de um lado para outro.

— Não sei, mãe... Estou angustiada, com um pressentimento ruim... Esquisito...

Logo em seguida, quando o relógio marcava nove da noite, o telefone tocou, fazendo as duas pularem assustadas do sofá e olharem-se desconfiadas.

Priscila atendeu à ligação e, em poucos minutos, estava com Noel na delegacia.

Depois de Noel ter sido interrogado e ter feito o boletim de ocorrência com o auxílio de Priscila, os dois saíram da delegacia:

— Vá para casa, descanse e não se esqueça de agradecer a Deus pelo fato de os disparos não terem vingado, pois, pelo que declarou, é um milagre estar vivo.

— Não me conformo de não conseguir identificar os rostos daqueles monstros! Além não estar completamente sóbrio, o local estava meio escuro também.

Noel chegou a sua casa, e Carla o esperava batendo o pé no chão:

— Onze e meia... A farra estava boa, não é, seu safado?

— Não diga bobagens, Carla! Quase fui morto e ainda testemunhei uma mãe matar o próprio filho e ser morta pelo marido.

— Quer mesmo que eu acredite nessa história? Invente outra!

— Pare de gritar, mulher! Acordará Caio Henrique. Se está duvidando, leia este boletim de ocorrência! — Noel jogou o documento sobre a mesa.

Enquanto Carla lia o boletim de ocorrência com atenção, Noel dirigiu-se ao quarto de Caio Henrique, que já dormia, aproximou-se e beijou-lhe levemente o rosto:

— Meu filho, prometo que nunca mais colocarei uma gota de álcool na boca. Minha boca servirá apenas para dizer-lhe o quanto o amo.

Quando Noel retornou à cozinha para tomar um copo de água antes de banhar-se, Carla empunhou o boletim de ocorrência dizendo amargurada:

— Eu li este negócio. Aqui diz que você estava num bar enchendo os canecos antes da desgraça acontecer. Estava com quem? Você omitiu a informação de sua amante para o delegado? Se omitiu, irei lá para contar a ele. Pensa que são todos idiotas?

— Pare de falar besteira, mulher!

— Se pensa que me engana, está equivocado!

— Carla, por favor, se você leu realmente todo o boletim, verá que aí tem fatos e horários sinalizados. Imagine como estou e deixe-me em paz!

Não satisfeita, Carla mostrou-se enraivecida e leu para Noel um trecho como se tivesse desvendado um mistério:

— "...através do presente, representado por Priscila Norton Salles..." O nome mudou de Gratiel para Priscila, seu safado sem-vergonha?

— Pelo amor de Deus, Carla... Essa moça é advo...

— Cale a boca! Chega! Não quero ouvir mais nada por hoje. Deus o castigou, porque você só faz coisas erradas! Mas agora sei quem é sua nova concubina! Ademais, de hoje em diante, você dormirá na sala, porque não quero pegar doença venérea das amantes que você traz para dentro de casa.

Carla dirigiu-se ao quarto pisando forte e bateu a porta com toda força, acordando Caio Henrique:

— Mamãe, onde está o papai?

— Cale a boca você também e vá dormir, senão lhe arrebento a cara!

Capítulo 46

Murilo estava em seu quarto na clínica, despertando pela manhã, quando ouviu alguém bater à porta.

Ao abri-la, foi surpreendido por seis homens que entraram no quarto a tropel. Um deles arremessou Murilo na cama, enquanto os demais lhe apontaram metralhadoras.

Logo em seguida, Gildo entrou calmamente no cômodo, fechou a porta, jogou diversos papelotes sobre a cama, na qual Murilo, em estado de choque, estava, e disse:

— Bom dia, senhor Murilo Norton Salles. Permita-me não me apresentar, porque não lhe interessa saber quem sou, mas, como percebe, estou em missão de paz. Viemos saber como o senhor conseguiu todos esses papelotes de cocaína espalhados ao lado de sua cama.

— Não estou envolvido nisso. Foi o senhor quem jogou isso aqui! O que está acontecendo?

— Ele fala demais. Amordacem-no — ordenou Gildo, sendo prontamente atendido pelos homens.

Murilo tentou correr, mas foi detido e levou um soco no abdome. Depois, amarraram-no à cadeira com cordas.

Aproximando-se de Murilo, Gildo acendeu um cigarro e ordenou que uma das armas fosse apontada para a cabeça do rapaz, dizendo:

— Senhor Murilo, cuidado com suas respostas. O senhor tem um cinzeiro em seu quarto?

Murilo balançou a cabeça negativamente, e Gildo apagou o cigarro em seu pescoço. Amordaçado, o rapaz não podia gritar.

— Disse algo, senhor Murilo? — questionou Gildo sem se alterar. — Deixe-me tentar lhe explicar uma coisa: se o senhor não responder o que quero ouvir, pedirei que lhe estourem os miolos, e aí teremos trabalho para limpar o piso deste quarto. Mas... se responder o que quero, começaremos a conversar. Fui eu quem colocou aqueles papelotes de cocaína em cima da cama?

Murilo meneou a cabeça negativamente, e Gildo ordenou:

— Tirem a mordaça.

Assim que arrancaram a mordaça de Murilo, causando-lhe uma dor intensa, o rapaz perguntou:

— O que fiz para merecer o que o senhor está fazendo?

— Cale a boca! Eu faço as perguntas aqui!

Murilo baixou a cabeça, e Gildo continuou:

— Só para saber o que faremos com seu corpo, caso decidirmos matá-lo, o senhor tem filhos?

— Não tenho!

— Não tem agora! Mas o senhor soube que engravidou a filha de um coronel do exército?

— Eu sei que o pai de Roberta é militar, mas não sabia que ela está grávida.

— O que o senhor pretende fazer sobre isso?

— Pretendo casar-me com Roberta, é claro.

— E levará o leite para casa com o dinheiro da droga?

— Claro que não! Estou aqui porque quase morri. Intoxiquei-me porque queria me livrar de quem me vendia a droga. Estava desesperado, pois não tinha como pagar a dívida. Nem Roberta ficou sabendo disso... Não queria que ela soubesse, pois, depois que a conheci, resolvi ficar limpo.

— Estou tão sensibilizado... Acho que vou chorar. Rapaz, quero nomes, endereços e todas as informações que puder nos fornecer.

— Com prazer! O nome do traficante é Dudu e ele mora...

Depois de fornecer as informações para Gildo, que se mostrou satisfeito, os papelotes foram recolhidos do quarto pelos homens e as amarras foram retiradas de Murilo.

Os homens saíram do quarto, permanecendo no cômodo apenas Murilo e Gildo, que estendeu a mão para cumprimentar o rapaz:

— Meu nome é Gildo. Sou o pai de Roberta. Vim aqui para saber qual é a sua.

— Compreendo, senhor Gildo. Eu faria o mesmo se Roberta fosse minha filha. Obrigado por me trazer a feliz notícia.

— Você sabe, tanto quanto eu, que não há como ficar tranquilo com esse bando que está o esperando sair desta "colônia de férias".

— Sei que estarei me expondo, mas não posso permitir que isso barre minha vida, por isso tenho um plano.

— Que plano "mirabolante" seria esse?

— Chamarei a imprensa e denunciarei tudo à polícia.

— É um plano muito interessante para quem quer concorrer ao troféu da burrice! Preste atenção ao que deverá fazer, Murilo. Feche a boca e não faça nada. Sei que Roberta e sua irmã Priscila virão lhe fazer uma surpresa. Finja-se de surpreso com a vinda delas e que não sabe da gravidez. Você me entendeu?

— Certo, mas o que farei a respeito de Dudu?

— Está demorando a entender. Você não precisa fazer nada; nós faremos. Peço apenas que, se vir a se meter novamente com essa sujeira, aja com hombridade e não envolva Roberta e a criança. Fui claro?

Após Murilo concordar com o plano, Gildo dirigiu-se à porta. O rapaz, então, chamou o sogro:

— Senhor Gildo, obrigado. Não esquecerei seu voto de confiança. Um dia retribuirei.

— Não precisa me agradecer, pois não confio em ninguém. Faço isso por minha filha, mas peço-lhe apenas que coloque o sobrenome da nossa família na criança. E saiba que, se nascer um menino, sua reputação poderá ser aliviada.

No dia seguinte, após o tenebroso evento que ocorrera com Noel, ele telefonou no fim da manhã para Priscila, que estava no trabalho:

— Tudo bem, doutora Priscila? Tem alguma novidade da delegacia?

— Não, senhor Noel. Este é um processo que não deve dar em nada, porque não há provas. A balística poderia até descobrir qual fora a arma usada no crime para chegarmos ao criminoso, mas geralmente eles usam armas roubadas e adulteradas.

— Se eu tivesse dado o dinheiro como o menino pediu, nada disso teria acontecido...

— O senhor apenas adiaria uma situação iminente. A mulher já estava louca.

— Como dizem: "De boas intenções, o inferno está cheio". Sabe doutora, estou traçando comparativos entre o ocorrido com Anderson e meu lar e serei sincero: estou com medo.

— Desculpe-me, senhor Noel, nem sei o que lhe dizer... Lamento por sua situação.

— Enterrarão hoje o corpinho do menino Anderson?

— Vão mantê-lo no Instituto Médico Legal por alguns dias e, caso ninguém compareça para reclamar sua ausência, o enterrarão como indigente.

— Não deixarei que isso aconteça! Se não fui capaz de mantê-lo vivo, não o deixarei ser enterrado dessa maneira... Esse menino merece um tratamento digno pelo menos nessa hora...

— Sendo assim, terá de ir ao IML para liberar o corpo e terá de arcar também com as despesas funerárias.

— Se precisar de ajuda, a doutora poderá me auxiliar?

— Caso não consiga resolver, pode me telefonar, senhor Noel.

Noel compareceu ao IML, e, pelo histórico apresentado, logo localizaram o corpo do menino. Ele teve acesso à sala onde o corpo de Anderson estava e lá chorou por longos minutos.

Um funcionário informou a Noel que soubera do ocorrido e comentou:

— Como uma mulher pôde fazer isso com uma criança?

— Há que se considerar que a mulher devia ser a mãe do menino, o que torna tudo ainda mais chocante. Por falar nisso, o corpo dela também está aqui?

— Sim. A perícia já liberou o corpo dela.

— Haveria a possibilidade de enterrá-la com o menino?

— Posso saber por que o senhor gastaria dinheiro com essa mulher? Para nem terem conseguido identificá-la por meio das digitais, significa que essa monstra nem tinha documentos. E, pelo que fez, deveria ser jogada no lixo.

— Não diga isso, homem! Não nos interessa o que ela fez. Era um ser humano e talvez fosse a mãe do menino.

— Tudo bem. Se é assim que pensa, terá de ir novamente à delegacia para assinar a documentação de praxe e cumprir com as questões burocráticas. Para lhe poupar tempo, terá de reconhecer o corpo, mas posso lhe adiantar essa parte para que não precise retornar aqui.

Chegando ao corpo guardado em uma gaveta, o funcionário perguntou a Noel:

— É essa a fulana sem nome?

— Sim, é ela mesma... — respondeu Noel triste, com receio de olhar diretamente para o corpo.

Antes de fechar a gaveta que continha o cadáver, o funcionário deu vários tapas no corpo:

— Tome, cadela! Onde já se viu matar uma criança! Tome! Isto é para você dizer bom-dia, boa-tarde e boa-noite ao capeta!

Noel repreendeu severamente o funcionário, contendo aquela ação:

— Não faça isso! Todo mundo merece respeito. O que você fez é contra a lei dos homens e de Deus! Que coisa horrível! Nunca imaginei que, mesmo depois de morto, alguém pudesse passar por algo tão deplorável!

À noite, Joana comentava com Priscila:

— Você é muito teimosa, menina! Tinha que se meter onde não é chamada e deu no que deu... Deixe só a Gratiel descobrir que você teve essa "brilhante ideia" de procurar o tal Noel e que acabou na delegacia com ele...

— Mãe, não ouse falar sobre isso com a Gratiel! Aliás, vamos encerrar o assunto, porque ela está chegando e não quero que desconfie.

— Fica querendo dar uma de cupido e ainda vai levar uma flechada no traseiro, isso sim. Pelo que me falou, esse Noel só se mete em encrencas, não é, filha?

— Ele é um amor de pessoa, mas, como parece ser a sina de alguns, atrai encrencas que é uma beleza!

Gratiel tocou a campainha e passou a assistir ao noticiário na companhia das anfitriãs, dizendo:

— Ontem liguei para você, e Joana disse que não sabia onde estava. Foi à casa do Laércio, Pri?

— Não... Tive de resolver um probleminha sobre um processo na casa de uma cliente do escritório. Pobre Laércio... Preciso dar mais atenção à minha cara--metade, senão ficarei sem a metade da cara...

— Você me fez lembrar o Noel. Ao contrário do que acontecia entre nós, você é que não tem tempo para o rapaz. Mas fique tranquila... Já conversei com o Laércio sobre isso, para ele não cometer a mesma besteira que eu cometi. No entanto, o mocinho não é burro. Ele sabe lhe dar o valor que não dei a Noel...

— Você disse que isso a fez se lembrar do Noel, mas tem algo que não a faça se lembrar dele? — perguntou Priscila recebendo um olhar lancinante de

Joana, que tentava sinalizar para a filha seu excesso de impetuosidade. No entanto, para a surpresa de ambas, Gratiel respondeu à pergunta comovida, sem fugir do assunto:

— Você tem razão, Pri... Admito que ainda penso em Noel e, ultimamente, tenho pensado ainda mais, porque não tenho meu avô para me fazer companhia...

— Por que não o procura? Pode ser que ele esteja viúvo, e você não saiba...

— Você diz isso, porque não faz ideia da mágoa que ainda sinto pela maneira como as coisas se desfecharam naquela época...

Joana manifestou-se:

— Isso é bom sinal. Está admitindo que ainda tem sentimentos em relação a Noel.

— É sim, Joana... Tem horas que não sei se sinto saudade ou raiva dele.

— Estou gostando de ver! — disse Priscila animada. — A fera está ficando mansa...

Gratiel respondeu a sorrir:

— É, mas continue tirando uma comigo, que vai ver só a mordida que vou lhe dar. Pirralha!

— Gratiel, na próxima semana, participarei dos trabalhos do centro da dona Ana. Cansei de estudar só. O que acha de perguntar se você pode participar dos encontros?

— É uma boa ideia!

Capítulo 47

Joana estava sentada no sofá lendo um livro, quando o telefone tocou. Ela levantou-se para atender.

Era Dudu, que perguntava por Murilo. Assustada, Joana pediu para que ele esperasse um instante e, tapando o bocal do aparelho, disse a Priscila:

— É aquele rapaz esquisito... Ele está procurando Murilo novamente...

Priscila tomou o telefone da mão de Joana:

— Quem está falando?

— Estou procurando por Murilo. Sabe onde posso encontrá-lo?

— Olhe aqui, "seu Dudu", eu sei que é você quem está falando. Se não parar de ligar para cá, chamarei a polícia. Pare de importunar nossa família!

Dudu simulou:

— Moça, não conheço esse tal Dudu e não estou importunando ninguém. O Murilo está devendo um dinheiro para nós e estão me importunando para receber. Você sabia disso?

— Cobre na justiça então!

Priscila bateu o telefone, deixando o aparelho fora do gancho, enquanto Dudu comentava com os amigos:

— Infelizmente, teremos de adotar outras medidas sem o conhecimento do chefe.

— Mas Dudu, o chefe ficará uma fera conosco se descobrir que atuamos sem o conhecimento dele — disse um dos rapazes.

— Ele não precisa saber. O chefe só quer saber de acertar a contabilidade e já está achando que estamos fazendo corpo mole — respondeu Dudu.

— Sequestrar a irmã do cara pode nos trazer problemas — disse outro.

— Será apenas um susto, para que o Murilo apareça e nos dê uma satisfação sobre a grana. Fiquem tranquilos. Gente rica não fica divulgando por aí que o filhinho da mamãe está fugindo de dívida de droga. Quando estivermos com a maninha dele, o dinheiro pintará e nos livraremos do contador do chefe.

— O que faremos, Dudu?

— Vocês farão o seguinte...

Dudu escalou os comparsas e ordenou que seguissem Priscila por duas semanas para descobrir sua rotina. Depois, planejou qual seria o local do cativeiro e encerrou dizendo:

— Como disse, se a grana pintar, a dondoca não ficará um dia sequer no cativeiro. Agora quero só ver se ela é tão valente com aquela boquinha amordaçada num cubículo...

— Não estou gostando nada disso, Dudu. Você está levando isso para o lado pessoal. Se a família resolver denunciar o sequestro, podemos nos dar mal.

— Está com medo de quê, meu chapa? Se resolverem nos denunciar, o chefe vai segurar nossa onda. Se fizermos tudo conforme o planejado, não há o que temer, pois não terão como provar coisa alguma.

351

Em posse das informações a respeito da investigação, detetive Silva recebeu sua cliente no escritório:

— As informações reunidas são, no mínimo, perigosas. Veja essas fotos.

Observando atentamente as fotos, Priscila comentou:

— Sim, vejo que o delegado Otacílio Miranda está em várias delas, mas não conheço nenhuma das outras pessoas que estão com ele.

— Entre essas pessoas, decidi investigar esse sujeito, o que me levou a esses outros dois. Encerrei por aqui, porque a investigação tornou-se muito arriscada.

— Pela cara desses indivíduos, dá para perceber que não se trata de gente boa... Mas diga o que descobriu, detetive.

— Esse aqui é um dos cabeças comandados pelo delegado. Ele é o responsável por uma rede de tráfico de drogas, que leva e traz as cargas de um país para outro por meio de "laranjas", fraudando procedimentos alfandegários, que são facilitados pelos contatos do doutor Otacílio Miranda. Seu codinome é Dudu.

— Dudu? Não é possível!

— Conhece esse sujeito, doutora?

— Não. Fiquei assustada porque me lembrei de uma pessoa... Mas continue, Silva... Como descobriu isso?

— Infiltrei um amigo disfarçado com o ensejo de participar da rede. Cruzamos informações contidas nestes documentos alfandegários e aqui constatamos a rota do narcotráfico.

Atenta, Priscila observou os documentos e exclamou:

— Nossa! Gratiel tinha razão! Esse delegado é mais perigoso do que pensávamos... E eu achando que ele fosse apenas o dono de um bordel barato...

— Pois é, doutora. Fomos investigar uma coisa e encontramos outras. Já imaginou se ele desconfiar de que o estamos investigando?

— Estou assombrada... Silva, você está fazendo um ótimo trabalho e será recompensado por isso, mas, voltando ao objetivo principal desta investigação, o que descobriu sobre Cássia?

— Como lhe disse, o Instituto Juqueri não era realmente o ponto de partida desta investigação, mas sim o Reduto Taberna. No entanto, descobri que não foi por livre e espontânea vontade que ela foi levada para lá.

— O prazo que aquela funcionária do Juqueri me passou sobre a suposta alta de Cássia coincidiu com os poucos dias que sucederam minha visita e de Gratiel à delegacia, quando estávamos à procura de Maria Vitória...

— Pois é, doutora. Embora não tenha me contado os fatos que se seguiram após o trabalho que realizei para sua mãe, acredito que este é o momento de a senhora me revelar o que aconteceu. Preciso saber se o que temos em mãos servirá de prova conclusiva para usar na justiça.

Priscila revelou as ocorrências que se sucederam até a adoção de Maria Vitória, falando também sobre o envolvimento de Murilo com as drogas:

— Será esse tal Dudu o mesmo traficante com quem meu irmão se envolveu? Será que é ele quem vive ligando para nossa casa à procura de Murilo?

— Não sei. Seria necessário que seu irmão visse as fotos para descobrirmos.

— Mas agora não é o momento... O que suspeita sobre o caso de Cássia?

— Baseado no que acabou de me contar, acredito mesmo que o delegado tenha mandando matar Cássia. Conseguimos informações de uma das prostitutas, que era amiga dela, de que, dois dias após ter sido levada à força para o Reduto Taberna, Cássia teria sido colocada num carro na parte da manhã, enquanto todas dormiam. A informante também suspeita de que ela foi assassinada, pois notou um saco estranho que chegou com as mercadorias à dispensa do estabelecimento. No mesmo dia, Cássia foi encontrada morta em seu quarto pela faxineira, que acabou acionando a polícia. O laudo da causa mortis foi overdose de cocaína.

— O testemunho dessa prostituta e o pedido de exumação do corpo para perícia poderão constatar se houve agressão ou sufocamento, representando provas incontestáveis de que aconteceu um crime.

— Calma, doutora... Há um longo caminho a ser percorrido ainda...

— Trataremos disto à surdina... Sou capaz de apostar que, quando toda essa escória vir à tona, muita gente prejudicada se manifestará a nosso favor.

No mesmo dia, Priscila foi à casa de Gratiel, para planejar com a amiga alguns contatos, visando dar início à denúncia e objetivando a condenação do delegado Otacílio Miranda.

— Não estou me cabendo de curiosidade, Gratiel! Será que o Dudu das fotos é o conhecido de Murilo?

— Só iremos descobrir a verdade, quando mostrarmos a foto a seu irmão. Por ora, dê entrada na papelada, enquanto eu tento fazer alguns contatos na mídia para nos precaver de que nosso pescoço esteja a salvo quando essa bomba explodir.

— Não seria o caso de quebrarmos o protocolo da clínica e anteciparmos o reconhecimento desse cara, mostrando as fotos para Murilo?

— Pri, não me irrite! Sossegue o facho, menina! Falta pouco tempo para visitarmos seu irmão.

Ao chegar a sua casa, Priscila comentou os fatos para Alex e Joana, que ficou desesperada:

— Não é possível que você seja assim, Priscila! Você é doida, filha... Deixe isso para lá, porque, desse jeito, não há anjo da guarda que aguente!

— Discordo de você, amor — disse Alex. — Graças a pessoas como Priscila que ainda existe esperança para nossa sociedade. Se todos pensassem como ela, muita gente seria beneficiada.

— Estou com tanta saudade de Murilo... Você vai visitá-lo conosco, Alex? — perguntou Joana.

— Por enquanto, acho melhor não, querida. Na fase que Murilo está atravessando, não convém fazê-lo aceitar pessoas... Isso acontecerá naturalmente.

Capítulo 48

Carla estava obstinada. Cada vez mais agressiva, ela afastara-se novamente da família do marido, de sua própria família e se dissociava da sociedade, devido à anormalidade de seu comportamento.

Ignorando que a esposa se encontrava subjugada espiritualmente e dominada pelas próprias ideias fixas, Noel já não suportava as palavras e as atitudes ofensivas de Carla, que ultrapassavam os limites da civilidade.

— Está chegando de onde, animal? Estava bebendo novamente com aquela sem-vergonha da Priscila?

Com o estado mental contaminado por pensamentos libidinosos, Carla atingia o ápice da crise, facilitando o domínio de diversas entidades, que espreitavam a oportunidade de desestabilizar ainda mais o ambiente doméstico.

Carla começou a atirar tudo o que encontrava à sua frente em Noel, colocando os anjos em alerta.

Reunidos em torno do casal, os anjos de Carla, Noel e Caio Henrique despendiam esforços para conter as vibrações de ferocidade às quais Carla se entregava deliberadamente e inspiravam Noel para que tentasse despertá-la do transe em que se colocava. Carla, no entanto, estava refratária e se comprazia com a situação, tencionando vingar-se de Noel, seu carrasco em vidas passadas, oferecendo solo fértil à continuidade dos atos deploráveis. A mulher estava completamente dissociada da razão.

Noel tentou segurá-la, mas, dominada por forças invisíveis, Carla o atirou contra a parede. Decidida, ela alcançou uma faca sobre a pia e dirigiu-se para cima do marido, que tentava se recuperar da forte batida na cabeça.

Heitor, anjo de Noel, colocou-se à frente de seu protegido produzindo flashes, fazendo Carla errar os golpes. Paralisada, ela permaneceu de olhos arregalados, empunhando a faca diante do marido caído, enquanto se operava no plano invisível um esforço entre a luz e as trevas.

Caio Henrique assistia à televisão e correu da sala para a cozinha, atraído pela movimentação e os gritos.

Ao se deparar com a cena, o menino, instintivamente, atirou-se na frente de Noel implorando:

— Mamãe, não faça nada pro papai!

Sálvio, anjo de Carla, entrou na casa vizinha e solicitou o auxílio dos anjos da família que ali morava, para que inspirassem a atenção de seus tutelados a intervir na situação que se tornava perigosa, sendo prontamente atendido.

Entidades subjugavam Carla, penetrando em seu subconsciente na busca das fraquezas, e encontraram o que queriam. Começaram, então, a manipular ideias que colocavam Caio Henrique como o motivo dos infortúnios da mulher, refletindo na consciência de Carla a imagem de Armando rindo com desdém e trazendo o passado à tona.

Apontando Caio Henrique, uma das entidades sugeriu:

— Este é o fruto do mal. Acabe logo com ele!

Tomada por uma irresistível vontade motivada por uma ação hipnótica, Carla segurou Caio Henrique pela cintura com um braço e iria enterrar a faca na garganta do moleque com a mão oposta, quando Odilon, o anjo do menino, magnetizou os nervos do braço de Carla, impedindo-a de efetivar o corte.

Em choque, Caio Henrique ficou paralisado e confuso pelas energias que estavam em disputa, sentindo a lâmina da faca pressionar sua traqueia, sem contudo penetrá-la.

— Não faça isso com nosso filho, Carla! — gritava Noel repetidas vezes sem se mexer, prevendo que qualquer movimento poderia ser fatal.

— Faço sim! Acabarei com esse vermezinho! — respondia Carla com a voz rouca, evidenciando a reprodução das entidades que a subjugavam.

O casal de vizinhos invadiu a casa, enquanto Sálvio, anjo de Carla, bloqueava sua visão e audição para que ela não se sentisse compelida a reagir.

Ao chegar à cozinha, o casal contemplou a terrível cena que se desenrolava. O anjo da mulher, ciente da ação de Sálvio, inspirou sua protegida a intervir rapidamente, fazendo-a a agir como por impulso. O marido da vizinha, por sua vez, ainda tentou impedi-la:

— Não faça isso! Ela irá matar o menino se você tentar tirar-lhe a faca!

— Não — respondeu a mulher. — Não posso deixar isto acontecer, também sou mãe...

Agilmente, a vizinha pulou sobre Carla, exercendo uma grande força para remover a faca de sua mão. Depois de atirar a arma para longe, rolou com a mulher no chão, tentando imobilizá-la, enquanto o marido partia em seu auxílio e segurava Carla, que se debatia vertiginosamente e tentava se soltar gritando:

— Matarei todos vocês!

— Faça alguma coisa, Noel! — gritou o vizinho.

Em casa, Priscila encontrava-se angustiada na companhia de Joana e Alex:

— Mãe, pode deixar que eu atendo o telefone.

O telefone tocou em seguida para espanto de Joana e Alex, que notou que Priscila atendera à ligação com tristeza.

— Essa menina agora deu para ter premonições! — disse Joana para Alex, que prestava atenção ao que Priscila dizia:

— Noel, sei que ela é a mãe de seu filho, mas, neste caso, você deve chamar a polícia, nem que seja para testemunhar o fato. Para sua esposa agir dessa maneira, é evidente que ela atingiu um estágio de loucura. Vou para sua casa agora mesmo. Não vacile e faça o que o orientei a fazer!

Priscila desligou o telefone e pediu:

— Alex, por favor, poderia me acompanhar? No caminho, conto-lhe o que aconteceu. Precisaremos muito de sua ajuda.

— Quero ir também — disse Joana.

— Mãe, não precisa ir. Teremos que lidar com uma situação complicada: uma mãe tentou matar o filho...

— Quero ir! Não sou psicóloga ou advogada, mas sei rezar.

E os três, por fim, foram à casa de Noel.

Carla não cessava seu desvario, requerendo esforços dobrados do casal vizinho para imobilizá-la. Enquanto isso, Noel chorava agarrado a Caio Henrique, que estava em estado de choque, recebendo passes tranquilizantes de seu anjo Odilon.

No plano invisível, Sálvio, o anjo de Carla, aproximou-se das entidades que mantinham a possessão e disse tranquilo:

— É consolador saber que a misericórdia divina alcança aqueles que não dispõem de misericórdia com ninguém...

— Veja se a "misericórdia divina" poderá fazer algo por sua protegida agora... Vocês, os lucificados, venceram essa batalha, mas não ganharam a guerra! — respondeu uma das entidades.

Sálvio replicou serenamente:

— Vocês encaram isto como uma batalha, mas a verdadeira batalha não se dá entre forças do bem e do mal... A batalha é interior e acontece, principalmente, quando uma criatura tenta fugir de sua essência e não consegue, porque foi concebida pelo amor de Deus.

— Olhe, sabemos que não podemos fazer nada contra vocês, mas gostaríamos de lembrá-los de que a pregação ajuda os espíritos que se dispõem a ouvi-la, e estamos fartos de ouvi-los e de vocês estarem onde não são chamados! — irritava-se outra entidade possessora que perdia força.

Sálvio continuou:

— Notem que o único mal real que conseguem fazer é a vocês mesmos. No final, restará apenas a frustração pelos inúteis esforços empregados, até chegar o dia em que se cansarão de lutar contra aqueles que só querem que vocês sejam felizes.

— Depende da paciência de ouvir ladainhas e, para isso, é preciso disposição e tempo!

— Isso mesmo, irmão... Paciência é uma virtude, mas também é um dom que se adquire.

Sálvio não obteve mais respostas, pois as entidades cessaram a subjugação de Carla e, observando que ali nada mais havia a fazer, retiraram-se.

Carla permaneceu alheia aos acontecimentos, vigiada com preocupação pelo casal que temia uma nova reação da vizinha, julgando que ela houvesse enlouquecido.

À uma hora da madrugada, o clima na casa de Noel era de consternação.

Depois de seguirem para a delegacia, Alex auxiliou o encaminhamento de Carla ao hospital psiquiátrico, onde permaneceu sedada e internada.

Caio Henrique foi levado pelos avós paternos, pois Noel aderira à sugestão de Alex, que conversou com o menino para acalmá-lo.

Os vizinhos já haviam retornado ao lar, enquanto Noel retornava à casa na companhia de Priscila, Joana e Alex.

Priscila convidou Joana:

— Deixemos Alex e Noel a sós. Vamos ver se encontramos um chá para fazer. Com licença, Noel.

Na cozinha, Priscila procurava os apetrechos para o chá no armário. Ao encontrar o que queria, colocou a água para ferver, debruçou-se sobre a pia, cabisbaixa. Joana indagou:

— O que houve, Priscila? Está se sentindo bem, filha?

— Mãe, não poderia a Carla, que é dona desta casa, estar fazendo as honras e nos recebendo como visitas? As coisas tinham de ser assim para esta família?

Ao ouvir a frase dita com sentimento, Joana começou a chorar, deixando Priscila preocupada:

— Desculpe-me por contaminá-la com meu sentimentalismo, mãe...

— É mesmo muito triste ver um lar desmoronar... É estranho como temos todos os recursos para viver bem, mas preferimos fazer da vida um inferno, ou vivemos para fingir que não vemos... Também pergunto a mim mesma por que as coisas têm de ser assim.

— Está traçando paralelos com sua vida, não é, mãe?

— É verdade, Priscila. Sei que não devia, mas sinto pena desse menino, do Caio Henrique. Já foi submetido tão cedo a uma experiência dessas. Lembro-me de como você e Murilo eram dependentes quando tinham a idade dele... Mesmo com todo apoio da família, não dá para imaginar a tristeza de Noel e do filho...

— É verdade... Sabe, mãe, começo a acreditar que realmente temos pendengas para acertar de outras vidas e, dependendo do que nos une, esse processo pode ser mais fácil ou mais difícil de resolver.

— De qualquer forma, se isso for verdade, acredito que devemos nos esforçar para manter o equilíbrio e não acabar numa situação extrema como esta. Olhe, Priscila, vou lhe dizer... Não sei o que seria de mim se não tivesse me agarrado à fé nos momentos em que sentia a indiferença de seu pai, a carência...

— Compreendo que isso é muito importante, mãe... Notou como o ambiente estava pesado quando entramos aqui?

— Nossa! E como! Parecia que, mesmo com as luzes acesas, tudo estava escuro. Assim que coloquei os pés aqui, comecei a rezar, mas algo parecia me confundir... Não conseguia me concentrar na oração. Acho que a tristeza era tão grande por causa dos desequilíbrios, que até as pessoas de fora se contaminaram com o que aconteceu.

— Agora estou entendendo melhor o que realmente se passa...

— O que quer dizer, Priscila?

— Quando cheguei aqui, senti que havia muitos espíritos perturbados. Parecia que havia muitas pessoas aqui além de nós.

— Priscila, estou arrepiada até o último fio de cabelo. Pare de falar disso, senão sairei correndo daqui!

— Ah! Mãe... Eu também falava isso, mas os espíritos não podem fazer nada de mal conosco se tivermos Deus no coração e mantivermos o pensamento no bem. Não teria lógica acreditar que Deus seria capaz de nos deixar à mercê de coisas ruins à toa. Somos nós que atraímos ou retraímos as coisas. Agora acredito nisto.

— Você tem razão, filha, pois quando rezo sinto que a atmosfera se purifica, o pensamento fica melhor. Mas, mesmo assim, ainda estou arrepiada de pensar em companhias invisíveis, em fantasmas.

Noel conversava com Alex:

— Vejo que terei uma luta pela frente sem a mãe de Caio Henrique, pois, apesar de tudo, o coitadinho adora a Carla.

— Se pensa dessa forma, pode prejudicar as coisas, Noel... Faça um esforço para não deixar transparecer suas concepções a respeito da compaixão, possibilitando a Caio Henrique desenvolver sua própria opinião. Seu filho tem percepções desenvolvidas, não subestime a inteligência do garoto. Observe o lado positivo da situação: seu filho não é um "coitadinho". É um menino afortunado, que tem um pai que o ama, uma mãe que pode se recuperar, e que dispõe da convivência numa sociedade, na qual possui oportunidades de viver feliz, em harmonia e equilíbrio.

— Reconheço o quanto sou afortunado por poder contar com vocês num momento tão crucial... Por meio de Priscila, que é tão nova, estou me tornando um homem mais espiritualizado. Ela representa um anjo, que me trouxe outros anjos. Não tenho palavras para lhe agradecer.

Capítulo 49

No dia seguinte, Priscila encontrou-se com Gratiel para almoçarem:

— Que cara é essa, Pri? Eu estou acabada, mas você parece ter levado uma surra!

— Muito obrigada pela parte que me toca e boa tarde para você também, Gratiel, mas o que acha de eu ter ido dormir às três horas da madrugada e ter acordado às seis da matina?

— Nossa! Aconteceu alguma coisa grave para dormir tão tarde assim?

— Nada de mais... Apenas socorri um cliente, cuja esposa enlouqueceu. A mulher colocou uma faca na garganta do filho e foi tirar férias num hospício. Só isso...

Ignorando que a amiga falava a verdade, Gratiel riu:

— Aí você acordou, não foi, Pri? Difícil crer como alguém pode ser tão criativa a ponto de me fazer rir, apesar do meu mau humor. Tive uma noite tenebrosa sonhando com Noel. Só você, Pri...

— Hum... Sonhou com seu adorado bicho-papão? Conte-me como foi esse sonho tenebroso. Tinha uma mãe segurando uma faca na garganta do filho também?

— Não, sua maluca! Não tenho sonhos trágicos como os seus... Noel estava em minha casa, parecia muito triste, e estava me propondo algo que não consigo lembrar.

— Estava propondo voltar para você, não foi?

— Não sei... Parecia que sim... Mas como você sabe disso? Virou bruxa, foi?

— Não, Gratiel. Eu sou uma bruxa e, de quebra, ando tendo uns insights com anjos!

— Agora, depois que você falou sobre isso, lembrei-me de que Noel comentou comigo sobre algumas dificuldades pelas quais passava, como se eu tivesse a obrigação de saber. Daí discutimos, ele virou as costas e se piruetou! Acabou-se o que era doce!

— Mas que coisa, hein, Gratiel? Você é briguenta até em sonho! Coitado do homem! Até em sonho, vocês fogem um do outro!

— Não venha, não! Foi ele quem chegou em meu sonho "tranquilo" como um burro e saiu como um cavalo, me deixando outra vez plantada como um pé de pamonha a falar sozinha. Será que estive mesmo com ele em espírito, Pri?

— Pelo que li em *O Livro dos Espíritos*, acho bem provável. Já leu essa parte, Gratiel?

— Já. A gente fica ligado ao corpo por um cordão fluídico, e o espírito sai por aí.

— Isso mesmo. Vamos para onde queremos, como aconteceu com você e Noel, mas os dois "tontos", quando voltam para o corpo, se esquecem do sonho e não se procuram mais.

— Eu levo bordoada em sonho e você que fica revoltada? Vá dar bronca no Noel!

— Pode deixar. Um dia desses, entrarei no sonho com vocês, para bater a cabeça de um na do outro, só para saber quem tem a cabeça mais dura.

— Espere aí, menina... Lembro-me de ter comentado, no sonho, que Noel era cabeça dura com um homem que não me deixou segui-lo... Acho que você deve ser bruxa mesmo e estava lá a bisbilhotar nossa conversa...

— Mas não conte pra ninguém, doutora Gratiel... Está bem? Senão posso ser jogada na fogueira santa... Sabe como é... todo mundo quer ver bruxas "bem passadas"!

— Quer saber? Acordei contrariada. Acho que estou precisando mesmo arrumar um namorado!

— Não faça isso, Gratiel! — Priscila disse instantaneamente, causando estranheza à amiga.

— Por que acha que não devo arrumar um namorado, Pri?

— Ora, Gratiel... Você está muito vulnerável, frágil... Teve de enfrentar a partida recente do senhor Afrânio... Se você conhecer alguém neste momento, poderá ser presa fácil de aproveitadores.

— Sei lá... Já não tenho ilusões em relação a príncipes encantados, mas um "aproveitador" carinhoso e sensível não seria má ideia...

— Bem, mudando de assunto, falemos sobre o amor de nossa vida. Conseguiu dar entrada na papelada referente ao caso do doutor Otacílio Miranda?

— Dei, mas está difícil conseguir... — Gratiel transmitiu o histórico burocrático com fundamentos na lei, para abrir o inquérito sobre o caso de suspeita de assassinato de Cássia.

Era manhã de um sábado nublado. Priscila saía para comprar pão como de costume, quando foi abordada por dois indivíduos mascarados à mão armada, que a obrigaram a entrar em um veículo utilitário fechado, enquanto amarravam suas mãos.

— Para onde estão me levando? Quem são vocês? — Priscila perguntou em pânico.

— Quieta, moça. Nada de mal lhe acontecerá se colaborar conosco — respondeu um deles.

Circulando por caminhos tortuosos para que a sequestrada não decorasse o trajeto, os dois homens tiraram Priscila do carro e instalaram-na em um cubículo.

— Vocês não podem fazer isso comigo! Minha mãe e meus avós terão um infarto se souberem que fui sequestrada. Me digam logo o que querem. Negociemos sem envolver minha família, por favor... — Priscila exigia.

— Acho que não entendeu, moça. Amordace-a — um dos sequestradores ordenou, enquanto um terceiro homem, mascarado, entrava no cômodo:

— Não é necessária a mordaça, mas, se ela gritar, atire para matar. Moça, quando sentir fome, há comida naquela despensa. Não há banheiro aqui, então terá de fazer as necessidades neste penico embaixo da cama, que será retirado daqui duas vezes ao dia.

Os três saíram, deixando Priscila trancada e sendo vigiada.

Uma hora depois, Joana atendeu a uma ligação e foi informada sobre o sequestro da filha, sendo ameaçada de que, se chamasse a polícia, Priscila seria morta:

— Prepare-se. Dentro de uma hora, telefonaremos novamente para lhe informar o valor do resgate. Consiga o dinheiro e não se esqueça de que estamos vigiando sua casa. Se notarmos qualquer movimentação estranha, mataremos sua filha.

Em pânico, Joana chorava e rezava, sem saber o que fazer. Decidiu, por fim, telefonar para Alex, que chegou em poucos minutos para lhe fazer companhia e tentar acalmá-la.

Alex atendeu ao segundo telefonema dos sequestradores:

— Escute, sujeito, meu nome é Alex. A mãe de Priscila não está em condições de falar com você. Tive de administrar-lhe sedativos, porque ela está em estado de choque. No entanto, não acionamos a polícia como você pediu.

O sequestrador informou o valor do resgate, combinando de ligar dali a três horas. Antes que desligasse, Alex disse:

— Será impossível conseguir levantar o valor que estão pedindo sem a presença de algumas pessoas, pois, obviamente, a família não dispõe de todo esse dinheiro. Portanto, se perceber alguma movimentação, saiba que se tratam de pessoas da família. Reitero também que a polícia não foi acionada. Agora, quero falar com Priscila.

— Senti firmeza, Alex... Apenas não queira bancar o esperto, pois, se notarmos qualquer vacilo, saiba que não temos nada a perder. Quanto à "dondoquinha", ninguém poderá falar com ela enquanto não vermos a grana. Mas fique tranquilo, porque ela está viva... ainda.

Alex telefonou para Gratiel, que lhe sugeriu convocar o pai de Joana e se propôs a dar andamento às negociações com os sequestradores.

O psicólogo telefonou para Celso Norton, adiantando-lhe o assunto e orientando-o a não revelar o ocorrido à sua esposa. Em poucos instantes, Celson Norton chegou à casa da filha na companhia de Armando.

Alex consolava Joana, que chorava muito e estava em um estado deplorável.

O telefone tocou duas horas antes do combinado, e Joana, ignorando as orientações, apanhou o aparelho dizendo desesperada:

— Pelo amor de Deus, não façam nada para minha filha... Tenham piedade... Pelo amor de Deus...

Com a ajuda de Celso Norton e Armando, Alex tomou o telefone da mão de Joana, supondo que se tratava dos sequestradores:

— Você não disse que ligaria depois de três horas? Nota o estado em que está a mãe de Priscila por causa do que estão fazendo?

— Alex, é você? Aqui é Noel. O que está acontecendo? Por que Joana está gritando e chorando? O que aconteceu com Priscila?

— Noel... Desculpe-me, Noel... É uma péssima hora para tentar explicar-lhe o que está acontecendo, amigo. Mas não diga nada a ninguém, porque Priscila corre perigo.

— O que posso fazer para ajudá-los? Devo muito a vocês.

— Não faça nada, por favor. Depois lhe explicarei.

— Estou indo para aí... — Noel desligou o telefone retirando-se rapidamente.

A tensão aumentou quando Joana se lembrou:

— Ai meu Deus! Esqueci que tínhamos combinado com Noel de almoçar em sua casa. Priscila depois levaria Caio Henrique ao Playcenter...

— Gratiel e Noel estão vindo para cá? — quis saber Armando, de maneira reticente.

— Você os conhece, Armando? — perguntou Alex.

— Fomos colegas de escola e dos bailes quando mais jovens, só isso — respondeu Armando sem mais detalhes.

Joana disse para Alex:

— Essa não! Pode acontecer uma desgraça! Noel e Gratiel irão se encontrar aqui... O que diremos a ela?

Noel estacionava o carro em frente à garagem da residência de Joana e Caio Henrique mal acabara de sair do carro, quando Gratiel estacionou seu veículo. Quando desceu do automóvel, a moça disse surpresa:

— Noel? O que faz aqui?

— Gratiel? Eu que pergunto! O que faz aqui?

Ambos olhavam-se sem compreenderem o que acontecia, procurando explicações, e Caio Henrique indagou:

— Gratiel? Que nome esquisito, não é, papai? Parece nome de gato... Gatiel...

Alex avistou Noel e Gratiel pela janela e abriu a porta chamando-os:

— Entrem logo!

A presença de Caio Henrique foi providencial para que Joana se sentisse compelida a acalmar-se:

— Tia, cadê a Priscila?

— A tia Priscila foi dar um passeio, mas logo estará de volta... — respondeu Joana.

Assim que entraram na casa, Noel e Gratiel surpreenderam-se ao verem Armando, que se levantou do sofá para cumprimentar Noel abraçando-o:

— Não sabia que você era amigo de Priscila! — disse Noel.

— Não sou amigo de Priscila, sou tio. Sou irmão de Joana e este é meu pai, Celso Norton — respondeu Armando.

Enquanto Noel cumprimentava Celso Norton, Gratiel, surpresa com a informação, estendeu a mão com desagrado a Armando:

— Convivo com a Pri e não imaginava que você fosse tio dela... E não sabia que a Pri conhecia Noel...

Coincidência, não? — Gratiel questionou com descon-fiança, dirigindo o olhar a Joana, que permaneceu calada.

Armando justificou:

— Reconheço... Sou um tio ausente.

— O que aconteceu à sua sobrinha, Armando? — perguntou Noel.

— Melhor que Alex lhe conte. Ele é o nosso inter-mediário na negociação com os sequestradores.

Armando deixou Gratiel e Noel conversarem com Alex, enquanto Joana apresentava Caio Henrique ao irmão.

Lembrando-se da última conversa que tivera com Carla, Armando pôde comprovar as semelhanças existentes entre ele e o menino.

Impressionado com o formato do rosto e com os olhos do garotinho, Armando, por um momento, temeu que alguém notasse tais semelhanças. Mas, seguro pelo momento conturbado, agachou-se à altura de Caio Henrique e sentiu uma forte emoção quando lhe dirigiu a palavra pela primeira vez:

— Quer dizer então que este mocinho se chama Caio Henrique? Bonito o nome que sua mãe lhe deu... Quantos anos você tem, garoto?

— Já tenho dez anos e meio — Caio Henrique respondeu orgulhoso.

— Nossa! Tudo isso? E onde está sua mãe?

— Mamãe está doente e foi internada numa clínica psiquiátrica — o garoto respondeu triste.

Acreditando que o menino inventara a história, Armando riu, mas Joana fez-lhe um sinal por trás, infor-mando que era verdade e indicando, por meio de gestos, que não falasse no assunto.

Tal fato tocou a consciência de Armando, que, simulando estar com sede, se dirigiu à cozinha em indagações íntimas: "Se realmente Carla estiver internada em uma clínica psiquiátrica, teria ela ficado louca?".

Admitindo o fato de que Caio Henrique poderia ser mesmo seu filho biológico, Armando sensibilizou-se, pesando-lhe a consciência e ensejando comentários de Odilon, anjo de Caio Henrique:

— Que felicidade contemplar este momento histórico, que, certamente, será um marco na vida de Armando.

Samanta, anjo de Armando, pediu a Odilon:

— Há quanto tempo espero pela oportunidade de compartilhar dessas vibrações com meu tutelado... Por favor, traga Caio Henrique até ele.

Atendendo ao pedido de Samanta, Odilon dirigiu-se à sala e, em poucos instantes, Joana despontou na porta da cozinha pedindo a Armando:

— Armando, por favor, atenda ao Caio. Vá lá, meu bem. O tio Armando lhe dará água.

— Tio Armando, o senhor poderia, por favor, me dar água?

Samanta inspirou um pensamento em Armando:

— Seu filho vem lhe trazer amor, Armando...

Estendendo o copo ao menino, Armando disse com a voz embargada pela emoção:

— Tome, filho...

Caio Henrique tomou a água, captando a inspiração de seu anjo Odilon:

— Caio Henrique, ofereça a água para Armando.

O menino atendeu ao pedido mecanicamente:

— Não quero mais, tio. Se quiser, pode tomar o resto.

Os anjos manipularam fluidos na água, que, à vista dos espíritos, irradiou uma luz verde brilhante, adquirindo princípios curativos.

Armando tomou a água, que lhe proporcionou uma estranha sensação de bem-estar.

— Pronto, filho, obrigado. Quer mais água? — Armando perguntou a Caio Henrique, que agradeceu, abraçando-o e voltando para a sala à procura de Joana.

Os anjos ficaram satisfeitos, e Samanta, anjo de Armando, comentou:

— A doença que acomete meu tutelado está amenizada e só se manifestará com rigor daqui a alguns meses.

Capítulo 50

Na casa de Joana, Gratiel expôs um plano, revelando o que sabia a respeito das investigações do detetive Silva:

— Se minhas suspeitas se confirmarem, Dudu é o responsável pelo sequestro de Priscila, mas precisarei ir até a clínica e mostrar as fotos para Murilo confirmar se o traficante e o sequestrador são a mesma pessoa.

— E se não for, Gratiel? — perguntou Alex. — O sequestrador ligará para cá daqui a meia hora. Acha que devemos avisar a polícia e solicitar que eles ajam em silêncio?

— Se este rapaz da foto for mesmo o Dudu, a polícia, sob o comando do delegado Otacílio Miranda, deve ter participação neste crime. Não podemos, então, avisar a polícia. Quando os sequestradores ligarem, tente ganhar tempo. Diga que está com o avô de Priscila levantando o dinheiro e que hoje é sábado, dia difícil para realizar transações desse porte. Se perguntarem por que saí, diga que fui procurar o gerente do banco e que estou correndo atrás do dinheiro a mando do avô de Priscila... Enfim, tente distraí-los.

— Acho que é mais seguro irmos juntos. Se sairmos com Caio Henrique, não levantaremos suspeitas — sugeriu Noel.

Gratiel discordou:

— Não acho uma boa ideia expor o menino, mas seria melhor mesmo tirá-lo daqui, pois o ambiente não está favorável para ele no momento. Posso deixá-los em sua casa primeiro, Noel. O que acha?

— Não tenho com quem deixar o Caio Henrique, pois a mãe dele está internada e meus pais viajaram, mas gostaria de ajudar Priscila de alguma forma.

— Então, faremos o seguinte: ligarei para dona Ana, que mora aqui perto, para saber se ela poderia ficar com seu filho. Lá, estará em segurança e se distrairá com Maria Vitória, que também é uma criança. Está bem?

Noel concordou, e, após o contato, Ana respondeu positivamente.

Antes de partirem, Caio Henrique voltou correndo para cozinha, onde estavam Armando e Celso Norton. Lá, abraçou Armando e fez o mesmo com Celso Norton, que se agachou para dizer:

— Desculpe-me, menino, nem lhe dei atenção e...

Enquanto Celso Norton parou para reparar em Caio Henrique, Joana apressou:

— Vamos, Caio Henrique! Seu pai precisa ir... O que foi, pai? Ficou com saudade de crianças?

— Nossa! Prazer em conhecê-lo, Caio Henrique... É que você lembra o tio Armando quando era moleque. Tchau...

Ana recepcionou-os com surpresa ao ver Noel, abraçando-o:

— Meu filho, como você está bonito! Que satisfação revê-lo depois de tanto tempo...

Noel correspondeu:

— Confesso-lhe que só soube que se tratava da senhora quando estávamos chegando aqui. Gratiel me falou que era mesmo a mãe de Sara... A senhora também está ótima!

— Jonas ficará feliz em revê-lo. Vamos entrar!

Gratiel interveio:

— Infelizmente, agora não será possível, querida. Precisamos correr contra o tempo para salvar Priscila, pois a situação que lhe contei por telefone é grave.

— Vão! Rezarei para que o melhor aconteça e que os anjos estejam com vocês. Fique tranquilo quanto a seu filhinho, Noel. Caso seja necessário ficar conosco amanhã e depois, não se preocupe. Pode deixá-lo aqui. Cuidarei dele para você.

Maria Vitória chegou ao portão, e Ana apresentou--lhe Caio Henrique:

— Este é Caio Henrique, que ficará conosco o final de semana. Dê boas-vindas a seu novo amiguinho, filha.

Após cumprimentar amistosamente Caio Henrique, Maria Vitória abraçou Gratiel e apontou Noel:

— Você é namorado da tia Gratiel?

Caio Henrique interveio:

— Ele é meu pai. O nome dele é Noel.

— Você tem um Papai Noel? — observou Maria Vitória arrancando risos e abraçando espontanea-mente Noel, que ficou encantado com a graciosidade da garotinha:

— Como você é linda, Maria Vitória! Sabe que sempre quis dar uma irmãzinha linda assim para Caio Henrique? Cuide bem dele para mim, está bem?

— Pode deixar, tio. Vem comigo, Caio Henrique! — e Maria Vitória segurou a mão do menino.

Após as despedidas, Noel e Gratiel entraram no carro, e Ana aproximou-se da janela dizendo:

— Gratiel e Noel, que "coincidência" vê-los unidos numa situação como esta, não é?

Caio Henrique discutia com Maria Vitória:

— Gratiel parece Gatiel, parece gato!

— E Noel é nome de Papai Noel! — respondeu Maria Vitória, enquanto Noel e Gratiel riam para disfarçar o constrangimento causado pelo comentário de Ana.

O percurso para chegarem à clínica era de aproximadamente uma hora. Até a metade da viagem, ambos não se atreveram a falar de si mesmos nem questionaram um ao outro sobre qualquer assunto que não fosse o sequestro de Priscila.

Pretextando elogiar a destreza de Gratiel na direção, Noel a observava atentamente pensando: "Como está linda... As mesmas pernas fortes, os mesmos cabelos cacheados, os olhos brilhantes e os lábios... Nunca ninguém me beijou como ela... Será que está comprometida?".

Gratiel, por sua vez, fingia não perceber que era observada, pretextando manter a atenção ao volante.

"Sim, Noel... Babe bastante... Pode olhar, pois continuo a mesma mulher maravilhosa de sempre. Aproveite para observar muito bem o que perdeu e aprenda a não desprezar coisas maravilhosas... Mas que droga! Por que tremo quando estou perto deste homem? Por que estou sedenta por um beijo dele? Ele disse que Carla está internada... Será que está disponível?", Gratiel pensava.

Não resistindo, por fim, Gratiel decidiu perguntar:

— Noel, sem querer parecer-lhe intrometida, mas você disse mesmo que Carla está internada, ou eu não entendi direito? Aliás, por favor, poderia me contar também como conheceu Priscila?

Noel não se furtou a discorrer em detalhes sobre as duas questões, enquanto os anjos de ambos riam dos pensamentos de seus tutelados:

— Interessante observar as diferenças de motivos que os atraem — disse Osório, anjo de Gratiel.

— Verdade! O exercício do amor observado em diversos prismas — emendou Heitor, anjo de Noel.

Após narrar o drama vivenciado no dia em que foi auxiliado por Priscila, Alex e Joana, que culminou na internação de Carla, Gratiel lembrou-se do almoço que teve com a amiga. Priscila expusera resumidamente os fatos que aconteceram na noite anterior ao almoço, e Gratiel imaginara que tudo se tratara de uma brincadeira da amiga:

— Então não foi um sonho daquela bruxinha... — Gratiel pensou alto.

— O que disse, Gratiel?

— Oportunamente, continuaremos a falar sobre esse assunto, Noel. Acho que chegamos à clínica.

Na companhia de Noel, Gratiel expôs o ocorrido ao diretor da clínica, que decidiu acompanhá-los pessoalmente até Murilo. O jovem, por sua vez, ao observar as fotos mostradas pela advogada, confirmou:

— Sim. Este aqui é o Dudu... Ele pode realmente ter sequestrado Priscila, mas este sujeito ao lado dele...

— Diga logo, Murilo! — Gratiel interveio afoita. — Reconhece esse sujeito?

— Sim... Mas estou com vergonha de falar...

Gratiel não deixou Murilo completar a frase, esclarecendo enfática:

— Murilo, não é hora para rodeios nem de envergonhar-se. Precisamos do máximo de informações para decidirmos o que faremos. Não omita absolutamente nada!

— Está bem — concordou Murilo. — Este sujeito que está com Dudu atende pela alcunha de "chefe". Ele aparecia apenas nas vezes em que organizávamos orgias e nunca falava com ninguém, só com Dudu. Era agressivo com as mulheres e tinha privilégios. Ele só se relacionava com as meninas novatas e apontadas por Dudu. Lembro-me de que, na maioria das vezes, levava consigo algumas garotas, mas não sei para onde. Só sei que as levava carregadas de tão dopadas que as deixavam.

— Minha Nossa! Este Otacílio Miranda é pior do que pensávamos... Ele aliciava as meninas para mantê-las no prostíbulo... — disse Gratiel com a mão na cabeça.

— Otacílio Miranda? Ele é o "chefe", Gratiel? — perguntou Murilo preocupado.

— Não dá para explicar tudo agora, Murilo. Permaneça calado sobre este assunto. Vamos, Noel, preciso dar dois telefonemas. O senhor diretor poderia me ajudar, por favor? — pediu Gratiel ao tentar sair do quarto, sendo impedida por Murilo:

— Espere, Gratiel. Tenho mais uma coisa importante para lhe contar... Mas só poderei falar sobre isso com você.

Após ser atendido em sua solicitação, Murilo falou sigilosamente sobre a visita de Gildo, pai de Roberta, e finalizou:

— Procure o coronel Gildo. Ele sabe de tudo e disse que tomaria providências a respeito de Dudu. Mas, por favor, não conte a mais ninguém sobre isso.

Gratiel deu os dois telefonemas: um, no qual acionou a corregedoria da polícia, e outro para o juiz Alfredo Albuquerque para informar-lhe sobre o caso. Depois, retirou-se com Noel em disparada à residência de Gildo.

Ao chegar à casa do coronel, Gildo a atendeu:

— Não sei do que está falando, moça... Minhas filhas Roberta e Amanda mais meu genro nos contaram sobre a gravidez, mas não conheço o rapaz que engravidou minha caçula.

— Senhor Gildo, não é hora de fazer-se de rogado. Precisamos de toda ajuda possível — disse aflita Gratiel.

— Não estou entendendo aonde quer chegar, moça.

— Murilo me contou que o senhor foi visitá-lo na clínica e havia dado a entender que interditaria o tal do Dudu, para que não importunasse mais Murilo quando ele tivesse alta — esclareceu Gratiel.

— Coitado desse jovem Cirilo... Drogas causam efeitos arrasadores... Minha filha deve ter dito meu nome a ele e, nessas crises típicas dos dependentes, o rapaz deve ter sonhado ou tido alucinações, pois nunca o vi — disse Gildo pacientemente.

— Por favor, senhor Gildo, o momento é suscetível... A cunhada de sua filha foi sequestrada e dona Joana, a sogra de Roberta, está desesperada... Pedimos com instâncias que nos ajude — insistiu Gratiel.

— Minha filha, sou um militar aposentado... Não teria como intervir neste caso, mesmo que conhecesse o Cirilo. A única solução que vejo é acionar a polícia. Não conheço esse tal delegado nem o tal do... Cirilo? É este o nome do namorado de minha filha Roberta?

— perguntou Gildo dissimulando e provocando extrema contrariedade em Gratiel, que anunciou a Noel:

— Vamos, Noel, Murilo estava enganado. Deve ter sonhado ou estava alucinado, quando lhe causaram uma queimadura de cigarro no pescoço... Passar bem, coronel Gildo, e obrigada! Obrigada, dona Neide! Foi um prazer revê-la! E, por favor, mande um abraço para Amanda e Roberta.

Gratiel passou pela porta da casa a passos largos, maldizendo em um tom baixo de voz:

— Detesto militares! Só não fico mais revoltada com esse velho, porque parece meu avô!

Neide perguntou ao marido:

— É verdade o que a amiga de Amanda acabou de dizer? Sobre você ter ido visitar o namorado de Roberta?

— Imagine só, mulher! Pobre juventude transviada. Nem sei qual é a cor desse tal de Cirilo...

— Não é Cirilo, é Murilo, Gildo... Murilo! Para onde está indo agora, Gildo?

— Vou jogar bocha para me distrair. Melhor aproveitar a aposentadoria com outros velhos caquéticos como eu. Volto mais tarde. A propósito, não conte nada para Robertinha, pois ela pode se desesperar pelo sequestro da cunhada e colocar a gravidez em risco.

— Estou gostando de ver! O coronel coruja está protegendo a filha e o neto? Veja se fuma menos! Ouviu, Gildo? Senão seu neto só o conhecerá por fotos.

— Fique sossegada, mulher. Só enfartarei se perder o campeonato de bocha — Gildo saiu rapidamente.

Capítulo 51

Era final de tarde, quando um dos vigias entrou no cativeiro com o rosto coberto por uma máscara:

— Hei, menina, nem mexeu no guarda-comida? Não vai morrer de fome, vai?

— Você teria coragem de me matar, se nada fiz a você? — questionou Priscila.

— Ia ser um desperdício... Eu não teria coragem, mas os outros caras teriam.

Ao recolher o penico deixado embaixo da cama, o homem notou que havia sangue na urina.

Priscila virou o rosto e disse chorando:

— Não imagina como é constrangedor para uma mulher ser submetida a isso...

— Fique sossegada, moça. Tenho mulher e sei que as *mulher* fica *mestruosa* de vez em quando...

— Gostaria de ver sua mulher, irmã ou mãe subjugada da forma como estou sendo?

— Qualquer dessas *mulher* aí não passa por isso, porque passa fome e não tem onde cair morta.

— Acredita que possam ser mais felizes com a infelicidade dos outros?

— É muito fácil falar, quando se está de barriga cheia. Queria ver você dizer isso se tivesse de levar a vida que nós *levamo*.

— Não entende que é por isso que continuam de barriga vazia, como você mesmo diz?

— Não entendi. A moça fala muito difícil. Se explique, moça!

— As dificuldades pelas quais passamos representam provas. Acha que não há uma força superior olhando por todos nós? Acha que Deus não vê o que você faz e que encontrará justificativa convincente perante o Senhor quando tiver de encarar a verdade?

— Muito boa sua explicação, mas explicação não enche barriga de ninguém, moça. Essa é que é a verdade... É fácil julgar quando não é no seu coro.

— Não o estou julgando, mas não seja imediatista e queira que as coisas aconteçam de uma hora para outra! As dificuldades passam quando temos Deus no coração e fé para lutar por um futuro melhor. Não queira acreditar que o pão chegará à mesa de sua família, causando a infelicidade de minha família. O que vale é seu esforço para o bem.

O vigia iria responder, mas foi chamado pelo comparsa, que abriu a porta:

— Por que demora tanto, número três? Pensei que tivesse sido rendido pela moça ou desmaiado pelo que encontrou no penico! Saia daí para ceder plantão ao número quatro!

— Eu estava pensando em *levá* qualquer coisa do guarda-comida pro barraco, porque a filhinha da mamãe não comeu nadinha.

— Larga isso aí, seu doido! Quando o serviço *terminá*, vai encher sua despensa de jabá por uns dois anos e ainda vai *sobrá!* — remendou o outro vigia.

384

Às seis da tarde, uma caminhonete estacionou perto da casa de Dudu, de onde desembarcaram oito homens, que, sorrateiramente, circundaram o perímetro do sobrado, penetrando pelas janelas e portas da edificação e rendendo Dudu, que estava no banho.

Momentos depois, Gildo e um homem, que portava uma grande maleta, entraram na sala, enquanto outro homem permanecia em um cômodo próximo.

Gildo aproximou-se de Dudu, que estava amordaçado e amarrado completamente nu a uma cadeira, e ordenou:

— Abra a maleta, sargento! Comecemos a farra!

Enquanto acendia um cigarro, Gildo lamentou:

— Que falta de respeito... Nem se vestiu adequadamente para recepcionar um velho como eu... Estou em dúvida por onde começarei, mas lhe darei uma chance. Se me disser onde encontro uma moça que você mandou sequestrar e...

Neste momento, um homem chamou Gildo:

— Coronel, houve uma denúncia anônima, e doutora Priscila já foi libertada. Mas, infelizmente, nenhum sequestrador foi pego.

— Por favor, permaneça aqui, delegado. Conseguirei mais informações para o senhor — disse Gildo retornando à sala onde estava Dudu.

— Rapaz, eu lhe darei uma chance para me dizer onde está a moça que você mandou sequestrar. Mas, se ao tirar a mordaça, você não disser, extrairemos seu pênis.

Um dos homens posicionou um alicate no pênis de Dudu, e outro tirou a mordaça do rapaz. Dudu, então, revelou o endereço do cativeiro de Priscila.

— Confirmado. Muito obrigado por sua informação, mas preciso saber sobre um delegado que faz tráfico de drogas...

— É o doutor Otacílio Miranda, é o doutor Otacílio Miranda...

Desta vez, o delegado corregedor entrou na sala e dialogou com Gildo diante de Dudu:

— E não é que o senhor tinha mesmo razão? É o Otacílio Miranda mesmo!

— Pois então! Eu lhe disse, doutor... Antes de o senhor chegar, o rapaz aqui à nossa frente me garantiu que lhe contaria tudo sobre o esquema de tráfico de drogas do doutor Otacílio Miranda — disse Gildo.

O delegado corregedor dirigiu-se a Dudu:

— Estaria disposto a prestar confissão em um depoimento sobre seu envolvimento e o do delegado Otacílio Miranda no tráfico de drogas, senhor Eduardo Siqueira?

— Não posso, delegado, senão doutor Otacílio Miranda mandaria me matar na prisão! — gritou Dudu quase chorando.

O delegado corregedor meneou a cabeça e dirigiu-se à saída. Agradecendo a Dudu, disse para Gildo:

— Pode matá-lo, porque ele não serve mais para nós. Só não deixe vestígio, ok?

Gildo respondeu:

— Sim! Pode deixar! Sargento, pode amordaçá-lo, corte o pênis do rapaz e deixe-o sangrar até morrer. Se demorar mais de uma hora, corte alguma de suas artérias. O senhor mesmo pode escolher.

Dudu desesperou-se:

— Não! Eu conto tudo! O doutor Otacílio Miranda trazia a droga através de uma rota...

Depois de gravar o depoimento de Dudu, o delegado corregedor, longe dos olhos do rapaz, comentou com Gildo:

— Coronel, sabe que não aprovamos esses métodos de investigação, não sabe?

— Mas, doutor, a única coisa que precisei fazer foi deixá-lo pelado! Os criminosos como esse Dudu são covardes e moles...

— Pode sair agora, coronel Gildo. Seu nome não será mencionado no caso e fico lhe devendo este favor.

— O senhor não me deve nada, afinal não temos dívidas com quem não conhecemos...

Antes de sair, Gildo despontou na porta e deu a última ordem:

— Soldado, não perca tempo com essa criatura. Se ele omitir algum detalhe ao delegado, cumpra minha ordem. Não ficarei, porque fico enjoado quando vejo sangue...

Ao chegar a sua casa, Gildo foi abordado pela esposa:

— Gildo, você chegou muito tarde. Já estava preocupada.

— Calma, mulher! Parece que não se acostumou.

— Pelo menos ganhou o campeonato de bocha?

— Infelizmente, não. Atirei a derradeira bola, mas errei o alvo.

— Bem feito. Perdeu o plantão do jornal, no qual informaram que o cativeiro da Priscila, a futura cunhada de Roberta, foi estourado.

— É mesmo, mulher? A irmã do tal Cirilo, que está internado no hospital de loucos?

— É Murilo o nome dele, Gildo... Murilo! E não é hospital de loucos! É uma clínica para dependentes químicos. Estou ficando preocupada com sua memória. Parece que não presta atenção em nada! Marcarei uma consulta ao médico para você.

— Para quê? Para ouvir a mesma coisa de sempre: "Pare de fumar", "pare de comer gordura", "faça exercícios"... Deixe-me morrer em paz, mulher!

Mais tarde, toda a família estava reunida e atenta ouvindo o noticiário na tevê:

"No final da tarde de hoje, após uma denúncia anônima, encontraram e estouraram o cativeiro onde os sequestradores mantinham presa Priscila Norton Salles. A jovem é neta do empresário Celso Norton Salles, que prestou declarações de que o resgate estava sendo negociado com o padrasto de Priscila, Alex Figueroa. Em uma ação conjunta da polícia militar com a corregedoria e após investigações, foi decretada a prisão de Eduardo Siqueira, conhecido como Dudu, o mandante do sequestro. Dudu foi preso em sua residência, onde foram apreendidas grandes quantidades de cocaína, heroína e maconha, além de diversas armas de uso exclusivo da polícia. Descobriu-se também o envolvimento do delegado Otacílio Miranda no sequestro, que também recebeu voz de prisão na delegacia onde fazia plantão. As investigações apontam que o delegado Otacílio Miranda é responsável por uma rede de tráfico internacional de drogas e comprovam seu envolvimento no assassinato de uma prostituta, que trabalhava em uma casa de prostituição, cujo proprietário é o delegado. Revoltadas com os maus-tratos, três funcionárias colocaram-se à disposição da polícia para testemunharem sobre os fatos ocorridos. O traficante e mentor do sequestro, Dudu, alega ter confessado os crimes sob tortura e negou as acusações em seguida.

Mas diante das provas obtidas na investigação, o delegado corregedor informa que as alegações do criminoso são vãs tentativas de se safar das acusações, temendo represálias por parte de amigos do delegado Otacílio Miranda. Mais detalhes sobre a operação serão apresentados, logo mais, no jornal da noite".

Roberta perguntou para Gildo:

— Papai, devemos fazer algo a respeito?

— Sim, filha. Ligue para a família de seu namorado para prestar solidariedade, mas envolva-se o mínimo possível, senão haverá uma dúzia de repórteres à nossa porta.

Depois de liberada, Priscila voltou ao lar como se nada tivesse acontecido e, muito feliz pelo desfecho, comemorou com Joana, Alex, Laércio, Gratiel e Noel.

Alex permaneceu com Joana, Laércio dormiria na sala, enquanto Gratiel e Noel se despediam para seguirem cada qual para sua casa.

Noel preparava-se para buscar Caio Henrique, mas, quando telefonou para Ana, decidiu buscá-lo no dia seguinte, depois de prestar depoimento na delegacia com Gratiel. Já passava das vinte e três horas e Caio Henrique já estava dormindo.

Noel despediu-se de Priscila:

— Difícil de acreditar que está com toda essa energia depois de um sequestro. Se fosse comigo, acho que estaria internado com Carla.

— Foi só um dia. Nem deu para ficar traumatizada.

Aproveitando que Noel havia saído, Gratiel disse à amiga:

— Depois acertaremos essa história de você procurar o Noel e oferecer-lhe seus serviços de advogada, ouviu, doutora Priscila?

Priscila gritou para Joana:

389

— Mamãe, quero voltar para o cativeiro!

— Ai, Priscila... Você é uma comédia.

— Tive uma ótima escola, concorda, professora?

— Venha cá. Dê-me um abraço gostoso. Acho que fiquei mais angustiada do que você naquele cativeiro. Temos muito a agradecer a Deus por hoje.

Depois de se abraçarem, Priscila disse para Gratiel:

— Olhe... Se quiser me matar por eu ter procurado Noel, fiz isso porque a amo e quero sua felicidade. Aliás... vocês formam um belo casal.

— Também amo você, sua doida varrida...

Capítulo 52

Na manhã seguinte, Gratiel e Noel prestaram depoimento na delegacia. Na saída, Noel não resistiu e, antes de se despedirem, questionou Gratiel:

— Queria lhe fazer uma pergunta, mas estou preocupado se me levará a mal.

— Não levarei a mal. Pode perguntar, Noel.

— Por que não se casou, Gratiel?

— Por que deveria me casar? — a moça conteve a irritação.

— Está vendo? Você levou a mal.

— Desculpe-me, Noel. É que todo mundo me faz essa pergunta, como se eu fosse uma extraterrestre! Como se casar constituísse uma obrigação para as pessoas! Por isso, eu me irrito mesmo.

— É que você é uma mulher bonita e, certamente, deve ter tido e reprovado muitos pretendentes.

Um pensamento passou pela cabeça de Gratiel: "Casar para ter sido infeliz como você, idiota?".

Mas Gratiel manifestou-se de outra maneira:

— Quer que relacione a lista dos pretendentes que reprovei?

— Acho melhor pararmos por aqui com essa conversa, porque estou achando que não consigo ser agradável para você.

— É só você não fazer rodeios para saber coisas inúteis!

— Você tem razão... Sou mesmo um idiota... Desculpe-me — Noel baixou a cabeça fazendo menção de retirar-se, mas Gratiel não se conteve:

— Seja direto, Noel. Pare de se fazer de vítima e diga se pretende me deixar falando sozinha novamente! Diga: o que pretende?

— O que pretendo com o quê? Está me chamando de pretensioso?

— Não se faça de tolo! Diga o que pretende com tal questionamento.

— Nada não, Gratiel! Você continua a mulher agressiva de sempre. Poderia pelo menos ser educada de vez em quando?

— É sim, você tem razão. E você continua o mesmo idiota de sempre — Gratiel dirigiu-se nervosa para o carro, mas Noel a segurou pelo braço:

— Gratiel, escute-me, por favor!

— O que quer, Noel?

— Pode ir buscar Caio Henrique comigo?

— Já sabe o caminho. Não estou disposta a fazer--lhe um relatório de candidatos a marido!

— Você se ofende por qualquer coisa!

— Ah! Acha mesmo? Você pode dizer o que quiser e sem pensar, e eu que me recolha à insignificância de ouvir o que não quero?

— Não concordo! Está sendo injusta ao me tratar assim por causa de uma simples pergunta.

— Você não tem semancol, Noel! Existem perguntas que ferem, sabia? — Gratiel embargou a voz, mas conteve o choro.

392

— Está bem... Está bem... Só quero sua companhia, não percebeu?

— Está bem. Estarei em frente à casa de dona Ana.

Gratiel arrancou com o carro para que Noel não percebesse as lágrimas que rolaram em seu rosto.

Ao chegar à casa de Ana, foi recepcionada com alegria por Maria Vitória, que se atirou nos braços da moça. Em seguida, Caio Henrique se aproximou ressabiado.

Ana notou que o nariz e os olhos de Gratiel estavam vermelhos, indicando que ela havia chorado:

— Tudo bem, Gratiel?

— Sim, dona Ana. Está tudo bem. Seu pai está chegando, Caio Henrique.

Ao observar que Noel chegara de cara fechada, Ana deduziu que os dois haviam discutido e criou um ensejo que não permitia que continuassem:

— Entrem. O almoço está pronto, e as crianças estão com fome. Entre, Noel, Jonas quer conversar com você. E você, Gratiel, se for embora já, Maria Vitória ficará decepcionada e me atormentará o resto do dia.

Durante o almoço, Maria Vitória e Caio Henrique disputavam a atenção dos adultos, e Gratiel emendou:

— Hei, vocês dois! Vamos parar com essa discussão, senão vou embora.

As crianças saíram de seus lugares para abraçá--la, ensejando um comentário de Jonas:

— Isso mesmo, doutora! Vá treinando pôr ordem na casa, porque já vi que esses dois não se largam mais. Caio Henrique achou a irmãzinha que faltava!

Observando que Noel e Gratiel evitavam se falar, Ana perguntou em pensamento para seu anjo: "O que faço para contribuir favoravelmente com essas cabeças duras, meu anjo guardião?".

— Quando saírem, você saberá o que fazer — respondeu o anjo de Ana.

Era quase quatro horas da tarde, quando Gratiel se levantou para ir embora:

— Bem, pessoal, vou para casa, porque preciso me preparar para a batalha de amanhã e deixar dona Ana e seu Jonas descansarem.

As crianças demonstraram extrema contrariedade, e Ana sugeriu:

— Gratiel e Noel, será difícil convencer as crianças de que acabou o domingo. Tive uma ideia! Vocês poderiam levá-los para visitar Priscila, que não pôde vir hoje aqui. Ela não falha um domingo sequer! Sempre visita Maria Vitória.

Com a demonstração de alegria das crianças, Jonas acrescentou sorrindo:

— Não acredito que teremos um pouco de sossego!

Sem conseguirem rejeitar o pedido, Gratiel e Noel levaram as crianças para a casa de Noel, onde arrumaram Caio Henrique e Maria Vitória.

Surpreendentemente, Caio Henrique pediu a Gratiel que cuidasse dele. Comovida ao perceber a carência do menino em relação à presença da mãe, ela esperou que o menino tomasse banho para penteá-lo e arrumar suas roupas com carinho, observando Maria Vitória amuada no canto da sala quase a chorar.

— Está com ciúmes, Maria Vitória? Agora é a sua vez. Venha, que lhe darei banho — convidou Gratiel, mas a menina se recusou e começou a chorar:

— Venha, criatura... A tia Gratiel a deixará uma gracinha para irmos à casa da tia Pri. Venha.

— Não vou!

— Não a estou entendendo, filha... Por que não vem?

Maria Vitória respondeu chorando:

— Se você pode cuidar do Caio Henrique, por que o papai Noel não pode cuidar de mim?

Gratiel soltou uma gargalhada para dizer:

— Está certíssima, Maria Vitória! Direitos iguais! Eu cuidei de Caio Henrique, e agora é a vez do "papai Noel" cuidar de você!

— Está doida, Gratiel? — disse Noel apavorado. — Nunca dei banho numa menininha delicada como ela...

Maria Vitória agarrou-se a Noel:

— A tia Gratiel cuidou do Caio Henrique. Agora, você vai cuidar de mim, não é, papai Noel?

Caio Henrique ria de ver Gratiel chorar de rir e instigou o pai:

— O que tem dar banho na Maria Vitória, papai? É só fazer com ela o que fazia para mim.

Noel encheu-se de coragem, convidando:

— Muito bem, Maria Vitória. Vamos mostrar a esses dois nossa coragem! — e Noel satisfez a vontade da pequena, que correu para o banheiro, seguida de Gratiel.

Ao final do banho, Noel acariciou o rosto de Maria Vitória dizendo:

— Acho mais fácil construir um prédio de trinta andares do que cuidar de uma menina linda como você...

Gratiel convidou:

— Prontinho! Agora que estão todos cheirosinhos, podemos ir?

Falando baixo, as crianças comentaram algo sorrindo:

— Posso saber o que estão cochichando? — perguntou Gratiel.

Maria Vitória revelou:

— Queremos que deem um beijo na boca que nem na novela...

Desconcertada, Gratiel respondeu:

— Mas que coisa... Então era isso que estavam planejando quietinhos, não é? Vamos logo, senão ficará muito tarde e não dará tempo de visitarmos a tia Priscila. Caio Henrique, vá pegar uma blusa. Está esfriando.

Maria Vitória saiu correndo atrás de Caio Henrique, e Noel aproximou-se de Gratiel, fixando o olhar e dizendo:

— Gratiel... Eu sei que talvez não seja este o momento para lhe dizer isto, mas sempre senti sua falta.

Notando que Gratiel se manteve estática e desarmada, Noel ajuntou:

— Eu sei que não dá para voltar no tempo, mas quem sabe poderíamos fazer um novo tempo? — Noel tomou as mãos de Gratiel, que respondeu:

— Só se for um novo tempo para você... Para mim, o tempo que passou não mudou o que sinto...

Gratiel entregou-se ao abraço e ao beijo apaixonado de Noel, com a emoção das lágrimas que representavam a vontade sufocada pelo tempo.

Quando abriu os olhos, Gratiel assustou-se ao notar Caio Henrique e Maria Vitória parados, um ao lado do outro, sorrindo da cena. Afastando-se delicadamente de Noel, a moça se recompôs ofegante:

— Vocês "doisinhos" estão satisfeitos agora?

— O beijo de vocês foi mais bonito que o da novela — disse Caio Henrique, seguido de Maria Vitória:

— Eu também quero um beijo assim, papai Noel!

— Ah! Maria Vitória! Isto é coisa pra gente grande, menina! — respondeu Gratiel ainda perdida.

— Você vai ser mulher do meu pai, tia Gratiel? — perguntou Caio Henrique deixando Gratiel constrangida. Noel interveio:

— Sim, Caio Henrique. A tia Gratiel será minha mulher e serei seu marido. Você também quer, Maria Vitória?

Enquanto as crianças pulavam de alegria, Gratiel engasgava para repreender Noel:

— Está louco, Noel? O que está dizendo para as crianças?

Noel abraçou Gratiel, respondendo a sorrir:

— A menos que dispense este "pretendente"!

Gratiel correspondeu sorrindo de felicidade:

— Considere-se eleito!

Entre a felicidade e pureza de sentimentos, as quatro almas juntas e comprometidas em viver o momento aceitaram o amor de presente.

Capítulo 53

Noel e Gratiel chegaram à casa de Priscila e foram recebidos com alegria:

— Que maravilha terem vindo! Como tive orientações de não sair de casa, não pude visitar Maria Vitória. Mas até Caio Henrique veio! Que legal!

Vendo que as crianças começavam a correr de um lado para outro, Gratiel alertou:

— Não vão começar! Se quebrarem alguma coisa de Joana, irão pagar!

— Inacreditável ver a tia Gratiel dando ordens à "creche"... — riu Joana.

— E fofo é ver vocês dois entrando de mãozinhas dadas! — emendou Priscila eufórica.

Na cela onde Otacílio Miranda estava preso, os espíritos de Janete e Cássia trocavam impressões:

— O que está havendo com você, Cássia? Finalmente temos a oportunidade de ver esse infeliz prestando contas, e você está aí olhando para o nada?

— Questiono a validade disso tudo, Janete...

— Ah! Bom... Entendi. Está achando que é pouco. Claro que é, mas já é um bom começo. Acompanharemos a desgraça desse imbecil minuto a minuto! Pode ficar sossegada.

— Não é isso, Janete! Olhe à sua volta. Observe todos esses perseguidores invisíveis como nós...

— Estou vendo! Estão felizes e satisfeitos como nós. Os que extraíam prazeres de Otacílio não estão porque não têm mais o que fazer. Ficamos nós, então, para o banquete da vingança.

— Para onde isso nos levará, Janete? Diga.

— Ora, Cássia! Óbvio que nos levará ao clímax cada vez que Otacílio se ferrar. Quando ele morrer então, nem se fala! Ele virá para o lado de cá e o destroçaremos.

— Você sabia que outros, de tamanho mau-caratismo como o dele, podem estar aguardando-o para requerer favores?

— Ah! É? E como fariam isso? O que ele terá para oferecer?

— Otacílio Miranda é um mau-caráter, mas é um espírito inteligente. Ele detém faculdades que desconhecemos e não sabemos do que ele é capaz como espírito.

— Cássia, estou a estranhando. Como pode saber isso, se ele não morreu? Alguém lhe falou algo sobre isso?

— Não. Ninguém me falou nada sobre isso. Estou me sentindo esquisita mesmo... Deve ter sido o choque da conquista, e agora não sei o que fazer.

— Está bem. Enquanto você fica aí com suas esquisitices, me deixe malhar esse Judas com a turma, gritando mais uma vez à orelha desse infeliz para atormentá-lo ainda mais.

Assim que Janete se achegou ao ex-delegado, uma jovem aproximou-se de Cássia:

— Compreendo como se sente.

— Por acaso, a conheço, senhorita "compreensiva"?

— Prazer. Meu nome é Salustiana.

— Como pode compreender como me sinto se nem eu compreendo?

— É que já me senti assim. Sei como é: ódio, sentimento de vingança... No entanto, chega um momento em que tudo perde a graça e passa. É uma fase em que começamos a valorizar outras coisas.

— Interessante, "professora" Salustiana... Começamos a valorizar o quê? — perguntou Cássia com deboche.

— A vida, o bem, os atributos que conquistamos etc. É isso.

— Atributos que conquistamos? Do que está falando?

— A resposta está em outra pergunta. Como sabe que Otacílio detém faculdades? Aquelas faculdades a que se referiu enquanto conversava com Janete... Você se referia às capacidades intelecto-espirituais, que podem ser usadas somente quando alguém está desencarnado?

Aproveitando que Cássia tentava encontrar uma resposta àquela pergunta, Salustiana passou a comunicar-se com ela telepaticamente: "É porque você também dispõe de capacidades singulares como espírito".

"Posso conversar sem articular palavras!", exclamou Cássia por meio do pensamento.

"Pode sim. Pode muito mais, mas ainda não sabe", Salustiana continuou.

"Você fala como esses anjos do pau oco que querem converter a gente", Cássia ironizou.

"Não sou um anjo ainda, mas obtive concessão do Conselho Tutelar Espiritual para acompanhar meu filho nesta encarnação."

"E onde está seu filho?", Cássia indagou.

"Aqui mesmo. É Otacílio Miranda, a quem dei à luz na Terra nesta encarnação, porém ele ainda não conseguiu ver a luz em si mesmo..."

Cássia não omitiu o espanto com aquela revelação e quis saber mais:

"Está dizendo que foi mãe de Otacílio Miranda?", continuou em pensamento.

"Sim. E ainda me considero mãe, porque o amo muito."

"Se é mãe dele, por que não o ajuda?", Cássia questionou.

"E pensa que não tento ajudá-lo? Observe o campo mental dele, você pode. Veja como ele está progredindo, como está arrependido de muitas coisas...", Salustiana justificou.

"Não se condói de ver seu filho nesta situação? Gosta de se torturar?"

"Claro que fico comovida, afinal sou mãe dele, mas supero com a esperança e o conhecimento de que tudo passará e que um dia poderei abraçá-lo", Salustiana respondeu.

"É estranho como entendo e sinto o que está dizendo...", expôs Cássia tentando encontrar respostas.

"Não há nada de estranho, Cássia. Levante a cabeça e aceite-se. O fato de ter sido prostituta na última encarnação não diminui as aquisições que conquistou nem a condena ao fogo eterno. Você sabe disso."

"Salustiana... você tem razão. Eu me culpo demais e acho que não tenho salvação...", Cássia lamentou-se.

"Eu sei, mas isso é saudável. Priscila a comoveu com as ações a favor de sua filha e ao buscar a justiça pelo seu assassinato."

"Como sabe tanto sobre mim? Andou me seguindo?", Cássia indagou.

"Não. É que consigo saber o que se passa em seu pensamento. Um grande erro que cometemos é desprezar o fato de que somos assistidos em qualquer situação, mesmo quando não nos enxergamos."

"A verdade é que estou me sentindo tão amargurada...", Cássia lamentou-se.

"Não fique assim, Cássia. Quer ficar contente? Venha comigo ver sua filha", convidou Salustiana.

Ao chegarem à casa de Joana, onde o clima era de felicidade, Salustiana e Cássia foram saudadas pelos anjos presentes. Dionísio, o anjo de Joana, foi o primeiro a cumprimentá-las:

— É um grande prazer vê-la, Cássia! E o melhor: em boa companhia!

— Vejo que está recobrando sua memória espiritual — comentou Dalva, anjo de Maria Vitória. Venha ver Maria Vitória, ou, se preferir, Sara, ou ainda, Judite...

Acompanhada de Dalva e seguida por outros anjos, Cássia contemplou Maria Vitória, que estava atenta a um programa na televisão e comia pipocas na companhia de Caio Henrique.

Cássia aproximou-se e acariciou o rosto de Maria Vitória, colocando-se de joelhos e permitindo que lágrimas corressem por seu rosto:

— Não posso contaminá-la com minhas vibrações de tristeza...

— Seu sentimento não é de tristeza, é de amor — disse Dalva, o anjo de Maria Vitória.

Percorrendo os olhos pelo ambiente, Cássia levantou-se admirada por recordar-se de conhecidos do passado:

— Maria Vitória foi Judite... Aquele foi o Felipini... — apontou para Noel. — Meu Deus, o que fiz de minha existência? E ainda me achei no direito de julgar o Otacílio Miranda... Desculpe-me, Salustiana...

— Imagine! Não há o que se desculpar, Cássia — respondeu Salustiana. — Entende agora por que torço pelo progresso de Otacílio? Não é por causa de uma só existência que devemos nos condenar.

— E Jader, como está? — perguntou Cássia.

— Após permanecer por um período no umbral, ele iniciou um trabalho em uma colônia de nosso plano — respondeu Dalva, causando alívio em Cássia:

— Ainda bem que vocês não permitiram que cessassem com a vida dessa menina... Não conseguiria superar o desprezo por tamanha irresponsabilidade.

Dalva respondeu:

— Não negaremos que houve um grande esforço de nossa parte, mas, sem você, não conseguiríamos ter sucesso na manutenção da vida de Maria Vitória.

— Não compreendo... Até me droguei na gravidez e contribui com o quê?

— É que, embora acreditasse que não teria condições de assumi-la, no fundo você queria ser o instrumento para a vinda de Maria Vitória — respondeu Salustiana.

— Reconheço que terei de trabalhar muito para recuperar o direito de ser feliz...

Natanael, o anjo de Priscila, disse:

— É essa consciência que a fará não ter a necessidade de passar por mais etapas, até descobrir o que precisa para iluminar o próprio caminho.

— Pobre Janete, ela não consegue entender isso agora... — lamentou Cássia, ao que Zéfiro, anjo de Laércio, comentou:

— Não se lamente pelos outros nem por si mesma, Cássia, pois feliz é quem pode seguir seu caminho agradecido pela luz.

Ernesto, o anjo de Cássia, tornou-se visível e tomou as mãos de sua tutelada, que estava disposta a dar continuidade à busca da luz em outro lugar.

Capítulo 54

Conforme havia sido planejado, chegou o dia de Murilo receber as visitas na clínica onde estava internado.

Acreditando que Murilo não sabia de sua gravidez, Roberta revelou-lhe que estava esperando um filho, e o rapaz, por sua vez, fez uma comovente declaração falando de suas intenções de constituir família e agradecendo a Priscila e a Joana.

— Mamãe está louca para conhecê-lo! Aliás, todos de minha família estão! — disse Roberta.

— Será a primeira coisa que farei quando sair daqui: visitar sua família. Doutor Alex não quis vir, mãe?

— Ele achou melhor não vir para deixá-lo mais à vontade — respondeu Joana.

— Entendo... Alex imaginou que eu não fosse gostar, porque sempre o tratei com descaso. Preciso me acertar com ele.

— Que bom, filho — aduziu Joana. — Sua rejeição a Alex me causava desgosto.

— Peço-lhe desculpas por isso, mãe. Fui injusto e egoísta, agindo como um menino mimado. Eu acreditava que a senhora deveria ser só minha e de Priscila.

— Muito bem! — exclamou Priscila. — Vejo que respirar outros ares o fez refletir bastante.

— Não foi só isso, Priscila... É que, antes de conhecer Roberta, eu pensava que se não podia ser feliz, ninguém poderia também. Mas tem uma coisa que está me chateando mais que tudo...

— Com o que está chateado, Murilo? — perguntou Joana.

— Aquela criança que Priscila disse ser filha do papai com aquela mulher...

— Com aquela prostituta — completou Priscila.

— Não precisa ficar com vergonha de dizer isso, Murilo. Roberta será da família. Mas diga o que o agasta.

— Para dizer a verdade, entre os desatinos e as injustiças que cometi por ter sido egoísta, reconheço que estou em débito com essa criança, pois sei que, se você e mamãe pesquisaram sua origem, existe um fundamento em ela ser nossa meia-irmã. Priscila, estaria disposta a me perdoar pela criancice e a me ajudar a procurar essa menina?

Apesar da emoção que sentiu, Priscila quis se certificar das intenções do irmão e, tomando as mãos de Murilo, perguntou:

— Confesso que difícil acreditar em você, depois do que disse na reunião que tivemos com vovô... É isso mesmo que você quer?

— Sei que é difícil acreditar em mim, Priscila, mas lhe explicarei o porquê desse pedido. Fiquei angustiado ao saber de seu sequestro e foi um martírio saber que isso aconteceu por causa de meu envolvimento com Dudu. Daí pensei: se somos irmãos, deve existir um motivo para isso; não pode ser por acaso. Pensei também no que posso estar deixando de fazer, privando nossa meia-irmã de seus direitos. Ela não tem nada a ver com os deslizes do papai.

Satisfeita com a exposição do irmão, Priscila vasculhou a bolsa e retirou uma foto, que entregou a Murilo:

— Esta é nossa irmãzinha, aliás, a tia mais nova do seu bebezinho. O nome dela é Maria Vitória.

Surpreso, Murilo exclamou:

— Nossa, Priscila! Ela é sua cara quando criança!

— Ou seja, ela é linda e maravilhosa como eu!

Murilo permaneceu introspectivo por alguns instantes e disse:

— Até isso eu recebi de bandeja, sem esforço... Você fez tudo direito, enquanto eu... Nada!

Priscila não permitiu que o irmão se condenasse:

— Não esquente a cabeça, maninho! Terá muito tempo para bajular a irmãzinha que ganhamos de presente... E me dê essa foto! Pare de babar em cima dela!

— Priscila, e o que você fez para contornar o vovô?

— Não fizemos nada. Ele não sabe que a encontramos e achamos que é melhor não saber. Maria Vitória foi adotada por dona Ana e senhor Jonas...

Priscila e Joana relataram vários episódios de Maria Vitória, exaltando suas travessuras e fazendo planos com Roberta.

Na casa da família de Noel, a conversa estava animada.

Clotilde disse:

— As últimas semanas foram maravilhosas! Foi uma bênção Caio Henrique ficar na Ana. Fico com saudade, mas reconheço que não tenho energia para cuidar de crianças. Admiro a Ana ter a pachorra de cuidar de tantas crianças!

Oto emendou:

— Depois que Caio conheceu Maria Vitória, os dois não se largam! Ainda mais com tantas crianças com a idade dele!

Ressabiada, Gratiel saiu da mesa:

— E por falar nisso, eles estão muito quietinhos... Deixe-me ver o que estão aprontando.

— Quem diria, hein, Noel? O mundo girou, girou, e você novamente encontrou Gratiel...

— Verdade, Nívea. E o que é melhor: ela trata o Caio Henrique como se fosse filho dela — respondeu Noel.

— A família de Carla aceitou numa boa sua união com Gratiel, filho?

— Não sei, mãe. Diante das circunstâncias, eles não tiveram opção, pois a mãe de Carla, infelizmente, está apresentando os mesmos problemas da filha...

— Existe previsão de Carla receber alta?

— Não, Nívea. Infelizmente, os médicos me aconselharam a mantê-la afastada de Caio Henrique por enquanto. Temo que o problema dela se agrave ainda mais...

Alguns meses depois, Noel encontrava-se com Ana:

— Pedi para falar com a senhora, pois preciso de sua liberação para alguns planos que pretendo colocar em prática.

— Tudo bem, Noel, mas disponho apenas de uma hora, senão as pajens não darão conta do recado.

— É justamente sobre isso que vim lhe falar. Quero lhe propor uma sociedade, que resultará na ampliação da creche e possibilitará que a senhora tenha mais tempo livre, além de não precisar se esforçar tanto.

— Entendi... Você verificou possibilidades de um empreendimento. Realmente, este é um bom negócio, mas lamento lhe informar, Noel: não tenho interesse em lucros, pois, desde o início, meu objetivo foi o de atender às famílias carentes, que não têm condições de pagar uma creche para deixar seus filhos enquanto trabalham.

— Sei disso, dona Ana. A sociedade que lhe proponho consiste em manter as famílias que não podem pagar, abrindo possibilidades também para as que podem. No entanto, o lucro não é minha prioridade, pois também tenho vontade de me dedicar de alguma forma a um trabalho como o seu.

— Que bom! Enfim um empresário que se oferece! O que pretende, filho?

— Observei as dimensões de seu terreno e fiz um esboço da ampliação. Dê uma olhada, por favor — Noel mostrou o desenho, que previa o aumento da creche em seis vezes o tamanho original e continuou:

— Note que a previsão é de expandir, inclusive, onde não há área construída e adicionar dois pavimentos acima. Desta forma, poderemos multiplicar por cinco o número de crianças, que ficarão confortavelmente instaladas.

Admirada, Ana observou exclamando:

— Filho, quer matar essa velhota, é?

Noel sorriu esclarecendo:

— Calma, dona Ana. Todo o planejamento está aqui. Olhe, pesquisei o funcionamento de outros estabelecimentos semelhantes e verifiquei que precisaremos de, no mínimo, quinze funcionários, possibilitando a abertura de algumas vagas de trabalho, inclusive para os pais de algumas crianças, proporcionando...

Com entusiasmo, Noel discorria a explicação. Enquanto isso, Ana pedia mentalmente auxílio a Eurídes, seu anjo protetor, em um diálogo paralelo:

"Preciso de sua ajuda, meu anjo guardião. Devo aceitar o que Noel propõe?"

— Por que não aceitaria, Ana? — Eurídes questionou.

"Desconfio que, pela dimensão do projeto, existe interesse financeiro", Ana ressaltou.

— Ana, dinheiro, sexo, entretenimento, nada disso é "pecado", dependendo do uso que se faz na vida material. Lembra-se do que a motivou a abrir a creche?

"Claro que sim: dois filhos falecidos e a necessidade de fazer algo que produzisse em mim a sensação de que eu era útil. Mas certamente fui muito mais feliz do que imaginava", Ana tornou.

— Pergunte a Noel qual é a intenção dele na ampliação da creche, Eurídes sugeriu.

Ana correspondeu à sugestão do seu anjo:

— Noel, desculpe-me interrompê-lo, mas poderia me dizer o que o motivou a querer investir em algo grandioso assim?

— Claro que posso! A Priscila lhe contou sobre o que aconteceu com um menino que me pediu dinheiro num bar?

— Ela me contou recentemente. Priscila disse que não pôde me contar antes, para evitar que Gratiel soubesse que ela foi à sua procura.

— Ok. Mesmo assim, lhe contarei resumidamente a história. Um menino chamado Anderson se aproximou de mim...

Enquanto Noel explicava o evento que marcou sua vida, Eurídes continuou transmitindo informações para Ana:

— Na verdade, o que Noel sente necessidade de narrar foi apenas um mecanismo que encontramos para despertá-lo sobre os compromissos assumidos por ele antes de reencarnar.

"Eu poderia, respeitosamente, penetrar o conhecimento do passado de Noel, para saber o que o levou a assumir tais compromissos?", Ana perguntou a Eurídes em pensamento.

— Você teve acesso a informações sobre si quando assumiu a creche, Ana?

"Não tive...", Ana continuou.

— Mas, quando deixar o planeta, terá, assim como Noel e todo mundo, porque o véu do esquecimento, que protege o passado ao nascermos, não é um privilégio, mas uma necessidade. Só assim vocês conseguem ter condições de caminhar rumo ao sucesso e progredir sempre.

Noel finalizou:

— A senhora entendeu por que senti vontade de investir nesse empreendimento?

— Achei muito comovente sua história, Noel. É gratificante quando podemos aliar conhecimento com a vontade de fazer o bem. O centro espírita ficará uma formiguinha perto do que esse trabalho social irá se transformar...

— Desculpe-me, dona Ana, mas como só dispõe de dez minutos, mostrarei rapidamente outra coisa — Noel tirou outro esboço da pasta e mostrou-o a Ana:

— Este será o seu novo centro espírita!

Extasiada, Ana não se conteve de alegria:

— E quem disse que centro espírita pertence a alguém? É de todos nós! Mas, meu filho... Que loucura é essa?

— Sabia que ia gostar, afinal, foi a senhora quem o fundou.

— Confesso-lhe que estou admirada e emociona-da, filho... Não sabia que se interessava também pelo centro espírita...

— Há pouco tempo, posso lhe dizer que nada referente à espiritualidade me interessava, mas, depois de cinco tiros frustrados em minha cabeça e umas e outras coisas que aconteceram, comecei a frequentar o curso com Priscila e Gratiel, naquele centro de estudos que a senhora me indicou.

— Mas nosso terreno não é tão grande assim para caber tudo o que você desenhou... Acho que exagerou nas medidas, Noel.

— Antes de lhe contar a última novidade, quero saber se a senhora topa.

— Claro que topo. Vamos trabalhar juntos!

— Ótimo! Ainda bem que a senhora concordou, porque me antecipei na compra de quatro sobrados vizinhos do seu terreno. Portanto, não errei na medida. Agora, pode voltar ao trabalho com seus pimpolhos, porque já ocupei muito do seu tempo.

— Quando se casará com Gratiel?

— Já estamos morando juntos há dois dias. Nós nos instalamos provisoriamente na casa de Gratiel, porque, apesar de ser menor que minha casa, ela acha desagradável morar onde vivi com minha ex-mulher. Quanto ao casamento, não queremos formalidades. Até perguntei a Gratiel se tinha vontade de casar-se na igreja, mas ela pensa como eu: o que Deus une o homem não separa.

— Lindo isso! Que os bons espíritos continuem a inspirá-lo, meu "sócio"! Mande um beijo para Gratiel, apesar de que, daqui a pouco, lhe darei pessoalmente um beijo, quando vier buscar o Caio Henrique.

— E a senhora, por favor, mande um abraço ao senhor Jonas e a Maria Vitória, apesar de que, com certeza, Gratiel a levará consigo.

Assim que Noel saiu, Ana ergueu as mãos:

— Obrigada, primeiramente, a Deus, por nos permitir este destino e obrigada aos anjos, que se fazem instrumento para Sua obra.

Eurídes, com outros anjos, respondeu:

— Amém.

Capítulo 55

1984

Passados cinco meses do sequestro, Priscila saía do prédio onde trabalhava após o expediente.

Assim que colocou o carro sobre a calçada, aguardando o fluxo de pessoas que atravessavam à sua frente, um homem moreno aproximou-se de sua janela:

— Moça, a senhora é doutora Priscila, não é?

Ainda com resquícios de trauma do sequestro, Priscila precaveu-se deixando a marcha engatada e mantendo os pés nos pedais para arrancar o automóvel, caso fosse necessário:

— Sim, sou eu. O que deseja, senhor?

— A senhora se lembra do telefonema que *as puliça* recebeu com as *informação*, dizendo onde a senhora estava no dia do sequestro? Fui eu quem deu o telefonema.

Priscila tremeu. Procurando não demonstrar medo, a moça fitou o homem com mais atenção e notou que seu rosto era enrugado, denotando uma vida sofrida. Pelas vestes e pelo reduzido número de dentes em sua boca, notou também que se tratava de uma pessoa pobre.

— Se foi o senhor quem telefonou para a polícia, como sabia do sequestro?

— É que resolvi não *matá* a fome da minha família com o sofrimento da sua... Não me condene, por favor...

Com a frase dita no cativeiro, Priscila identificou o sotaque e a voz do vigia com quem dialogou durante o sequestro.

Dominada pelo pânico, a moça disparou com o carro cantando pneus e quase atropelou um pedestre que atravessava à sua frente, observando pelo retrovisor que o homem permanecera parado.

Recuperando-se rapidamente do susto, Priscila freou o carro, ligou o pisca-alerta e permaneceu no carro estacionado a cerca de cinquenta metros de onde saiu.

O fluxo de carros na avenida era intenso. Os motoristas desviavam, buzinavam e xingavam, indignados com Priscila, que olhava fixamente para o retrovisor, obstruindo a faixa direita, em um local de estacionamento proibido.

Cedendo ao impulso da curiosidade, a moça repetiu para si a última frase que ouviu: "Não me condene, por favor...".

Decidindo que iria tirar aquela história a limpo, mas sem condições de dar a ré ao carro, devido ao grande fluxo de veículos, Priscila desceu do automóvel e saiu em direção ao homem, encarando-o:

— Veio me sequestrar novamente, seu covarde?

— A senhora não deve ter medo, doutora Priscila... Se tivesse vindo pra isso, não *taria* aqui conversando com a senhora. É que, depois que me falou aquelas *palavra*, resolvi mudar de vida.

— Veio buscar o dinheiro do resgate. É isso?

— Priscila quis saber nervosa.

— Oxente! De maneira nenhuma! É que não consegui *fazê* mais nada e acreditei no que a senhora me falou. A senhora parece boa e quero *sabê* se pode me *arrumá* um serviço honesto, porque as *barriga* lá em casa tão tudo roncando.

Por instantes, Priscila ruminou alguns pensamentos para si: "Colocarei em prática o que estou aprendendo... Meu anjo guardião, o que devo fazer? Devo chamar a polícia?".

A resposta do anjo Natanael foi instantânea:

— Você é quem sabe, Priscila. Digo que esse homem é inofensivo e que ficou impressionado com o que disse a ele naquele dia.

— Este pensamento não é meu, ou devo estar louca mesmo... — verbalizou Priscila reticente.

— O que disse, doutora? — perguntou o homem intrigado.

— Nada! Só pensei alto. Como saberei se o que diz é verdade?

— A senhora é quem sabe. Por que eu ia mentir? O que a senhora me falou naquele dia me modificou. Agora sou um homem de *Jesúsu*.

— Andou conversando com meu anjo, foi?

— Desculpe, doutora, não entendi a pergunta.

— Deixe pra lá. Quero avaliar isso direito. Vamos, leve-me até sua casa, porque quero conferir se o que diz é verdade. Vamos para meu carro.

— Mas doutora... É que... É que...

— Está vendo só, seu safado! Sua família está de barriga vazia coisa alguma!

— Oxente! Tá sim, doutora! É que nós *moramo* num barraco. A senhora *qué mêmu* ir?

— Sim! "Queru mêmu ir"! E qual o problema de morarem num barraco? Não deve ter vergonha do que tem. Você deve dar valor ao que tem e não ao que não tem!

— A senhora fala bonito que só! Sim, senhora, então vamos.

— Espere um pouco — Priscila ligou de um telefone público para avisar a Joana que chegaria mais tarde, pretextando visitar um cliente.

Alcançando o carro, Priscila viu um policial de trânsito que lhe aplicava uma multa pela infração de estacionar em um lugar proibido. Estranhando a companhia da elegante moça, o policial perguntou desconfiado:

— Está tudo bem, moça?

Priscila disfarçou:

— Estava! Agora o senhor está me multando porque não encontrei lugar para parar.

— Esse homem é seu conhecido?

— Sim. É meu jardineiro... Entre logo antes que venham me guinchar, Zé... Por sua causa, levei uma multa! Saiba que descontarei do seu salário.

Ao saírem dali, o homem riu:

— Está rindo de mim ou para mim? — perguntou Priscila.

— Tô rindo, porque meu nome é Zé *mêmu*... Tô admirado da sua coragem.

De repente, Priscila começou a dar uma série de tapas no homem, quase perdendo a direção, enquanto Zé se protegia com os braços:

— Tome isso, seu "Zé Mêmu" duma figa! Seu safado! Pensa que é bom ser sequestrado e ter de urinar "menstruosa" num penico debaixo da cama? Encontrou "Jesúsu" e acredita que está salvo? Terá de me explicar direitinho!

— Eita, mulher doida! Para de me bater! Não disse que telefonei *pras poliça* e eles acharam a senhora?

Priscila parou e se recompôs:

— Pronto, desabafei! Agora estou "zen" e satisfeita, mas não pense que está livre de mim, porque, se estiver mentindo, boto você na cadeia, seu "Zé Mêmu" de uma figa!

— Por isso queria me livrar desse lugar... *Paulista* são tudo gente doida!

— Agora fique calado e continue indicando o caminho de sua casa.

Ao chegarem à porta do barraco em uma pequena favela, Priscila identificou o local assustada:

— Mas aqui é o lugar onde ocorreu o assassinato que Noel presenciou...

— Crime? Qual dos *assassinato*, doutora?

— Nada não, Zé. Vamos, mas, antes de eu ir embora, me lembre de lhe perguntar uma coisa.

Zé abriu a porta e disse:

— Suzi, Maria, mãinha, esta aqui é a doutora Priscila, a moça que falei pra vocês.

Ao entrar no barraco, Priscila comoveu-se com as condições em que aquela família vivia. Recebeu olhares de desconfiança das mulheres, que estavam envergonhadas e com medo. Apenas uma menina, que brincava com um urso de pelúcia encardido, correu para ficar perto da visitante:

— Que cheiro gostoso a senhora tem... A senhora veio trazer presente pra nós?

Zé a repreendeu:

— Oxente, Suzi! Menina mais intrometida! Deixa a doutora em paz e não se pendure nela!

Enquanto a mãe recolhia a criança no colo, Zé apresentou a família para Priscila:

— Olhe, doutora, esta é Maria do Céu, minha mulher.

Esboçando um sorriso, Priscila tentou ser agradável com a mulher, mas ela a mediu com olhos baixos, dizendo para Zé:

— Você só pode ser doido *mêmu*, né Zé? Não sei como não foi preso ainda.

— Oxente, mulher! A doutora *mêmu* disse que nós não *devemo* de ter medo de nadinha, quando *fazemo* as *coisa* certa!

Zé prosseguiu apresentando uma senhora, que estava com uma das pernas enfaixada sentada em uma cadeira:

— Essa aqui é minha mãinha. A graça dela é Maria do Socorro.

— Muito prazer, dona Maria do Socorro. O que houve com sua perna?

Ela não respondeu, e a menina Suzi reclamava no colo da mãe:

— Mãinha, eu tô com fome. Dá mais farinha?

Zé ficou contrariado:

— Oxente, bichinha! Num pode *pará* de *reclamá* um pouco? Não respeita nem a doutora aqui? Se não *respeitá*, vai *apanhá*!

Comovida, Priscila abriu a bolsa e tirou uma nota, estendendo-a para Zé:

— Tome, Zé. Por favor, compre algo para a Suzi e para vocês jantarem, enquanto converso com as donas Marias.

— Oxente! Precisa não, doutora! A senhora *mêmu* disse que seu dinheiro não faz minha família feliz... — disse Zé envergonhado.

— Disse naquele dia, Zé! Mas não disse que tem de ser orgulhoso! Seja humilde e aceite. Por favor, faça o que estou pedindo, porque quero conversar com sua mãe e sua esposa. Não precisa trazer o troco e compre o que der para comprar.

Envergonhado, Zé apanhou o dinheiro e saiu seguido da menina Suzi, pulando de alegria:

— Painho, eu quero arroz, feijão, bife, refrigerante, doce...

— Cale a boca, bichinha! — disse Zé, já distante do barraco.

Priscila tentou conversar com cuidado:

— Não conversam comigo porque acham que sou melhor que vocês?

— Oxente! Nós *tamos* é com medo, isso sim! *Sabemo* que o Zé participou do sequestro da senhora, e ele trouxe a senhora até aqui... — respondeu Maria do Céu, esposa de Zé.

— Não precisam ficar com medo. O Zé se redimiu.

— O Zé o quê? O que ele fez? — perguntou Maria do Socorro, e Priscila apressou-se para responder:

— Desculpem-me... Quero dizer que o Zé recuperou-se... Ele cobriu o mal que me fez telefonando para a polícia e indicando o local onde eu estava. Fiquem tranquilas, porque não farei coisa alguma para prejudicá-lo. Apenas preciso que me contem a respeito do Zé e de vocês.

— Pra que a senhora quer saber? — perguntou a mãe de Zé.

— Para saber em que posso ajudá-los, para que ele não faça mais besteiras.

A esposa de Zé continuou:

— Acho difícil, porque o Zé é doido. Vou contar pra senhora... *Saímo fugido* do interior da Bahia faz uns dois *ano*, porque o Zé se meteu numas *encrenca*. Aí, ele ficou fazendo bico aqui, bico ali, e num desses *bico* foi chamado pra *vigiá* a senhora. Aí a senhora falou umas *coisa* que comoveu ele, e o Zé ligou *pras puliça* daqui de perto de casa. Depois do dia que ele falou com a senhora, Zé se enfiou numa igreja de crente de onde não saiu mais. Não aguento mais. Todos os *dia*, Zé volta pra casa de mão abanando dizendo *Jesúsu* é isso, *Jesúsu* é aquilo... Eu tô com meus *picuá cheio* de *ralá* feito doida quase *todos dia* nos *tanque* de alguma dona, pra *ganhá* uns *trocado* e ter o que *comê*.

Comovida com a simplicidade e situação daquela família, Priscila pensava no que poderia fazer, continuando a conversa:

— Conseguiremos uma ocupação para o Zé, mas preciso saber de vocês: ele já foi preso alguma vez? O Zé tem ficha na polícia?

— Vou *deixá* a mãinha dele responder. *Digue* pra doutora, dona Maria do Socorro.

— Olhe, moça, ficha *nas poliça* o Zé tem não, porque nunca foi preso, mas não pode nem *sonhá* em *voltá* pra Bahia, porque tá jurado de morte.

— Ele matou alguém? — perguntou Priscila preocupada.

— Vixi! Que nada, dona! Meu filho é tão tonto que não mata nem um mosquito... Ele trabalhou na roça a vida inteira, mas se juntou com outro tonto e resolveram assaltar a mercearia do seu Noronha, porque a Suzi ficou com vontade de uma tal boneca "Barbi" no Natal. Se nós não *tinha* nem o que comer, como ia ter dinheiro para comprar uma boneca? Depois que o Zé roubou a "Barbi", seu Noronha descobriu tudo e mandou três *capanga* matar o Zé mais o amigo Girso, que ajudou ele. Girso foi *matado* primeiro, então deu tempo do Zé *ficá* sabendo e fugir com a mulher mais a filha Suzi, me dando umas *pista* para eu saber onde eles *tavam*, porque eu tinha ficado pra tomar conta da tapera que nós *tinha*. Os *capanga* apareceram achando que eu devia saber onde eles *tava*. Como não falei, me deram um tiro na perna e tive que *amputá* do tornozelo pra baixo. Como não tenho ninguém pra *cuidá* de mim e a operação infeccionou, só consegui *alcançá* o Zé mais a mulher e filha depois de um ano, seguindo o rastro dos *parente* que vieram pra São Paulo, pegando carona de caminhão e pedindo esmola pra comer. Desde então, *estamo* tão fugida quanto Zé nesse inferno, comendo o pão que o diabo *socô*.

— Meu Deus do céu! — exclamou Priscila atordoada. — Verei se consigo arranjar uma ocupação para esse homem... Ele sabe ler e escrever?

— Oxente! Zé não sabe *fazê* um "ó com copo em cima da mesa"! — respondeu a esposa de Zé.

— Meu avô estava precisando de um caseiro para cuidar do sítio no interior... A senhora disse que Zé trabalhou na roça... Verei o que consigo fazer por vocês.

Capítulo 56

Depois de Priscila obter a funesta revelação sobre os fatos da vida de Zé, ele voltou ao barraco com a filha, que, feliz, relatava as façanhas:

— Mãinha, painho *comprô* um saco de arroz, outro de feijão, carninha e dois *leite* de caixinha!

— Tome o troco, doutora Priscila. Obrigado. Tive de *comprá* um espeto de churrasco pra bichinha, que ficou lumbriguenta quando viu *fumegá* a churrasqueira.

— Fique com o troco e não discuta comigo, Zé! Aceite por enquanto. Se conseguir um emprego de caseiro no interior de São Paulo, você aceita trabalhar lá? Já lhe antecipo que é longe da capital.

— Oxente! É claro que vou, doutora! O que mais quero nesta vida é me *livrá* desse inferno. Cansei de vê bandidagem e gente morrendo.

— Por falar nisso, você conhecia um menino de um pouco mais de cinco ou seis anos, que morava aqui e morreu assassinado pela mãe? Ela acabou sendo assassinada em seguida pelo pai do menino, com tiros na cabeça. Você conhecia?

Um silêncio se fez, franqueando a expressão de medo nos rostos dos presentes, menos em Suzi, que revelou inocentemente:

— É o Anderson, pai... A senhora sabe para onde ele foi? Foi para o painho do céu!

— Cale essa boca grande, bichinha faladora! O peixe morre pelas *boca*, sabia não? Já te falei para não falar nada sobre isso, sua bocuda! — exprobrou Zé.

— Calma, homem! Não precisa falar assim com sua filha... Isso mesmo. O Anderson. O que sabe sobre ele, Zé? Não precisa ficar com medo. Confie em mim.

A esposa de Zé tomou a frente para perguntar:

— Responda primeiro a senhora, por favor. Doutora, o que a senhora tem a ver com isso?

Ao expor o que ocorrera com Noel no dia do assassinato do menino Anderson e de sua mãe, Priscila concluiu:

— Foi isso. Eu e meu amigo enterramos o menino Anderson e acreditamos que a mulher no necrotério era a mãe dele. Vocês poderiam, agora, me dizer o que sabem, por favor?

A esposa de Zé lamentou:

— Tadinho do menino Anderson... Era só um bichinho... Ele era que nem um irmão pra Suzi... Tão bonzinho... O bichinho ficava mais aqui do que no barraco dele, porque a mãe e os *irmão* só *batia* no pobrinho...

Zé tomou a palavra:

— O cabra, o pai do menino Anderson, era um criminoso procurado *pelas poliça* e carregava umas *morte* nas *costa*. Ele era matador de aluguel. Quando aconteceu a morte do menino Anderson mais a da mãe, que a gente chamava de Maria Fulêra, ele entrou nos *barraco* de todo mundo, ameaçando *matá* a família inteira de quem abrisse o bico. Quando entrei por essa porta, ele tava tão nervoso que encostou o revólver no meu "coco" com o gatilho puxado e ainda disse que, se minha mãinha tivesse enxergado o que não devia, ele teria arrancando os olhos dela também.

— Quando esse lugar ferveu de *poliça* invadindo os *barraco*, eu mais Maria do Céu *seguramo* a Suzi no colo e *fechamo* a boca da bichinha, que ficou escondida, de medo dela *fazê* igual fez agora, soltando a língua grande — desabafou a mãe de Zé.

— Esse animal continua morando aqui? — perguntou Priscila com revolta.

— Não — respondeu Zé. — O João Fulêro deve tá morando no inferno do capeta, porque foi pego fazendo sem-vergonhice com a mulher de outro na cama. Daí, o cabra corneado deu um balaço certeiro no "coco" do infeliz e fugiu.

— Bem feito! — exclamou Priscila perguntando em seguida:

— E os outros dois que estavam com o pai do menino Anderson? Tiveram o mesmo fim?

— O Malaquias espichou perdido nesse mundo de *Deusu*, e o Zé do Bode *falô* que ia *voltá pros* Mato Grosso. Ouvi o Zé do Bode contando no bar aqui da favela que só não sentou um ferro na cabeça do moço, depois que *quebrô* o braço do Malaquias por acidente, porque viu um fantasma alto, todinho vestido de luz branca do lado desse seu amigo que seria morto. E como *as poliça* chegaram também, ele se espichou dali.

— Com certeza, foi o anjo da guarda do moço que se enfiou na frente dele pra *defendê*... — disse a mãe de Zé.

— O tal João Fuleiro não deixou filhos, Zé? — indagou Priscila.

— Três dos *filho de menor* se dispersaram ninguém sabe pra onde, mas, no barraco que era dos pais, *ficô* o mais velho. Ele tá partindo pra bandidagem. Já vi ele por aí queimando maconha e cheirando cola. Nem quero conversa com o Fuleirinho.

— Fiquem tranquilos. O que me contaram não será revelado a ninguém até que consiga tirá-los deste lugar — acalmou Priscila.

— Desculpa ter ajudado a fazer o que fizeram com a senhora, doutora Priscila. Nem conhecia aquele tal de Dudu. É que um pessoal estranho veio aqui me convidar, e no desespero eu aceitei.

— Está desculpado, Zé. Agora, veja se dá jeito na vida e não se mete mais em encrenca. Não queira dar para sua filha o mesmo destino que o João Fuleiro deu aos filhos.

— *Jesúsu* me guarde! Se a senhora e Deus me *ajudar*, essa bichinha vai ser doutora que nem a senhora, porque sangue de *Jesúsu* tem poder! Ainda mais agora que minha mulher tá embuchada esperando outro...

Priscila riu da surpresa, porque não tinha notado a gravidez de Maria do Céu.

Dias depois, a moça obteve sucesso no pedido que fizera a seu avô de contratar Zé como caseiro no sítio, motivo de grande alegria para a família de imigrantes nordestinos.

Depois que a família de Zé mudou-se da favela, Priscila revelou a Noel os fatos apresentados a respeito da família do menino Anderson.

Noel tentou ainda fazer o irmão de Anderson tomar o caminho reto, mas foram inúteis as suas tentativas. O jovem debandou-se sem deixar pistas de seu paradeiro, decepcionando Noel.

No recôndito do lar, Gratiel dirigiu-se à sala, onde Noel utilizava como escritório:

— Amor, já são mais de duas horas da madrugada. Não adianta ficar remoendo. Você quis direcionar o irmão do menino Anderson, fazendo tudo o que era possível...

— Eu sei, querida. Sei que não posso salvar o mundo, mas o que me rouba o sono hoje é outro assunto... Olhe isto — Noel mostrou planilhas e relatórios de contabilidade de sua empresa.

— Nossa! Como pode ter alcançado uma situação periclitante assim, Noel?

— Acho que dei um passo maior que a perna, querida... Veja estas planilhas — disse Noel mostrando outros documentos.

— Ai, ai, ai, amor... Os prédios da creche... — Gratiel devolveu as planilhas a Noel sentando-se a seu lado e afagando-lhe a cabeça, enquanto ouvia dele:

— Pelo menos, tenho a mulher que amo para me salvar no abraço. Não me abandonará se eu falir, não é?

— Não vivo mais sem você, amor... Não vou me descabelar, porque meu marido é um homem maravilhoso, que empreendeu quase tudo o que tem num investimento. Aconteça o que acontecer, nada nos faltará. Pena que minhas economias não chegam a cinco por cento da quantia de que necessita para respirar financeiramente. Mas, mesmo assim, será menos cinco por cento do que precisará pegar emprestado.

— Obrigado, querida. É melhor não dispormos de suas economias, pois, diante da atual conjuntura, não sabemos o dia de amanhã.

— Tenho certeza de que conseguiremos superar esta fase.

— Com você ao meu lado, não tenho dúvida de que conseguiremos. O que está me doendo profundamente é ter de suspender a ampliação da creche...

— Não se torture, querido. A creche continuará funcionando.

— É... É só uma fase difícil, que enfrentarei sem reclamar.

— Amor, se eu lhe dissesse que tenho em mãos um documento que suplantará todos seus problemas, você acreditaria em mim?

— Ganhou na loteria? — sorriu Noel.

— Veja — Gratiel entregou um poema que havia escrito para Noel há muito tempo, mas que não fora entregue.

Ao término da leitura, Noel exclamou:

— Essa é minha mulherzinha: sempre inspirada! E olhe só... 1972! Faz doze anos!

— Sim, querido. Escrevi o poema naquela última vez em que nos vimos, na esperança de ainda nos reencontrarmos... Aliás, escrevi este poema ouvindo a nossa música.

Noel abraçou e beijou Gratiel:

— Você tem razão: não tenho problema algum. Pelo contrário, tenho mais do que quero e preciso.

Gratiel segurou o rosto de Noel:

— Lá no quarto, um quase adolescente lindo e saudável está sonhando com anjinhos, esperando chegar o final de semana para lhe fazer uma lista de pedidos, entre eles o principal: pedir que o leve com a tia Gratiel e Maria Vitória para algum lugar para se divertirem juntos... Noel, nós temos mais do que queríamos...

— Tem horas que preciso me beliscar para acreditar que você não é um sonho...

— Então venha dormir, senão você acabará estafado.

A caminho do quarto, Noel começou a rir.

— Do que está rindo, querido?

— É que, ao ler sua poesia, me lembrei da carta que você escreveu para mim, quando lhe enviei meu convite de casamento...

— Poupe-me dos detalhes sórdidos, senhor Noel, senão vai dormir no chão da sala e despertar a bruxa Gratiel, que está escondidinha aqui, só esperando para lhe dar umas palmadas.

Capítulo 57

Noel estava atribulado no trabalho, quando recebeu um telefonema de Priscila:

— Você poderia visitar meu tio Armando hoje, Noel?

— Claro que sim, Priscila. Dê-me o endereço do hospital. Pode ser amanhã cedo?

— Não quero parecer inconveniente, Noel, mas é que meu tio está nos últimos instantes. Ele tem pedido ao meu avô para chamar algumas pessoas conhecidas, como você, por exemplo.

— Nesse caso, irei agora mesmo, Priscila.

— Agradeço-lhe por isso, Noel, e gostaria que depois me contasse sobre essa visita.

Antes de sair do escritório, Noel pediu à secretária para avisar a Gratiel que não voltaria à empresa. Do hospital, seguiria direto para casa.

— O que digo àquele gerente de banco mal-educado, caso ele volte a ligar para o senhor, doutor Noel?

— Diga que, se não depositarmos o dinheiro hoje, depositaremos amanhã sem falta, pois estou aguardando uma resposta sobre outro empréstimo.

A caminho do hospital, Noel pensava no quanto o contrariava ter de encarar Armando, apesar do momento difícil.

Noel sabia que, devido à felicidade que gozava no momento com Gratiel, não havia motivos para reter mágoas. No entanto, ele sabia que havia superado as mágoas, mas não o ciúme.

Ao entrar no quarto onde Armando estava na companhia de Celso Norton, Noel chocou-se ao notar o estado do enfermo, mas esforçou-se para não demonstrar comoção, partindo para os cumprimentos:

— Olá, Armando. Quando o chefe da turma chama, os súditos aparecem!

Celso Norton correspondeu com um sorriso forçado, patenteando a impossibilidade de omitir a tristeza que sentia.

— Pai, poderia nos deixar a sós por uns minutinhos? — Armando pediu educadamente.

Quando Celso Norton se retirou do quarto, Armando disse com muita dificuldade:

— Deve ser muito triste para os pais terem a certeza de que um filho morrerá antes deles.

— Não diga isso, Armando. Você é um guerreiro, sairá dessa.

— Não seja hipócrita, Noel. Você sabe que logo irei para debaixo da terra, e, se quer saber, estou implorando para morrer e me livrar dessas dores atrozes.

Sem encontrar um argumento que pudesse servir de consolo para Armando, Noel calou-se.

— Antes de pedir para você vir aqui, perguntei a Priscila se você estava feliz com Gratiel.

— Com que propósito quis saber disso, Armando? Gosta dela?

— Nunca senti nada por Gratiel e queria apenas que você soubesse deste detalhe. Foi por isso que o chamei aqui.

— Caso não se importe, gostaria de não falar sobre este assunto.

— Eu é que preciso falar, Noel.

— Para que remoer? Isso é passado, amigo.

— Sabe, Noel, quando vemos nossa vaidade reduzida a restos, passamos a refletir sobre coisas para que possamos nos sentir em paz.

— E o que você fez de tão grave? Saiu com Gratiel quando éramos jovens? Foi só isso, Armando.

— Não, Noel... Sabemos que não foi só isso. Gratiel não queria nada comigo, mas eu a forcei e me aproveitei de um momento em que ela estava embriagada.

— Quando somos jovens, fazemos coisas sem pensar... Não se culpe por isso, porque não há necessidade.

— Escute o que tenho a dizer... Contei mentiras para os quatro cantos, porque sabia que isso machucaria vocês dois e me satisfiz com tudo isso, porque sentia inveja de você. Eu acreditava, Noel, que você poderia viver um amor, mas eu não. Se eu não tivesse forçado a barra com Gratiel, vocês teriam se casado e seu casamento com Carla não teria acontecido.

Notando que Noel permanecia em silêncio, sem esconder o quanto aquele assunto o agastava, Armando estendeu-lhe a mão pedindo com dificuldade:

— Perdoe-me, Noel...

Noel considerou o momento pelo qual Armando passava e, correspondendo ao aperto de mão, disse sorrindo:

— Não seja por isso! Eu também tive inveja do seu Karmann-Ghia vermelho, com aquele monte de "brasas" querendo carona nele, "mora"?

Quase sufocando, Armando engasgou de rir e puxou Noel para um abraço:

— Se tivesse dito, eu o teria deixado dirigir o Karmann-Ghia! Mas você era tão tosco, que nem sabia conduzir!

Noel afagou a nuca de Armando:

— Saiba que me constrange ver o líder de nossa turma na situação em que está... Lembro-me de que, quando precisávamos de qualquer conselho, era para você que recorríamos.

— Ah! Mas o Júlio também veio com a mesma ladainha... Vocês todos são um bando de puxa-sacos! Pois é, "bicho"... O líder tá virando poeira, indo pra roça!

Noel permaneceu introspectivo por alguns instantes, resgatando a confiança no amigo:

— Tem certeza de que sua situação é irreversível, Armando?

— Absoluta. E você tem dúvida? Nem a morfina está me ajudando, "bicho". E, para lhe dizer a verdade, até falar me causa dor.

— Se você acha que sofri por Gratiel, Armando, está enganado. O que passei com Carla não tem comparação... Posso confiar em você de que não dirá nada a ninguém?

— A menos que São Pedro me ofereça algo interessante, pode confiar em mim.

— Cara, quase me suicidei por causa da Carla...

— Pelo que Priscila me falou, é de Carla que poderíamos esperar um suicídio, não de você. Por que faria isso?

— Só em um momento como este, eu confiaria falar sobre isso com alguém, pois nunca tive coragem de desabafar com ninguém. No entanto, acho que colocar essas angústias para fora será bom para mim, apesar de já ter superado tudo.

— Vamos, amigo, desabafe. Levarei para o túmulo, que, aliás, está bem perto.

— Você conheceu Caio Henrique, meu filho, não foi?

— Sim. Lindo o menino. No dia do sequestro da Priscila, brinquei e conversei com ele na cozinha.

— Sei que ele não é meu filho legítimo... Soube disso da maneira mais cruel, quando Caio ainda era bem pequeno. Fiz uns exames e descobri que sou estéril desde que nasci. Quase pirei, "bicho"!

Desta vez, o intervalo de silêncio foi protagonizado por Armando, que se comoveu:

— Carla sabia... que você sabia?

— Não. O médico e você são os únicos que sabem que Caio Henrique não é meu filho. Não sei se Carla sabia, mas às vezes penso que sim... E chego a achar que foi o remorso dela que a deixou maluca.

— Então você nunca soube quem é o verdadeiro pai do menino, se tem tanta certeza de que Caio não é seu filho biológico?

— Não sei nem quero saber. De que isso me serviria?

Armando sentiu vontade de contar a Noel que era o pai de Caio Henrique, mas conteve o impulso, ponderando sobre a inutilidade de tal revelação, que poderia ferir o amigo que acabara de reconquistar. Em vez disso, enalteceu Noel:

— Você sempre foi digno de admiração... Você e Júlio sempre foram os mais "certinhos" da turma. Admiro seu esforço, Noel, ainda mais agora que Priscila me contou sobre seu empenho na creche, na qual a mãe da Sara desenvolve um trabalho maravilhoso...

— Ah! Mas isso é um prazer pessoal, não caridade.

— Tenho certeza de que você sempre foi um pai melhor do que qualquer outro poderia ser.

— Sou suspeito para dizer, porque amo demais meu filho e sei que pai é quem cria.

— Com certeza, o infeliz que fez isso, se sabe que é o pai de um menino lindo como seu filho, só pode merecer o inferno.

— Não penso assim, Armando... Seja quem for o pai desse menino, ele não sabe que me deu um presente que não tem preço. Nem sei se o cara sabe, mas, se souber, rezo para que não apareça... Já imaginou como ficaria a cabeça do Caio Henrique ao saber de uma novidade dessas?

— É por isso que o admiro tanto... De minha parte, só aproveitei os recursos que dispunha. Para mim estava tudo pronto, enquanto você teve de lutar para ser o empresário bem-sucedido que é, além do ótimo pai e filho... Quer saber? Cara, você merece ser feliz!

— Não é bem assim, Armando... Meti os pés pelas mãos e, na ânsia de que as coisas acontecessem da maneira que queria, estou quase falido.

— Olhe, cara, se eu não tivesse despendido tanto dinheiro na vã tentativa de me safar da morte, até poderia ajudá-lo, mas fiquei quase duro também. No entanto, acredito que devo dispor de alguma quantia para ajudá--lo. Diga-me o tamanho do seu buraco financeiro.

— Armando, por favor, não é hora de se preo-cupar com isso. Ademais, já estou contornando o problema. Fique em paz com isso e saiba que lhe agra-deço de coração.

— Tudo bem, então. Agora, peço que, por favor, chame meu pai. Preciso pedir um veneno para me matar... Há momentos em que a dor é tão forte que, se eu tivesse forças, me atiraria pela janela.

— Até numa situação como essa você ainda consegue fazer brincadeiras? Chamarei seu pai. Esteja com Deus, Armando.

Noel chegou à porta, mas Armando chamou-o de volta, contorcendo-se de dor:

— Noel, só mais uma coisa...

— Diga, Armando.

— Reze por mim e, mesmo depois de minha morte, faça o que eu lhe pedir.

— O que quer dizer com isso? Diga o que quer enquanto vive.

— Não posso. Você saberá, mas atenda ao meu pedido, promete?

— Sim... Não sei do que está falando, mas atenderei.

— Vá, Noel... Chame logo meu pai.

Celso Norton entrou logo depois que Noel saiu, e Armando pediu:

— Pai, o senhor atenderá ao meu último pedido?

— Sim, filho. Por que faz tanta questão de entregar uma carta para Noel? Por que não disse a ele o que quer enquanto estava aqui?

— Pai, preciso que me prometa que ninguém saberá que o senhor procurará Noel depois de minha morte, porque, se disser para alguém, não ficarei em paz. Promete?

— Não sei o que quer, filho, mas já fiz minha promessa.

Naquela noite, Armando faleceu.

Capítulo 58

Armando, em espírito, compareceu ao próprio velório. Seu corpo físico era velado em uma ampla sala do cemitério. Em um misto de alegria e emoção, um tanto atordoado, ele observava a grande movimentação de pessoas, que mal cabiam no amplo recinto.

Um jovem aproximou-se dizendo:

— Deve ser o enterro de alguma celebridade.

Armando respondeu:

— Com certeza é! E até que enfim alguém se comunicou comigo. É um dos empregados da metalúrgica?

— Não. Sou desencarnado como você. Meu nome é Rodrigo. Não consegue perceber ainda quem é encarnado e quem é desencarnado?

— Ainda não.

Uma linda jovem aproximou-se deles, e Armando não deixou por menos:

— Você também é "desencarnada"? Pensei que fosse uma de minhas fãs, pois percebi que me rodeia desde o velório na igreja.

— Na verdade sou mesmo sua fã. Meu nome é Samanta — apresentou-se a jovem sem revelar a Armando que era seu anjo.

Surpreso com a beleza da jovem, Armando sentiu-se envaidecido:

— Fomos amigos? Confesso-lhe que estou abismado com sua beleza.

— Acha que pode isso, Rodrigo? Armando a me cantar no dia de seu enterro? — observou a jovem sorrindo.

— Pelo que vejo, acho que nosso amigo irá pedi-la em namoro! — Rodrigo gracejou.

Todos riram.

Armando respirou fundo, olhou para o corpo sem feridas e dores e indagou:

— Estou tão bem... Ontem estava sedado, com tubos, morfina... Hoje, estou me sentindo ótimo, cheio de vida. E é tão louco dizer isso, porque estou morto!

Samanta sorriu e explicou:

— Morto está seu corpo físico, Armando. Seu espírito está mais vivo do que nunca. Além disso, sabe o que acontece? A maioria das pessoas, quando morre, faz drama, tem medo, não quer se desprender do mundo, permanece apegada à família, aos bens materiais e a tudo o que deixou. Você, assim como alguns poucos, não. Por natureza, você é desapegado e sempre foi assim. É uma característica de seu espírito.

Rodrigo ajuntou:

— Você teve uma vida muito criticada pelos padrões cultivados pela sociedade. Viveu da forma que quis e nunca se curvou a nada nem a ninguém. Sempre fez o que quis e do jeito que quis. Nunca se deixou influenciar pela opinião dos outros e sempre seguiu os impulsos da alma. Pessoas como você, independentemente da forma como morrerem, se de doença, tiro, acidente etc., sempre vão se desprender rapidamente do corpo físico. O espírito se liberta rapidamente da matéria e já vem para cá com todo esse vigor, essa lucidez.

— Mas não reconheci meu filho.

— Porque não quis, não teve vontade. Você precisa reconhecer que não tem talento para ser pai — ajuntou Samanta. — Seu espírito sabia que você não tinha como assumir Caio Henrique. Ele nasceu para ser filho de Noel e é feliz assim. Isso é o que importa. Você fez um homem estéril ter a possibilidade de amar e criar um filho. Você foi muito generoso, Armando. Fez um homem feliz.

Armando deixou uma lágrima escapulir pelo canto do olho.

— Não havia pensado por esse ângulo.

— E ainda os deixou uma fortuna — emendou Rodrigo.

— É verdade.

Depois de refletir sobre o que ouvira, olhando novamente para as pessoas à sua frente, Armando quis saber:

— Será que vocês poderiam me dizer por que não consegui diferenciá-los da multidão? São os únicos que podem me reconhecer neste momento?

Samanta respondeu:

— Não se preocupe, Armando. Isso faz parte dos primeiros dias após a morte do corpo físico. Você ainda passará por um período de perturbação, mas, pela forma como se apresenta agora, acredito que logo se recordará de coisas...

— Insisto em lhe dizer que sua beleza é que é perturbadora. Como saberei quando chegar esse momento de que fala?

— Enquanto esse momento não chegar, estaremos ao seu lado falando sua linguagem, até que possa alcançar um estado conhecido como Plenitude de Memória — respondeu Samanta.

— Finalmente, enterrarão meu corpo. Vamos lá, que eu quero ver — Armando seguiu o cortejo até o túmulo, percorrendo a vista ao redor:

— Estranho como estou feliz por deixar esta vida, apesar de ter morrido tão novo aos quarenta e quatro anos... É que vivi intensamente... Olhem quantas pessoas... Meu pai fechou a empresa devido ao luto, por isso vieram tantos funcionários. Veja só o danado do Reginaldo, o soldador-chefe, pensando: "Pelo menos doutor Armando morreu num dia de semana para dar folga pra gente...".

— Já consegue saber o que os outros estão pensando, Armando? — perguntou Rodrigo.

— É mesmo... Como consigo saber o que as pessoas estão pensando?

— Observe aquele seu funcionário e me diga o que ele está pensando — convidou Samanta.

— Ah! Sim... O Sarmento! Apelidei-o de "Sarlento", porque o cara parece uma lesma tetraplégica. Ele é muito devagar.

"Patrãozinho, que Nosso Senhor Jesus Cristo lhe reserve um bom lugar no céu, porque o senhor foi um homem muito bom. Obrigado por ter sido paciente comigo, mesmo eu sendo devagar como dizia. Obrigado por não ter me mandado embora naquela distração na fresa, que lhe deu um baita prejuízo. Graças ao doutor, consegui sustentar minha família até hoje. Pai nosso, que estais no céu, santificado seja o vosso nome, vem a...", Sarmento pensava.

Profundamente tocado pela emoção, Armando disfarçou:

— Êeee, Sarlento! Devagar quase parando até para rezar... Você é gente boa, por isso não lhe dei um pé no traseiro... Bem que Noel falou... Não sou ruim.

Venham, amigos. E, por falar em Noel, quero saber o que ele está pensando. Olhe ele ali abraçado a Gratiel, que está com cara de enterro.

Ao aproximar-se de Noel, Armando demonstrou grande alegria:

— Êeee, Noelzão! Um dos meus súditos prediletos! Que bênção eu ter conseguido falar com ele antes de morrer, para desfazer aquela má impressão... Espere aí... Noel... Ele é o médico que fazia aborto... Mas que doideira é essa que está acontecendo comigo? — desesperou-se, ouvindo o comentário de Samanta:

— Melhor do que saber o que os outros pensam, é descobrir quem são, quem somos, o que fizemos ou deixamos de fazer, não é, Armando?

— Mas eu... Eu sou... Eu fui... Gratiel foi a mulher do médico, que era Noel...

Rodrigo recomendou:

— Calma, Armando. Está indo rápido demais. Você irá se lembrar de muitas coisas mais, mas precisa se controlar, senão vai pirar.

— Também estou me lembrando de vocês... Seu nome não é Rodrigo, mas o seu é Samanta mesmo... Só não me lembrava que era linda desse jeito... — reconheceu Armando estupefato.

— É isso aí, irmão! Meu nome foi Rodrigo na última encarnação, na qual estive relativamente próximo a você. Fui filho de dona Ana, a mãe de Sara, mas o direcionamento que demos às nossas vidas não possibilitou que cruzássemos nossos caminhos, para cumprirmos o que combinamos no passado. Lembra-se disso?

— Lembro sim... Mas não foi só com você... Outros acordos também ficaram em aberto... — respondeu Armando observando o pensamento de Gratiel.

— Puxa vida! Gratiel não me perdoou... Não pelo passado em que fora esposa de Noel... Ela não me perdoou pelo que fiz nesta última vida. Gratiel está se recordando daquele dia em que a forcei à...

Samanta interveio:

— Sei como é! Dá vontade de reencarnar imediatamente e pedir desculpas, não é, Armando?

— Não sei se seria para pedir-lhe desculpas... Eu estava vulnerável, carente. Ela veio atrás de mim, me procurou. Ninguém força ninguém. Quando um não quer, dois não fazem. Fiz o que fiz. Cada um é responsável por suas escolhas, certo?

— Sim. E, além do mais, percebe as ligações? — indagou Samanta.

— Pois é. Percebo. E, mais que tudo, sinto que sou louco por você, Samanta... Sei disso, mas... Por que não me lembro de você do outro jeito?

— É que esta forma em que me apresento lhe compraz. No entanto, você gostou assim algumas vezes... — respondeu Samanta tomando a figura de uma senhora madura de setenta e oito anos de idade.

Decepcionado, Armando baixou a cabeça:

— Nem precisa me dizer, porque lembrei... Naquela época, gostava tanto do jeito que eu era quando jovem, que não me conformei com o envelhecimento natural do corpo e me revoltei contra Deus.

— Pois é, querido... Não se decepcione, pois seu desapego ao corpo que apresenta agora já demonstra que venceu o excessivo apego ao culto estético da forma — consolou Samanta, prosseguindo com as revelações que lhe foram permitidas apresentar a Armando.

— Percebo que, de certa forma, me sinto ainda preso ao meu pai, pois lhe pedi que atendesse a um pedido antes de eu morrer... A propósito, você se incomodaria de retomar a forma da Samanta jovem, porque estou um pouco incomodado? — pediu Armando.

Retomando a forma jovem, Samanta esclareceu:

— Não se preocupe com isso, pois sua intenção valeu. O que Celso Norton fará ou deixará de fazer está por conta dele agora, afinal, somos responsáveis apenas por nossas ações.

— É melhor deixar tudo para trás mesmo. Desapego total. Não faço mais parte dessa vida. Eles têm o livre-arbítrio para decidirem o melhor a ser feito. Meu pai é um homem de bons princípios. Sei que fará o melhor. Eu preciso, a partir de agora, cuidar de minha vida, isso sim.

— Isso mesmo — concordou Samanta.

— O que me intriga é... Por que tive flashes de memórias passadas? Não levaria um bom tempo para eu ter acesso ao passado?

Rodrigo interveio:

— Sabe o que acontece? Como você está tão bem, tão na sua, aproveitamos o momento para acionarmos seu campo vibracional, para que seu campo mental tivesse acesso ao passado e você pudesse reconhecer alguns amigos de outras vidas. Mas foi coisa rápida. Foi só para você entender o porquê de determinados laços afetivos e de ter cruzado com determinadas pessoas nesta última experiência terrena. Assim que sairmos daqui, essas memórias vão desaparecer, e você voltará a ser só o Armando.

— No devido tempo, as memórias passadas surgirão naturalmente — concluiu Samanta.

Armando balançou a cabeça afirmativamente e ficou refletindo sobre tudo o que ouvira.

Depois de certo tempo, notando que todos haviam se retirado, Armando aproximou-se de seus pais, que permaneceram a velar o túmulo na companhia de algumas pessoas:

Abraçado à esposa, Celso Norton disse:

— Pare de chorar um pouco, Alessandra, senão irá ter um troço! Nosso filho está em paz agora... Ele sofreu muito...

— Deus às vezes é injusto... Os filhos nunca deveriam partir antes dos pais... — lamentou Alessandra.

— O que você falou é blasfêmia, mulher! Nós é que não prestamos.

— Celso, você fará o que nosso filho pediu?

— Não sei ainda, Alessandra... Por um lado, lembro que Armando havia dito que dependeria disso para ficar em paz, mas, por outro lado, penso que lugar de engordar magro é no inferno... Pensarei muito bem no que fazer, pois a gente nunca sabe se o Armando viu o que não vimos, porque estava perto de morrer...

Armando ficou indignado:

— Essa é boa! Isso porque pedi segredo a meu pai! Ele já começou contando para minha mãe...

— Ficará por aqui, Armando? — indagou Rodrigo, com um sorriso matreiro.

— Deus me livre! Sei que os trabalhos daqui são para espíritos como vocês. Seguirei para onde me levarem, pois vocês sabem o quê e onde é melhor para mim. Estou com muita disposição para dar o melhor de mim, trabalhar, crescer, amar — suspirou, encarando Samanta.

— Consegue ver como está ficando mais fácil, querido? — indagou Samanta, emocionada e contente.

— É... Valeu o aprendizado da última vez, em que eu não queria sair daqui de jeito algum... — finalizou Armando, acompanhando Samanta e Rodrigo.

Capítulo 59

— Doutor Noel, sei que pediu para não ser interrompido, mas há um senhor aqui dizendo que é o pai do seu falecido amigo Armando e que precisa falar urgentemente com o senhor.

— Pai do Armando? O que será que ele quer comigo? Olhe o caos que está minha mesa... Será que estou devendo até para ele e não sabia? — brincou Noel.

— O que digo a ele, doutor?

— Diga que me joguei da janela, lembrando-o de que estamos no décimo andar! Por favor, peça que aguarde apenas cinco minutos. Preciso guardar essa bagunça. Depois, peça que entre.

Minutos depois, Celso Norton entrou na sala de Noel:

— Boa tarde, senhor... Puxa vida! Desculpe-me, mas esqueci seu nome.

— É Celso Norton. Como tem passado, Noel?

— Bem e o senhor? Desculpe-me, senhor Celso. Faz quatro meses que nos vimos no hospital, e minha cabeça não anda muito boa. Sente-se, por favor.

— Procurarei ser breve com o senhor, pois vejo que está assoberbado de trabalho.

— Imagine, senhor Celso! Não precisa se preocupar, pois o senhor é pai do nosso querido líder da turma! Quem diria que já se passaram quatro meses... Lembra-se de que o chamávamos de "Tremendão"?

— Claro que me lembro. O "Tremendão" fazia questão de pagar as contas dos botecos e bailes aos finais de semana... Isto quando não resolvia que eu tinha obrigação de lhe dar o último modelo de carro, pois, sem isso, sua virilidade poderia ficar severamente comprometida... Foi difícil ensinar o "Tremendão" para que serve o dinheiro...

Noel riu:

— Armando é uma figura lendária... Mas soube de Priscila que ele foi um ótimo administrador e multiplicou seu patrimônio.

— Isso é verdade. Armando era, acima de tudo, um idealista. Quase tive um infarto, quando ele decidiu que todos os empregados deveriam ser registrados em carteira e tratados como "colaboradores", segundo palavras dele. Armando dizia que todos deveriam se sentir motivados, para "vestirem a camisa" da empresa. Realmente, meu filho soube se adaptar ao mercado e conciliar a companhia à modernidade.

— Mas a que devo a honra da visita do pai do "Tremendão"?

— Vim atender a um pedido que meu filho fez antes de morrer, trazendo-lhe isto — Celso Norton passou um cheque administrativo às mãos de Noel.

— Armando tinha bom coração e consideração para com os amigos... Agradeço sua honestidade em cumprir a vontade de seu filho, mas, me desculpe, não posso aceitar — Noel devolveu o cheque a Celso Norton.

— Foi o último desejo de meu filho, Noel. Confesso-lhe que relutei em acatar sua vontade, dada à quantia... Mas, tem certeza de que não vai aceitar?

— Desculpe-me novamente, senhor Celso. Não me entenda mal, mas nem olhei a quantia... Com todo respeito, sabemos que Armando estava vivendo momentos difíceis e estava suscetível a atitudes passionais e intempestivas devido ao seu estado emocional por causa da doença. Concorda?

— Concordo e estou admirado com sua atitude!

— Imagine, senhor Celso... O importante é me sentir gratificado por saber que Armando tinha tanta consideração por mim. Espero que ele tenha sido amparado no desencarne e que esteja em paz para seguir a vida real.

— Desculpe-me perguntar, mas acredita mesmo em vida após a morte? Não acha isso meio fantasioso?

— Antes eu achava, senhor. Mas, depois de umas e outras, percebi que a continuidade da vida depois da morte tem fundamento.

— Muito obrigado, Noel. O senhor me deixou realmente mais tranquilo. Deixarei que trabalhe agora.

— Eu que agradeço sua boa vontade. Volte mais vezes para batermos um papo e lembrarmos as façanhas do "Tremendão".

Na saída do escritório, Celso Norton estava se despedindo da secretária, quando recebeu um impulso irradiado de Armando a inspirar-lhe:

— Pai, não pode omitir a carta que lhe confiei... Por favor, pai...

— Droga! Esqueci a carta!

— O que disse, senhor? — perguntou a secretária.

— É que me esqueci de entregar uma coisa a Noel. Por favor, pergunte se posso importuná-lo novamente.

Celso Norton novamente entrou na sala de Noel:

— Esqueceu-se de me entregar outro presente de Armando, senhor Celso?

— Sim, Noel, esqueci-me de entregar este envelope. Antes de morrer, Armando me entregou isto e pediu que, antes de ir embora, eu esperasse o senhor concluir a leitura do bilhete. Estava tão preocupado com a entrega do cheque, que me esqueci da carta. Importa-se de ler para que eu possa sair?

— Claro, amigo! Devemos respeitar o último desejo daqueles que amamos — Noel abriu o envelope e dentro dele havia outro envelope lacrado, onde estava escrito: "NÃO LEIA O CONTEÚDO DESTE ENVELOPE".

No papel sulfite que estava direcionado a ele, leu:

Noel, ajude-me. Aceite o dinheiro. Ele é meu, ganhei com meu trabalho. Se realmente acredita na mesma coisa que Priscila, que os espíritos vivem depois da morte, aceite o dinheiro.

Se não fizer por você, faça pelas crianças que nunca ajudei em vida. Respeite minha vontade e lembre--se do que eu (tomara tenha dado tempo) lhe disse antes de partir.

Aceite e faça o que lhe pedi. Qualquer justificativa para não aceitar será interpretada como uma desfeita em relação a mim. Nunca tive coragem de dizer isso a ninguém, mas não fiz o suficiente pelos outros durante a minha vida. Dê-me a oportunidade de imaginar que, através de você, poderei fazer crianças felizes, pois eu mesmo não tive a capacidade de amar como deveria.

Quanto ao outro envelope, entregue-o a meu pai. O conteúdo escrito não lhe diz respeito, pois trata-se de um assunto entre mim e ele. Quero que esteja presente quando o velho ler a carta, assim como pedi que ele fizesse com você.

Bichão, veja se me respeita e faça o que lhe estou pedindo. Vejo você do outro lado, meu súdito. Abraços.

Tremendão

— É... "Tremendão"... Cheio de surpresas até depois de desencarnado... — sussurrou Noel para si mesmo.

— Pronto, Noel? Posso saber o que meu filho lhe escreveu?

— Talvez, senhor Celso. Por favor, sente-se. Seu filho pediu na carta para entregar-lhe este envelope e que eu permanecesse em sua presença até o senhor terminar de ler o conteúdo do bilhete.

Curioso, Celso Norton abriu o envelope, colocando os óculos para ler com atenção:

Pai, este homem que está à sua frente, Noel, tem um filho, o Caio Henrique. O senhor o conheceu no dia do sequestro de Priscila. Na realidade, eu sou o pai biológico desse menino, que é seu neto.

Neste parágrafo, Celso Norton teve uma vertigem, ficou ofegante e parou de ler a carta, deixando Noel preocupado:

— O que houve, senhor Celso? Está se sentindo bem?

— Na verdade não, Noel... Não estou me sentindo bem... Por favor, me dê um copo de água.

Ao receber o copo de água, Celso Norton tomou um comprimido que trouxe consigo e recomendou:

— Noel, continuarei lendo esta carta, mas, se não conseguir chegar até o fim, quero lhe pedir que não a leia, por favor...

— Está me preocupando, senhor Celso... O senhor está muito pálido. Acho melhor chamar a ambulância.

— Por favor, não. Fará o que pedi?

— Sim, farei. Na carta endereçada a mim, Armando disse que o assunto é entre o senhor e ele e que seu conteúdo não me diz respeito. Creia que respeitarei esse pedido, mas insisto: o senhor está muito pálido. Não acha melhor tratar de seu bem-estar antes de continuar a leitura?

— Noel, sente-se e preste atenção. Quero terminar de ler esta carta aqui mesmo. Por favor, espere.

— Sim, senhor. Se é o que quer, respeitarei.

Celso Norton respirou fundo, posicionou-se na cadeira, e continuou a ler a carta do ponto onde parou:

Noel não sabe disso, pai. Além de mim, da ex-mulher de Noel e do senhor, ninguém sabe. Insisto que não revele a Noel. Não me torne o responsável pela desavença de uma família que não constitui. Ainda mais agora, que sei que estarei morto quando ler esta carta.

Neste ponto, Celso Norton não conteve o pranto e, soluçando diante de Noel, que estava assustado, disse:

— Noel, fique aí mesmo onde está e não me pergunte nada! Deixe-me ler o resto! Não fique preocupado, porque não posso morrer agora!

Como Celso Norton se pronunciara com severidade, Noel não se atreveu a dizer-lhe uma palavra. Ficou, então, experimentando uma angustiosa expectativa e prevendo que o pior pudesse acontecer.

Celso Norton tirou os óculos e, custosamente, enxugou as lágrimas, esforçando-se para cessar o pranto. Por fim, recolocou os óculos e continuou a ler:

A mãe do menino está internada numa clínica psiquiátrica, e acredito que ela está lá porque não suportou a dor na consciência de ter feito o que fez a este homem de bem que está à sua frente. Confio que o senhor irá me ajudar a resgatar coisas que deixei de fazer por um filho que não tive coragem de assumir.

*Noel é uma pessoa honesta e sei que não irá acei-
tar o dinheiro. Caberá, então, ao senhor convencê-lo a
aceitar, não para cobrir o que deixei de fazer por Caio
Henrique, mas pelo bem e pela caridade que sei que
Noel fará, pois saiba que ele tem desenvolvido um grande
trabalho com outras crianças.*

*Fique com o pensamento de que estarei ao seu
lado quando ler este pedido e esta revelação, porque
sinto muito por não ter lhe contado a verdade. Só posso
lhe dizer que não precisa gostar do Caio Henrique, mas,
se bem o conheço, dirá que o privei de um neto que
nunca soube da existência, mas que agora sabe.*

*Preserve Noel e não conte para ele o que desco-
briu, porque ele sempre foi um pai maravilhoso como
você. Um pai que eu jamais consegui ser para meu
filho. Sei que o senhor conta tudo à minha mãe, mas,
se valer o pedido de um filho amado que já se foi, peço-
-lhe que não compartilhe este fardo com ela e que esse
segredo fique entre nós, pois sabemos que mulheres
têm a língua solta.*

*Pai, o encontrarei do outro lado e, se for possível,
gostaria de estar junto do senhor novamente. Aproveito
para dizer-lhe algo que nunca, por falta de coragem,
lhe falei: TE AMO MUITO, PAI. OBRIGADO POR TUDO
O QUE FEZ POR MIM... E também outra coisa que
sempre tive vergonha de fazer: SINTA UM BEIJO DO SEU
FILHO QUE TE AMA.*

Novamente, Celso Norton entregou-se ao pranto
e, como se estivesse respondendo a Armando, disse:

— Moleque cabeçudo... Também sentia vontade
de beijá-lo...

Noel manifestou-se:

— O que disse, senhor Celso?

— Nada, Noel. Preciso lhe pedir que faça uma coisa importante para mim.

— O quê?

— Tome. Aceite este cheque, por favor — Celso Norton entregou o cheque a Noel, segurando-lhe firmemente as mãos.

— Não aceito. Não sou obrigado a aceitar por questões de princípios e opinião.

— Meu filho não está mais conosco, Noel, mas devemos respeitar suas vontades. Por favor, preciso que aceite este cheque.

— Aceito somente se o senhor me deixar ler o que Armando lhe escreveu. Tome a carta que ele escreveu para mim, pode ler.

— Não posso deixar que leia a carta que Armando escreveu para mim, porque o assunto não lhe diz respeito... Também não quero ler sua carta, porque respeito o que quer que ele tenha escrito para você.

— Por que mudou de ideia em relação a isso, senhor Celso?

— Não sei o que Armando escreveu para você, Noel, mas foi suficiente para mudar de ideia e aceitar? Irá aceitar o cheque, Noel?

— Não sei... Eu...

— Pois bem... Cada um sabe os motivos que tem. Tenho um motivo para insistir que fique com o cheque, e o senhor não precisa saber do que se trata. Com certeza, meu filho lhe deu motivos para aceitar este dinheiro, então acredito que devamos respeitar a vontade de Armando, como se ele estivesse aqui. Cada um tem sua maneira de resolver as coisas. E devo avisá-lo que, se não aceitar o cheque, estará conquistando um inimigo.

Celso Norton dobrou a carta, colocando-a no bolso do paletó, e despediu-se em agradecimento, deixando Noel sem argumentos para contradizer-lhe.

Quando Celso Norton se retirou, Noel permaneceu pensativo. Quando decidiu olhar o cheque, assustou-se ao ver que a quantia doada correspondia a cem vezes mais que o patrimônio de sua empresa.

Ainda na sala de Noel, Armando pulava de alegria na companhia de Samanta, seu anjo:

— Como diriam por aqui, marquei o gol da vitória aos quarenta e cinco do segundo tempo!

— Mesmo depois de "morto", você não deixa de ser machista, não é, Armando? Onde já se viu! "Além de sabermos que mulheres têm a língua solta..." — questionou Samanta.

— Não ligue para isso, Samanta... Escrevi isso só para preveni-lo de que o assunto não poderia tomar repercussão nacional, pois conheço minha mãe... — respondeu Armando, que não parava de comemorar.

— Sei... — finalizou Samanta reticente.

Epílogo

Faltava uma semana para o Natal.

Ensejando iniciar um convívio com Caio Henrique, Celso Norton promoveu uma festa de confraternização no sítio de sua propriedade, localizado no interior de São Paulo. Convidou todos os funcionários da empresa, família e alguns amigos, visando não levantar suspeitas sobre suas verdadeiras intenções.

Como, na companhia de sua esposa, era o anfitrião da festa, Celso Norton chegou ao sítio no dia anterior para diligenciar os preparativos:

— Zé Mêmu, fique de olho se alguém depredar alguma coisa. Você não terá trabalho com nada, pois o bufê que Alessandra contratou cuidará de tudo. Portanto, aproveite para desfrutar a festa com sua família.

— Pode deixar, *pratão*! Vou fazer o que pediu. Brigado de deixar minha família *participá*.

Alessandra esperou Zé afastar-se para comentar com Celso Norton:

— Ah! Se o Zé Mêmu soubesse o quanto o "pratão" dele era preconceituoso com os nordestinos...

— Tudo muda, mulher... Por que todo mundo chama o Zé de "Zé Mêmu"?

— Foi a Priscila quem começou com isso, porque acha engraçado ele não dizer "mesmo". Não reparou que ele fala "mêmu"? Olhe, estão chegando dois carros! Joana e Priscila chegaram mais cedo conforme combinamos. Vamos lá, Celso.

Após os cumprimentos, Priscila apresentou Gratiel aos avós, tentando controlar as crianças, que ficaram extasiadas com a beleza do lugar e com tanto espaço para brincarem:

— Caio Henrique, por favor, cuide para que Maria Vitória não se aproxime da piscina quando não houver adultos por perto. Venham conhecer vovô Celso e vovó Alessandra — chamou Joana.

Celso Norton disfarçou o fascínio ao contemplar Caio Henrique, traçando comparativos físicos com Armando.

Assim que se aproximou, Caio Henrique disse a Celso Norton:

— Eu me lembro do senhor naquele dia na casa da tia Priscila... Mas onde está o seu filho, que me deu água?

— O Armando foi viajar. Está com o Papai do Céu.

Na companhia de Gildo, Neide, Júlio e Amanda, Murilo chegou à festa com Roberta, trazendo o casal de bebês gêmeos e ocupando-se de apresentar os sogros primeiramente a Noel e a Gratiel.

Ao chegar a vez de Gildo ser apresentado, ele segurava um cigarro aceso. Noel sorriu disfarçando, como se fosse a primeira vez que o via, porém Gratiel disse sagaz:

— Muito prazer, senhor Gildo. Seria bom parar de fumar, pois, além de prejudicar sua saúde, pode queimar alguém "acidentalmente" no pescoço com a brasa do cigarro...

— Já disse para minha filha Roberta que só deixarei de fumar quando fecharem as fábricas de cigarro. Mas saiba que não fumo perto dos filhinhos dela, porque sei que isso faz mal às crianças.

— O senhor me faz lembrar muito meu avô, sabia? — disse Gratiel carinhosamente.

— É que sou um velhinho afável e dócil como muitos são — Gildo respondeu ironicamente, arrancando risos de Gratiel, que rematou:

— Claro que sim, senhor Gildo. Amanda conheceu meu avô... Peça para ela lhe contar como ele era afável e dócil...

Aproximando-se de Gratiel, Amanda pulou em seu pescoço para abraçá-la:

— Não acredito que estamos juntas! — disse Amanda.

— Bruxas nunca se separam! — correspondeu Gratiel.

No ambiente de alegria, os ônibus fretados por Celso Norton chegaram trazendo os funcionários da empresa, que foram cumprimentados, um a um, por ele.

Noel estava próximo de Oto, reunido com Júlio, Alex e Celso Norton.

Celso Norton perguntou a Noel:

— Como estão as obras da creche?

— Está quase tudo pronto. Se conseguirmos cumprir com o que foi planejado, atenderemos, aproximadamente, cento e cinquenta crianças.

— Deve ser difícil administrar tudo isso — comentou Júlio.

— Gratiel está me ajudando e teve uma grande ideia. Ela fez contatos para estabelecermos um convênio com o Estado. A administração será por nossa conta e, após firmarmos o contrato, poderemos atender em breve um número maior de crianças.

Após o almoço, Celso Norton conversava com Priscila, Laércio e Nívea, enquanto Caio Henrique e Heloísa eram rodeados por Maria Vitória e Suzi a brincarem de pega-pega com outras crianças.

Caio Henrique e Heloísa tentaram se separar das outras crianças para conversarem a sós, mas Celso Norton aproveitou a oportunidade para chamá-los para perto de si, apoiando a mão em seus ombros e chamando a atenção de Priscila, que observou:

— Nossa, vovô! Não sabia que gostava de crianças... Aproveitem, Caio Henrique e Heloísa, pois eu e Murilo não tivemos essa mordomia!

Maria Vitória e Suzi aproximaram-se de Celso Norton, que observou:

— Nem conversamos direito, não é menina? Qual é seu nome?

— Meu nome é Maria Vitória. Eu sou filha da Ana e do Jonas.

Celso Norton colocou Suzi sentada em um joelho e Maria Vitória em outro, passando a conversar com as duas carinhosamente:

— A Suzi, que é filha do Zé, eu já conheço. É uma linda menininha! Agora conheci a Maria Vitória, que é filha do Jonas e também é uma lindinha...

— Nós somos lindas mesmo — disse Suzi orgulhosa.

— Eu pareço com a Priscila, porque sou irmã dela.

Priscila estava próxima e ouviu o comentário de Maria Vitória, retirando-se para perto de Laércio:

— Amor, estou perdida! Maria Vitória disse para meu avô que sou irmã dela.

— Calma, Priscila. É capaz de seu avô pensar que é coisa de criança.

Ao perceber Gratiel por perto, Maria Vitória correu em sua direção na companhia de Suzi.

Celso Norton aproximou-se de Priscila, pedindo para Laércio:

— Por favor, posso conversar a sós com Priscila por alguns instantes?

Em um dos extensos ambientes da casa, Celso Norton perguntou:

— Essa menina, a Maria Vitória, é idêntica a você quando criança. Até a voz dela é parecida com a sua. Tem algo a dizer sobre a menina, Priscila?

— O que quer que lhe diga, vovô?

— Se ela é filha de Jader.

— Sim, vovô, é minha meia-irmã — respondeu de forma defensiva.

— Você contrariou o que lhe pedi, não foi, Priscila?

— Sim, vovô, mas, se quiser, posso sair daqui agora com ela.

Após um breve intervalo, em que Priscila aguardava, cabisbaixa, uma sentença, Celso Norton disse:

— Agora que me trouxe uma neta tão linda como você, quer levá-la embora?

Priscila abraçou Celso Norton suspirando:

— Ai, vovô... Fiquei tão preocupada com sua reação e foi o senhor quem quase me matou de susto...

— É, filha... Eu sei que você não esperava boa coisa de mim, mas hoje percebo que precisamos aproveitar o pouco tempo que nos resta, para vivermos bem com as pessoas que Deus nos colocou no caminho.

— Que bom que o senhor aceitou Maria Vitória. Obrigada. O que o fez mudar de ideia?

— Seu pai e Joana fizeram você tão linda, que não resisto... Por que resistiria à pequena Maria Vitória, que é tão linda como você? Palmas para seu pai, que fez duas filhas lindas!

— Diga que me ama vovô, diga...

— Eu te amo muito, querida.

— Que gostoso, vovô. Também te amo.

Ao cair da noite, os ônibus fretados retornaram à capital levando os funcionários da Fundições Norton, restando na casas as famílias do anfitrião, de Gildo, Oto, Júlio e Noel.

Celso Norton convidou:

— Não há necessidade de voltarem a São Paulo hoje, pois há acomodações para todos.

O grupo concordou, e a festa continuou em uma grande família.

Gratiel tentava fazer Caio Henrique dormir:

— Por que Maria Vitória não veio dormir com a gente?

— Já lhe falei que, perto de você, Maria Vitória não sossega! Por isso, a acomodamos na casa do Zé Mêmu, com a Pri, senão ninguém conseguiria dormir.

— Não quero dormir.

— Durma, querido... Pois assim estará bem disposto e cheio de energia amanhã. Copie seu pai... Olhe para ele, já está roncando.

— Tia Gratiel...

— Diga, Caio Henrique. O que quer agora?

— Se eu lhe contar um segredo, a senhora promete não contar para ninguém?

— Claro. Pode confiar. Conte.

— Não consigo tirar a Heloísa da cabeça e quero ficar com ela o tempo todo.

— Hum... Homenzinho precoce! Acho que está apaixonado.

— Já combinamos de nos casar quando crescermos.

— Xiii... Já vi tudo... Mas agora vamos dormir, está bem? Durma, Caio.

— Tia Gratiel...

— Diga, Caio Henrique.

— Minha mãe vai sarar um dia?

— Vai sim, filho. Por que a dúvida?

— Você agora é a mulher do meu pai, não é?

— Sim, sou esposa de seu pai. Por quê?

— Eu posso chamar a senhora de mãe?

— Mas é claro, filho... Já o considero meu filho faz tempo. Você é um sortudo de ter duas mães! Mas agora durma.

— Mãe... Estou com medo...

— Deus pai... Medo de quê, Caio Henrique? Estou aqui do seu lado. Não é uma delícia dormir ouvindo grilos e sapos? Estão conversando. Preste atenção à conversa deles e acabará dormindo.

— É que estou vendo um monte de luzes pequenas passando por nós aqui dentro do quarto escuro e ouvindo vozes bem baixinhas conversando.

— Ah! Sei o que é.

— O que é, mamãe?

— São os nossos anjos da guarda, que estão velando nosso bem-estar. Assim que fechar os olhos, todos aparecerão para você, e seu anjo da guarda o levará voando pelo espaço, para um lugar maravilhoso, onde encontrará um monte de gente conhecida.

— Quero ir com eles.

— Pois bem, então irá. Cantarei uma canção que minha avó cantava para mim e que nos levará até eles. Feche os olhos e preste atenção:

Santo anjo do Senhor,
meu zeloso guardador,
se a ti me confiou
a piedade divina,
sempre me rege,

me guarda, me governa,
e me ilumina.
Amém.

Com Deus eu me deito,
com Deus eu me levanto,
com a graça de Deus
e do Divino Espírito Santo.

Meu anjo da guarda,
minha doce companhia,
me guarde por esta noite,
e amanhã por todo dia.

Fim

Romances

Zibia Gasparetto
pelo espírito Lucius

A verdade de cada um
(nova edição)

A vida sabe o que faz

Entre o amor e a guerra

Esmeralda *(nova edição)*

Espinhos do tempo

Laços eternos

Nada é por acaso

Ninguém é de ninguém

O advogado de Deus

O amanhã a Deus pertence

O amor venceu

O encontro inesperado

O fio do destino *(nova edição)*

O matuto

O morro das ilusões

O poder da escolha

Onde está Teresa?

Pelas portas do coração
(nova edição)

Quando a vida escolhe

Quando chega a hora

Quando é preciso voltar

Se abrindo pra vida

Sem medo de viver

Só o amor consegue

Somos todos inocentes

Tudo tem seu preço

Tudo valeu a pena

Um amor de verdade

Vencendo o passado

Ana Cristina Vargas
pelos espíritos Layla e José Antônio

A morte é uma farsa

Em busca de uma nova vida

Em tempos de liberdade

Encontrando a paz

Intensa como o mar

O bispo *(nova edição)*

Sinfonia da alma

O quarto crescente
(nova edição)

Mônica de Castro
pelo espírito Leonel

A atriz *(edição revista e atualizada)*

Apesar de tudo...

Até que a vida os separe

Com o amor não se brinca

De frente com a verdade

Desejo – Até onde ele pode te levar? *(pelos espíritos Daniela e Leonel)*

De todo o meu ser

Gêmeas

Giselle – A amante do inquisidor *(nova edição)*

Greta *(nova edição)*

Impulsos do coração

Jurema das matas

Lembranças que o vento traz

O preço de ser diferente

Segredos da alma

Sentindo na própria pele

Só por amor

Uma história de ontem *(nova edição)*

Virando o jogo

Marcelo Cezar
pelo espírito Marco Aurélio

A última chance

A vida sempre vence

Coragem para viver

Ela só queria casar...

Medo de amar

Nada é como parece

Nunca estamos sós

O amor é para os fortes

O preço da paz

O próximo passo

O que importa é o amor

Para sempre comigo

Só Deus sabe

Treze almas

Um sopro de ternura

Você faz o amanhã

Conheça mais sobre espiritualidade e emocione-se com outros sucessos da editora Vida & Consciência

🏠 vidaeconsciencia.com.br   f /vidaeconsciencia   🐦 @vidaconsciencia

Rua Agostinho Gomes, 2.312 – SP
55 11 3577-3200

grafica@vidaeconsciencia.com.br
www.vidaeconsciencia.com.br